D0095196

СЕСИЛИЯ

АХЕРН

Год, когда мы встретились

CECELIA

AHERN

THE YEAR I MET YOU

СЕСИЛИЯ

АХЕРН

Год, когда мы встретились

РОМАН

Издательство «Иностранка»
Москва

УДК 821.111-055.2Ахерн
ББК 84(4Ирл)-44
А95

Cecelia Ahern
THE YEAR I MET YOU

Перевод с английского Л. Гурбановской

Художественное оформление С. Ляха

Ахерн С.
А95 Год, когда мы встретились : роман / пер. с англ. Л. Гурбановской. — М. : Иностранка, Азбука-Аттикус, 2015. — 416 с.
ISBN 978-5-389-08896-2

Жизнь Джесмин напоминает бег с препятствиями — стоит преодолеть одно, тут же устремляешься к новой цели. У нее есть все, что можно пожелать: интересная работа, родные, друзья. Ничто не мешает бежать дальше, ни в чем не сомневаясь и никогда не останавливаясь. Внезапно Джесмин увольняют, вынуждая остаться без дела на целый год. С привычной энергией она берется возделывать свой сад, а следом и отношения с окружающими. Принесет ли нелегкий труд долгожданные плоды? Впереди у Джесмин год для самых важных в жизни встреч...

УДК 821.111-055.2Ахерн
ББК 84(4Ирл)-44

ISBN 978-5-389-08896-2

Моей подруге Люси Стэк

Когда гусеница задумывается о мире над ней,
она становится бабочкой…

Величайшая слава не в том,
чтобы никогда не падать,
но в том, чтобы уметь подняться
каждый раз, когда падаешь.

Конфуций

ЗИМА

Сезон между осенью и весной. В Северном полушарии длится три месяца, самых холодных в году: декабрь, январь и февраль.

Период бездействия и распада.

Глава первая

В пять лет я узнала, что когда-нибудь мне придется умереть.

До этого мысль о том, что я не буду жить вечно, мне в голову не приходила. Да и с чего бы? Тема моей смерти прежде как-то не возникала.

Впрочем, мои познания о смерти не были совсем уж расплывчатыми — золотые аквариумные рыбки умирали, я самолично это наблюдала. Они умирали, если им не давали корм, и также они умирали, если им его давали слишком много. Собаки умирали, когда перебегали дорогу перед машинами, мыши — соблазнившись приманкой в мышеловке в кладовке под лестницей, а кролики — когда удирали из клетки и становились добычей зловредных лисиц. Их смерть не порождала тревоги о моей собственной судьбе, ведь я знала, что они неразумные животные, наделавшие глупостей, которых я делать вовсе не собиралась.

Новость о том, что меня тоже настигнет смерть, стало огромным потрясением.

Мой источник информации утверждал, что, если «повезет», я умру в точности так же как дедушка. В старости. От дедушки пахло трубочным табаком, и он частенько пукал, к его усам прилипали клочки бумажных салфеток, куда он регулярно сморкался. В подушечки пальцев навсегда въелась грязь от работы в саду. Уголки глаз пожелтели и напоминали мраморные шарики из коллекции моего дяди. Сестра любила засовывать их в рот, иногда она их проглатывала, и тогда подбегал папа, обхватывал ее поперек живота и сжимал покрепче, пока они не возвращались обратно. В старости. Дедушка носил коричневые брюки, задирая их повыше, под самую грудь, нависавшую, как женские сиськи. Брюки туго обтягивали мягкий живот и яички, сплющенные сбоку ширинки. В старости. Нет, я не хотела умирать, как дедушка, в старости, но мой источник заверил, что это наилучший сценарий из всех возможных.

О надвигающейся смерти я узнала от своего двоюродного брата Кевина в день похорон дедушки. Мы сидели на траве в укромном углу сада, держа в руках пластиковые стаканчики с красным лимонадом[1], — как можно дальше от скорбящих родственников, напоминавших жуков-скарабеев. День выдался на редкость жаркий, самый жаркий в тот год. Лужайка сплошь заросла одуванчиками

[1] Красный лимонад — популярная ирландская разновидность лимонада, часто смешивается с виски и другими крепкими спиртными напитками.

и маргаритками, трава поднялась куда выше обычного, потому что в последние недели болезни дедушка уже не мог как следует ухаживать за садом. Помню, мне было грустно и обидно за него — он так гордился своим прекрасным садом, а теперь, когда там собралась вся родня и соседи, его детище явилось им не в полном своем великолепии. Он бы не переживал, что его там нет, — дедушка не любил пустой болтовни, — но он бы, во всяком случае, позаботился, чтобы все было в наилучшем виде, а сам улизнул на второй этаж к себе в комнату, открыл окно пошире и оттуда внимал похвалам. Он бы притворялся, что ему все равно, но на лице у него была бы довольная улыбка, а вот штаны с зелеными пятнами на коленях и грязные руки его бы и правда ничуть не тревожили.

Какая-то пожилая леди с четками, которые она теребила костлявыми пальцами, сказала, что ощущает в саду его присутствие. А я была уверена, что его там нет. Его бы настолько раздражало, во что превратился сад, что он бы не смог этого вынести.

Бабушка порой прерывала молчание фразами вроде: «Как пышно расцвели его подсолнечники, упокой Господь его душу», или «Он больше никогда уже не увидит, как распускаются петунии». На что мой всезнающий братец Кевин пробурчал: «Ну да, теперь он превратился в удобрение для них».

Все дети захихикали. Они всегда смеялись над тем, что говорил Кевин, потому что Кевин был крутой, и Кевин был старше, и в свои горделивые десять лет он мог сказать любую жестокую гадость, чего мы, младшие, себе позволить не могли. Даже если нам не было смешно, мы все равно смеялись, потому что знали — иначе он тут же сделает нас предметом своих злобных нападок, как и случилось в тот день со мной. Я не думала, что это смешная шутка, будто дедушкино тело, зарытое в землю, поможет его петуниям расти, но и жестокими слова Кевина мне не показались. В этом была своеобразная красота. Какая-то прекрасная завершенность и справедливость. Дедушке бы это на самом деле понравилось теперь, когда его пальцы, толстые как сардельки, уже не могли больше возделывать чудесный сад, который был центром его мироздания.

Своим именем — Джесмин — я обязана дедушке. В день моего рождения он принес маме в больницу цветущие ветки, сорванные с кустов у задней стены дома. Он завернул букет в газету и обвязал коричневой веревочкой, чернила на незаконченном кроссворде задней страницы Irish Times расплылись под дождем и слегка запачкали лепестки. Это был не тот летний жасмин, который нам всем хорошо знаком по дорогим ароматическим свечкам и освежителям воздуха, я была зимним ребенком, и жасмин был зимний — с маленькими желтыми цветочками, похожими на звездочки. Он в изобилии рос в саду, яркими пятнами радуя глаз в серые зимние дни. Не думаю, что дедушка усматривал некий символический смысл в своем подарке, и не знаю, так ли уж он был польщен, когда в награду мама назвала меня в честь цветов, которые он принес.

Мне кажется, он счел, что это странное имя для ребенка и годится оно лишь для растения, а вовсе не для человека. Самого его звали Адальберт, в честь ирландского святого, а второе его имя было Мэри, и имена, взятые не из Библии, были ему непривычны. За год до того, тоже зимой, родилась моя сестра, тогда он принес в роддом букет пурпурного вереска, и поэтому ее назвали Хизер. Простой, незатейливый подарок в честь рождения дочери, — но я сомневалась, что в случае со мной все было так же просто. Если подумать, у зимнего жасмина и зимнего вереска много общего, их роднит тот факт, что они привносят цвет в унылый зимний пейзаж. Возможно, из-за того, что таков был мой дедушка, я склонна верить, что молчаливые люди обладают магией и пониманием, которых лишены люди менее содержательные, что они не говорят о чем-то очень важном, предпочитая не облекать свои мысли в слова. Быть может, их мнимая простецкость помогает скрыть причудливые идеи, и желание дедушки Адальберта, чтобы меня звали Джесмин, одна из них.

А тогда, в саду, Кевин решил, что я не смеюсь над его убийственной шуткой, потому что не одобряю ее, и поскольку для него не было ничего хуже и страшнее любого неодобрения, он обратил на меня яростный взгляд и сказал:

— Ты тоже умрешь, Джесмин.

Нас было шестеро, я самая младшая, мы сидели кружком на траве, а Хизер развлекалась чуть поодаль — крутилась на одном месте, пока не падала с хохотом навзничь. В горле у меня образовался огромный комок, будто я проглотила одного из шмелей, роившихся над столом с закусками позади нас. Мысль о грядущей кончине проникала в меня с трудом. Все были потрясены тем, что он это сказал, но вместо того, чтобы броситься на мою защиту и опровергнуть это ужасное предсказание, они смотрели на меня и печально кивали. Да, это правда, говорили их взгляды. Ты должна будешь умереть, Джесмин.

Я не знала, что сказать, и Кевин продолжал, с наслаждением вонзая нож поглубже. Меня ждет не только смерть, но еще и страшная вещь под названием «эти дни», дни, когда я буду страдать и корчиться от боли, — каждый месяц, до конца жизни. Затем я узнала, как делаются дети, с такими мерзкими подробностями, что неделю не могла смотреть родителям в глаза, и уже напоследок, дабы подсыпать соли в открытую рану, мне сообщили, что Санта-Клауса не существует.

Человек склонен забывать подобные вещи, но я этого забыть не смогла.

Почему я вспомнила тот летний эпизод? Наверное, потому, что от него я веду отсчет. Тогда я стала такой, какой я себя знаю и какой меня знают все остальные. Моя жизнь началась в пять лет. Осознание того, что я умру, внедрилось в меня, придавило мне душу, и с тех пор я живу с этим грузом: понимая, что, хотя вообще время бесконечно, мое время ограниченно и оно утекает. Я знаю, что срок, отпущенный мне, не равен чьему-то другому сроку. Мы не можем провести жизнь одинаково, мы не можем одинаково думать. Свое время тратьте как вам угодно, но не втягивайте в это меня, я не могу его разбазаривать. Если хочешь что-нибудь сделать, делай сейчас. Если хочешь сказать, говори сейчас. И, что еще важнее, ты обязан все делать сам. Это твоя жизнь, и это тебе предстоит умереть и потерять ее. Это стало моим руководством к действию, моим стимулом. Я работала в таком ритме, что дух некогда перевести, и с трудом улучала минутку, чтобы побыть с собой наедине. В этой беспрерывной гонке мне, возможно, нечасто удавалось уловить саму себя. Я была стремительна.

Солнце клонилось к закату, скорбные, загоревшие за день родственники потихоньку потянулись в дом, и мы пошли следом. Мои запястья и щиколотки были охвачены венками из маргариток, а душа — мучительным страхом. Но он поселился там ненадолго, ведь мне было пять лет, и вскоре страх исчез. Смерть всегда представлялась мне в образе дедушки Адальберта Мэри, ушедшего в землю, но не покинувшего свой сад, и это вселяло надежду.

Что посеешь, то и пожнешь, даже и в смерти. Итак, я принялась сеять.

Глава вторая

Меня отстранили от работы, я была уволена — за полтора месяца до Рождества. На мой взгляд, вынуждать человека уйти в такое время в высшей степени несправедливо. Чтобы меня уволить, наняли сотрудницу из агентства, где их натаскивают сообщать подобные новости должным образом, чтобы работодателю проще было избежать скандала, судебного иска и прочих проблем. Она пригласила меня на ланч в тихое уютное местечко, подождала, пока я закажу салат «Цезарь», а себе взяла чашку черного кофе и преспокойно сидела напротив, наблюдая, как я едва не подавилась гренками, когда она обрисовала мне ситуацию. Уверена, что Ларри знал — я не приму это известие ни от него, ни от кого другого, попытаюсь его переубедить, влеплю ему иск или хотя бы пощечину. Он постарался обставить все так, чтобы я убралась вон, сохранив гордое достоинство, но ничего достойного гордости я в своем положении не видела. Невозможно скрыть, что тебя уволили, я была вынуждена это обсуждать, а те, кто не задавал лишних вопросов, просто и так уже были в курсе. Я чувствовала себя уязвленной. И сейчас чувствую.

Свою трудовую жизнь я начала бухгалтером. В двадцать четыре года, молодая, но опытная, я пришла в Trent@Bogle, довольно крупную корпорацию, где проработала год, а затем неожиданно перешла в Start It Up. Там я консультировала предпринимателей, решивших открыть собственный бизнес, в том, что касалось финансов, и руководила индивидуальными проектами.

И там же я поняла, что о любом событии можно рассказать две истории — одну для публики, а другую — правдивую. Вот история, которую я рассказывала: проработав полтора года, я ушла, чтобы создать свой бизнес, потому что меня настолько вдохновляли мои клиенты, что мне страшно захотелось воплотить свои идеи в жизнь. А вот правда: мне так осточертели люди, неспособные хоть что-нибудь сделать правильно, что, движимая стремлением добиться результата, я основала свой бизнес. Он оказался столь успешен, что мне предложили его продать. И я продала. Потом организовала новый и опять-таки продала. Быстро нашла еще одну идею. На третий раз мне не пришлось даже особенно в нее вкладываться, покупателям так понравилась концепция, а может, они так боялись, что я составлю им сильную конкуренцию, что без промедлений ее приобрели. Тогда и началось наше с Ларри сотрудничество, а завершилось оно тем, что меня уволили — впервые за всю мою трудовую деятельность. Бизнес-концепт компании не был лично моей идеей, мы разработали его вместе, я была соучредителем и вынашивала это детище как свое. Я помогала ему расти. Наблюдала, как оно крепнет и набирается сил, расцветает сверх самых смелых ожиданий, а потом стала готовиться к тому моменту, когда мы сможем его продать. Но этого не случилось. Меня уволили.

Свою компанию мы назвали «Фабрика идей». Мы помогали различным организациям с их собственными большими идеями. Мы не были консалтинговой фирмой. Либо мы брали готовые идеи и доводили их до ума, либо придумывали свои, разрабатывали их, внедряли и контролировали вплоть до окончательной реализации. К числу таких идей относится, например, Daily Fix, газетка местных новостей, которую распространяли в кофейне. Она издавалась в поддержку окрестных предпринимателей, писателей и художников. Или, скажем, идея продавать мороженое в секс-шопе — она принадлежала лично мне и имела огромный успех. Когда в экономике наступил спад, наши дела, напротив, круто пошли вверх. Ибо если что и могло помочь компаниям удержаться на плаву и выжить в новых обстоятельствах, так это способность оригинально мыслить. Мы продавали свое воображение, и мне это нравилось.

Сейчас, пользуясь тем, что у меня куча свободного времени, я анализирую свои отношения с Ларри и вижу, что они начали портиться уже задолго до окончательного разрыва. Я двигалась, быть может, без оглядки на его устремления, по протоinnенному маршруту, к пункту «Продажа», как уже трижды делала до того, а он хотел сохранить фирму. Оборачиваясь назад, я понимаю, что это и была наша проблема, причем немаленькая. Думаю, что я слишком сильно напирала, слишком активно искала потенциальных покупателей, меж тем в глубине души я знала, что это расходится с его интересами и не стоит так на него давить. Он был уверен, что «довести дело до ума» означает развивать его дальше, а я считала, что это означает продать его и начать что-то новое. У меня с детства выработался один взгляд на жизнь, у Ларри — другой. Я привыкла, что в конечном счете приходится расставаться, Ларри привык держаться своего. Достаточно посмотреть, как он ведет себя с женой и дочерью-подростком, чтобы понять: такова вообще его жизненная философия. Удержать, не дать уйти, это мое. Не ослаблять хватку, не выпускать из рук. Любой ценой.

Мне тридцать три года, в нашей компании я проработала четыре. У меня не было ни единого больничного, жалобы, нарекания, выговора или сомнительной сделки — во всяком случае, такой, которая отрицательно сказалась бы на доходах фирмы. Я всю себя отдавала работе и делала это весьма охотно, ведь это было в моих же интересах, но я ожидала, что получу что-нибудь взамен, честь по чести. Прежде я была убеждена, что личность уволенного сотрудника никак не страдает, но это потому, что меня никогда никто не увольнял, наоборот, увольняла я. Теперь я понимаю, что личность страдает, да еще как. Работа была моей жизнью. Друзья и коллеги всячески старались меня поддержать, и в итоге мне пришло в голову, что, если бы однажды у меня вдруг обнаружился рак, никто бы об этом не узнал, я бы предпочла справляться в одиночку. Они заставили меня ощутить себя жертвой. Смотрели так, точно мне пора садиться в самолет и уматывать в Австралию, мысленно при этом сожалея, что я и там не сгожусь — слишком высокая квалификация, чтобы выращивать арбузы.

Прошло всего два месяца, а я уже сомневаюсь в своей востребованности. У меня нет цели, мне не на что опираться в том, что зовется жизнью «изо дня в день». Такое чувство, что меня просто изъяли из мира. Знаю, это ненадолго, потом я снова смогу исполнять свою роль, но сейчас я чувствую себя именно так. Всего два месяца, даже чуть меньше, а мне уже смертельно надоело. Я деятельный человек, только делать мне особо нечего.

Все дела, с которыми я мечтала расправиться, пока жила в напряженном трудовом ритме, уже переделаны. На это хватило первого месяца.

Съездила в теплые края незадолго до Рождества, так что теперь я загорелая и простуженная.

Повидала подруг, все они нарожали детей и все в декретном отпуске, в продленном декретном отпуске или во «вряд-ли-я-вообще-вернусь-на-работу» отпуске. Мы ходили попить кофе, и мне странно было сидеть в кафе и болтать за жизнь посреди рабочего дня. Как будто я снова прогуливаю школу — просто замечательно... первые пару раз. Потом стало уже не так замечательно, и я начала обращать внимание на тех, кто приносил нам кофе, протирал грязные столики, готовил горячие бутерброды. Все они работали. Работали.

Я исправно курлыкала с младенцами своих приятельниц, хотя большинству из них это было безразлично — они лежали на цветных ковриках, которые шуршат и хрустят, если на них по случайности наступишь, и ничего толком не делали, просто задирали вверх пухлые ножки, сосали пальцы, переворачивались на живот и стремились перевернуться обратно. Забавно... первые десять раз.

Дважды за полтора месяца меня попросили стать крестной матерью, видимо, в надежде занять хоть чем-то безработную подругу. Оба приглашения были сделаны от чистого сердца, и я была тронута, но, если бы у меня была работа, меня бы не позвали — ведь тогда бы мы виделись куда реже, я бы не знала их детей и... и опять все возвращается к тому, что работы у меня нет. Меня нередко приглашают зайти, потому что совсем приперло и не к кому обратиться. Очередная мученица с немытыми жирными волосами, потная и пропахшая детской отрыжкой, звонит мне и тихим бесцветным голосом, от которого у меня мурашки бегут по спине, сообщает, что ей страшно от того, что она с собой сделает, после чего я тут же мчусь посидеть с ребенком, пока она идет в ванну на десять блаженных минут. Я обнаружила, что возможность принять душ или спокойно посидеть в туалете бесценна для молодых матерей.

Я захожу в гости к сестре просто так, потому что вдруг захотелось повидаться. Раньше я себе этого никак не могла позволить. Это приводит ее в полнейшее замешательство, и она беспрерывно спрашивает меня, который час, как будто я сбила ее внутренний хронометр.

Я сильно загодя накупила подарков к Рождеству. А также рождественских открыток, которые разослала вовремя — все двести штук. Я даже помогла отцу с его списком покупок. Я деятельна сверх меры и всегда такая была. Конечно, мне тоже приятно побездельничать — люблю съездить в отпуск на пару недель, поваляться на пляже и ничем вообще не заниматься, но только если я сама так решила, если это происходит по моей воле и я знаю, что потом меня снова ждет работа. Мне необходимо иметь цель. Необходимо к чему-то стремиться. Что-то преодолевать и чему-то способствовать. Мне необходимо что-то делать.

Я любила свою работу, но, чтобы как-то приободриться и поменьше переживать ее утрату, постаралась найти что-нибудь, о чем я потом сожалеть не буду.

Моими коллегами в основном были мужчины. По большей части самодовольные придурки, но были и забавные, и парочка приятных. Мне не хотелось встречаться ни с кем из них вне работы, и поэтому то, что я сейчас скажу, может показаться нелогичным, но это не так. Их было десять человек, и с тремя я переспала. В двух случаях из трех я об этом пожалела. Третий, о котором я не пожалела, очень пожалел об этом сам. Такие вот нескладушки.

Я не буду скучать о тех, с кем вместе работала. Люди раздражают меня больше всего на свете. Меня раздражает, что у большинства начисто отсутствует здравый смысл, что они пристрастны, необъективны, их поступки ошибочны, а убеждения ложны, они невежественны и опасны, так что слушать их порой просто невыносимо. И это не потому, что я ядовитая брюзга. Напротив, я ничего не имею против грубой, скажем так, неполиткорректной шутки, если она уместна и остроумна, а шутник в идеале еще и самокритичен. Но когда какой-нибудь кретин на голубом глазу изрекает «забавные» пошлости, в которые сам при этом верит, это не смешно, это отвратительно. И я терпеть не могу благостные споры о том, что хорошо, а что плохо. По мне, каждый и так должен это знать, с самого рождения. В детстве надо проходить проверку на подлость и получать прививку от глупости.

Отсутствие работы вынудило меня признать существование некоторых проблем, чрезвычайно меня раздражающих. Работа позволяла мне этого избегать, отвлекала от лишних мыслей. А теперь мне приходится думать, задаваться ненужными вопросами, искать возможность взаимодействия с тем, от чего я так долго уклонялась. Это касается и соседей по району, где я поселилась четыре года назад. До того наше общение было сведено к нулю.

Касается это и сегодняшнего ночного происшествия. Не знаю, может, так бывало и раньше, а мне удавалось не обращать внимания. Впрочем, может быть, ситуация постепенно усугубилась или теперь, когда мне больше особо нечем заняться, я излишне остро на нее реагирую, то есть дохожу до белого каления. Как бы то ни было, а сейчас десять вечера, и уже минимум два часа как я в бешенстве.

Сегодня канун Нового года. И впервые в жизни я в этот вечер одна. Я сама так решила по нескольким причинам: прежде всего погода просто ужасающая и выходить на улицу чистое безумие. Мне и так чуть голову не оторвало, когда я открыла дверь, чтобы забрать у парня из службы доставки свою тайскую еду. Этот героический человек храбро сражался со стихиями, чтобы снабдить меня пищей, и у меня не хватило духу упрекнуть его, что пельмени и креветочные чипсы превратились в единое месиво. Он смотрел мне за спину, в тепло и уют гостиной, и в его взгляде было столько безнадежной тоски, что жалобы заглохли у меня на губах.

Ветер за окном воет с такой лютой силой, что я всерьез опасаюсь, как бы он не сорвал крышу. У моих ближайших соседей беспрерывно хлопает калитка, и несколько раз я уж почти готова была выйти и закрыть ее, но боюсь, что уподоблюсь пустым банкам из-под пива, которыми ветер играет на боковой улочке. Такого урагана наша страна — то есть Ирландия — никогда в жизни не видела. И то же самое творится в Британии, да и Штатам прилично досталось. В Канзасе минус сорок, Ниагарский водопад замерз, над Нью-Йорком завис арктический антициклон, и там тоже собачий холод. В графстве Керри буря поднимает дома-автофургоны и швыряет на скалы, а овцы, прежде весьма крепко державшиеся на гористых склонах, проигрывают схватку с ураганом и валяются на побережье рядом с обессилевшими тюленями. Предупреждают о наводнениях, жителям прибрежных районов рекомендуют не выходить из дома, улицы пусты, и лишь несчастные репортеры посиневшими губами ведут прямые трансляции с места событий. Дорога, по которой я могу добраться туда, куда мне нужно, уже два дня как затоплена. Именно в тот момент, когда мне бы хотелось проявить активность, когда мне необходимо себя чем-то занять, мать-природа вынуждает меня затормозиться до полной обездвиженности. Я знаю, чего она добивается: хочет, чтобы я кое о чем поразмыслила, и она в этом преуспела. Но поскольку все, что я о себе думаю, теперь начинается с «может быть...», чего раньше никогда не случалось, то не знаю, насколько эти мысли верны.

От дома напротив сквозь завывание ветра порой доносится собачий лай, видимо, доктор Джеймсон опять забыл впустить своего пса. Либо он становится все более рассеян, либо у них в последнее время испортились отношения. Не знаю, как зовут это животное, но оно породы джек-рассел-терьер. Пес взял себе за правило забегать ко мне в сад и делать там свои делишки, а пару раз врывался в дом, так что приходилось ловить его и относить через дорогу, чтобы возвернуть достопочтенному хозяину. Я зову его «достопочтенным», потому что он весьма величественный джентльмен лет семидесяти, врач-терапевт на пенсии, возглавляющий, исключительно «из любви к искусству», бесчисленное множество всяких обществ: любителей шахмат, бриджа, гольфа, крикета, а теперь он президент местной управляющей компании, которая отвечает за уборку листьев, замену перегоревших лампочек в уличных фонарях, охрану и всякое такое. Он всегда подтянут, брюки идеально выглажены, рубашки безукоризненно сочетаются по цвету со свитерами с V-образным вырезом, ботинки начищены, а прическа волосок к волоску. Разговаривая со мной, он адресует свои реплики куда-то поверх моей головы, слегка задрав крепкий подбородок и внушительный нос, — как актер в любительском театре, однако он никогда не бывает откровенно груб, лишая меня возможности нагрубить в ответ, и мне остается только проявлять холодную сдержанность. Я вообще проявляю ее со всеми, в ком не могу до конца разобраться. Надо сказать, что разбираться я вовсе и не жажду, более того, месяц назад я знать не знала, что у доктора Джеймсона есть собака, но теперь, похоже, мне известно о моих соседях куда больше, чем хотелось бы.

Чем дольше лает терьер, тем больше я тревожусь — а не сбил ли ураган доктора Джеймсона с ног или, того хуже, не зашвырнул ли он его на соседский задний двор, как большую игрушку? Я слышала про девочку, которая, выглянув поутру в окно, обнаружила у себя в саду качели и горку. Она уж было решила, что это подарки от Санта-Клауса, но выяснилось, что их сорвало ветром во дворе за сто метров вниз по улице.

Мне не слышен шум вечеринки по соседству, но зато я все отлично вижу. У мистера и миссис Мерфи, как обычно, на Новый год веселое застолье. Оно всегда начинается и заканчивается народными ирландскими песнями, мистер Мерфи играет на бойране, а миссис Мерфи поет — так тоскливо, точно сидит в неурожайный год посреди поля с гнилым картофелем. Остальные гости им вторят: полное ощущение, что все они плывут в утлом челне к берегам Америки, их бросает от борта к борту, и все запасы провианта они давно подъели.

Ветер уносит их песни, и меня это ничуть не огорчает, но взамен он приносит шумные вопли другой веселой компании, собравшейся где-то в доме за углом. Их я как раз не вижу, зато до меня долетают обрывки фраз каких-то ненормальных, которые в такую погоду выходят покурить на крыльцо. Голоса проникают ко мне сквозь дымовую трубу вместе с громко ухающей музыкой, но бóльшая часть несется дальше в безумной круговерти с сорванными листьями.

Меня позвали на три разные вечеринки, но я решила, что нет ничего кошмарнее, чем искать в новогоднюю ночь такси да и вообще таскаться куда бы то ни было по такой погоде. И потом, по телевизору наверняка покажут нечто грандиозное, вот я в кои-то веки и посмотрю праздничное шоу. Я поплотнее кутаюсь в кашемировый плед, прихлебываю красного винца и с удовольствием думаю, что правильно поступила, оставшись дома в гордом одиночестве, а не ринулась, как сумасшедшая, на поиски удовольствий. Ветер ревет с удвоенной силой, я тянусь за пультом, чтобы сделать звук погромче, и в этот самый момент по всему дому вырубается свет, а заодно и телевизор. Все погружено во мрак, и только сердито пищит охранная сигнализация.

Беглого взгляда в окно достаточно, чтобы убедиться — электричества нет во всех окрестных домах. В отличие от своих соседей я не озаботилась покупкой свечей. А посему мне приходится на ощупь подниматься по лестнице и в десять часов вечера забираться в кровать. Н-да, все отключено, включая и меня. Смешно. Я смотрю новогоднее шоу по айпаду, пока он не разряжается, потом слушаю музыку с айпода, но и у него катастрофически быстро дохнет батарейка, после чего я хватаю лэптоп, и, когда он умирает, мне хочется плакать.

С дороги доносится шум подъезжающей машины, и я знаю, что действие начинается.

Вылезаю из кровати и широко раздвигаю занавески. Фонари не горят, кое-где в окнах мерцают огоньки свечей, но почти всем моим соседям уже за семьдесят и они спят. Я уверена, меня нельзя заметить, ведь и в моем доме темно, а значит, я могу стоять у окна, раскрыв занавески, и свободно смотреть спектакль, который сейчас будет разыгран.

Я гляжу в окно. И вижу тебя.

Глава третья

Я не из тех, кто выслеживает знаменитостей и пристально наблюдает за каждым их шагом, но тебя трудновато не заметить. Ты выходишь на арену, чтобы исполнить сольный номер, а мне ничего не остается, кроме как быть зрителем. Мы живем через дорогу, мой дом прямо напротив твоего. Дорога заканчивается тупиком. Наш пригородный поселок в Саттоне, что в Северном Дублине, был построен в семидесятые годы на американский манер. Перед домами большие лужайки, никаких заборов или живых изгородей, никаких ворот, ничего, что мешало бы подойти к самым окнам. Задние дворики невелики и зачастую выглядят весьма скромно. Но палисадники, которые смотрят на улицу, для всех здешних жителей предмет гордости и повод для самоутверждения. Они содержат их в идеальном порядке, беспрерывно что-то подстригают, удобряют, поливают и не оставляют без надзора ни единого живого клочка. На нашей улице, если не считать моего и твоего дома, живут одни пенсионеры. И все они бесконечно торчат на своих лужайках, а потому прекрасно осведомлены о том, кто куда и когда пришел. Я — нет. И ты — нет. Мы не садоводы и не пенсионеры. Тебе, наверное, лет на десять побольше, чем мне, но на тридцать поменьше, чем нашим соседям. У тебя трое детей, я точно не знаю, сколько им, но думаю, старшему примерно четырнадцать, а младшим еще нет десяти.

О тебе не скажешь, что ты хороший отец, я никогда не видела тебя с детьми.

Ты уже жил здесь, когда я въехала в свой дом, и ты всегда безумно меня раздражал, но каждый день я уходила на работу, мне было чем заняться, я знала, что на свете есть вещи и поважнее — они-то и удерживали меня от того, чтобы высказать свое негодование, пойти жаловаться или просто дать тебе в морду.

Сейчас у меня такое ощущение, будто я живу в аквариуме и все, что мне из него видно и слышно, — это ты. Ты, ты, ты. Итак, два часа ночи, по твоим меркам, время еще очень божеское. Я у окна, в ожидании очередного маразматического спектакля. Устраиваюсь поудобнее, ставлю локти на подоконник и подпираю лицо ладонями. Сегодня ты задашь жару, как-никак Новый год, а ты ж у нас Мэтт Маршалл, диджей ведущей ирландской радиостанции, и мне, хочешь не хочешь, пришлось тебя слушать нынче ночью, пока айпод не сдох. Ты, как всегда, был навязчив, мерзок, гадок, отвратен, гнусен, паскуден и тошнотворен. «Рупор Мэтта Маршалла» идет в прямом эфире с одиннадцати вечера до часу ночи, и у тебя огромная аудитория. Самая большая в Ирландии. Вот уже десять лет подряд твоя передача — лидер ночных ток-шоу. Я понятия не имела, что ты живешь на этой улице, но, когда твой голос впервые донесся до меня через дорогу, сразу поняла — это ты. Так оно обычно и бывает, тебя все немедленно узнают, и многие страшно радуются, но только не я.

Мне все в тебе отвратительно: твои взгляды, твои идеи, споры, которые ты так умело провоцируешь, якобы для того, чтобы заострить проблемы. Но на самом деле ты подстрекаешь людей, они, наоборот, впадают в дикую злобу и доходят до полного умоисступления. Ты притворяешься, будто помогаешь им выпустить пар, даешь свободно выговориться, но это свобода ярости, расизма и ненависти. И за это я не люблю тебя в принципе. А в частности я тебя презираю. За что, расскажу позже.

Как водится, ты проехал по нашей тихой улице для престарелых со скоростью шестьдесят километров в час. Ты купил свой дом у пожилой пары, которая решила перебраться в жилище попроще и подешевле, а я — у скончавшейся вдовы, точнее, у ее детей, нуждавшихся в наличных. Это я удачно сделала, цены тогда упали, и многие брали все подряд в надежде, что они потом снова подрастут. Я твердо намерена полностью расплатиться по ипотеке, чтобы исполнилась мечта, которую я лелею с пяти лет: уж что мое, то и впрямь мое, не желаю зависеть ни от чужой милости, ни от чужих ошибок.

Наши с тобой дома и образ жизни плохо сочетаются с местными патриархальными устоями. Управляющая компания долго с нами по этому поводу воевала, но в итоге удалось найти компромисс. Снаружи у нас все как у всех, но внутри мы многое полностью изменили и модернизировали, а я, кроме того, посягнула на палисадник, за что и расплачиваюсь по сей день. Ну, об этом тоже потом.

Ты затормозил впритык у дверей гаража, вышел из машины, мотор не заглушил, радио орет на полную мощность — все как всегда. Уж не знаю, делаешь ты это по забывчивости или просто не планируешь задерживаться. Темно, только свет твоих фар освещает улицу, и это создает дополнительный сценический эффект — ты в огнях рампы.

Несмотря на ветер, мне отлично слышно, что поют «Ганз н' Роузес» у тебя в машине. Это «Город-рай», запись 1988 года. Должно быть, тот год был для тебя удачным. Мне тогда было восемь, а тебе восемнадцать или около того, и они наверняка были у тебя на футболках и на школьной сумке, и ты, конечно, курил траву и зажигал ночи напролет, и знал все их песни наизусть, и орал их в ночное небо. Вероятно, тогда ты был свободен и счастлив, раз они всегда звучат у тебя в машине, когда ты приезжаешь домой.

Я вижу, что в спальне у доктора Джеймсона загорелся свет. Похоже, это карманный фонарь, потому что луч мечется взад-вперед, как будто тот, кто его держит, не знает толком, куда светить. Пес теперь лает как безумный, и я надеюсь, доктор наконец впустит его, а то как бы завтра утром какая-нибудь девочка не обнаружила, что Санта принес ей на задний двор обалдевшего на всю голову джек-рассел-терьера. Фонарик бродит по комнатам наверху. Доктор Джеймсон, очевидно, вообще предпочитает быть выше всех. Я поняла это из разговора с мистером Мэлони, который живет в соседнем доме. Он постучался ко мне, чтобы сказать, что скоро подъедет мусоровоз, а я, как он заметил, не выставила на дорогу мешки с мусором. Похоже, они с доктором Джеймсоном не в ладах — оба хотят возглавлять нашу управляющую компанию. Про мешки я действительно забыла, потому что, перестав ходить на работу, перестала различать дни недели, но меня разозлило, что он счел возможным заявиться со своими напоминаниями.

Полтора месяца назад этого бы не случилось. И я бы не забыла, и мистер Мэлони не рискнул бы ко мне постучать.

Ты дергаешь ручку входной двери и с искренним негодованием обнаруживаешь, что она на замке — ни тебе, ни вооруженному грабителю не удастся посреди ночи свободно войти в дом. Ты звонишь — настойчиво, длинными яростными очередями, будто не на кнопку жмешь, а на гашетку пулемета. Не бывает такого, чтобы жена или кто-то из детей открыл тебе сразу. Не знаю, может, они так крепко спят, привыкнув ни на что не реагировать? Или, наоборот, сбились все в одной комнате, дети испуганно всхлипывают, а мать говорит, что не надо тебя впускать? Как бы то ни было, никто не выходит. Тогда ты начинаешь колотить в дверь. Это твое любимое упражнение, ты каждую ночь что есть силы долбишь свою бедную дверь, давая выход накопившейся злости. Затем обходишь вокруг дома и стучишь во все окна подряд. И при этом тянешь с насмешливой издевкой:

— Я зна-а-ю, ты там.

Как будто она притворяется, что ее там нет…

По-моему, она как раз довольно внятно дает тебе понять, что к чему. И не важно, спит она или затаилась в надежде, что ты все-таки уберешься прочь. Я так думаю, скорее второе.

Тогда ты начинаешь издавать протяжные вопли. Я знаю, она это ненавидит, твои вопли бесят ее больше всего остального, может быть, потому, что голос у тебя громкий, хорошо поставленный, а главное — узнаваемый. Впрочем, никому из соседей и в голову бы не пришло, что на улице есть другая семейная пара, так театрально выясняющая отношения. Странно, что ты этого до сих пор не понял и попусту тратишь силы на то, что не может ее пронять. Уж переходил бы сразу к воплям. Однако впервые за все время моих наблюдений твоя жена проявляет стойкость. И ты изобретаешь нечто новенькое. Возвращаешься в машину и принимаешься тупо, безостановочно сигналить.

Фонарик в доме доктора Джеймсона перемещается на первый этаж. Надеюсь, он не собирается выйти и попытаться тебя утихомирить. Ведь ты явно настроен по-боевому. У доктора Джеймсона открывается дверь, и я невольно хватаюсь за голову — что же мне, бежать на улицу и останавливать его? Но я не желаю во всем этом участвовать! Ладно, пока просто посмотрю, как все обернется, а если дело дойдет до драки, то вмешаюсь... хотя ума не приложу, какой от меня будет толк. Дверь нараспашку, а доктора пока не видать. Зато из-за угла на всех парах вылетает его пес, несется сломя голову по скользкой влажной траве, чуть не падает, но ходу не сбавляет. Стремительно врывается в дом, и дверь тотчас захлопывается. Я не могу удержаться и тихонько смеюсь.

Ты, наверное, слышал, как хлопнула дверь, и решил, что это твоя жена, потому что сигналить ты перестаешь, и ночную тишину теперь нарушают только «Ганз н' Роузес». Уже и на том спасибо. Эти гудки — самое гнусное, что ты мог придумать. Похоже, твоя жена дожидалась, пока ты слегка уймешься, и теперь наконец решила тебя впустить. Дверь открылась, и она вышла на крыльцо в одной ночнушке, даже куртку не набросила. Чувствуется, что она на пределе. Позади нее маячит чья-то тень. Сначала я было подумала, что у нее кто-то есть, и всерьез испугалась, что сейчас случится нечто ужасное, но потом разобрала, что это твой старший сын. Он как-то резко повзрослел, видно, что он готов ее защищать как настоящий мужчина. Она говорит, чтобы он остался дома, и он подчиняется. Это меня радует. Не надо давать тебе лишнего повода, ты и так уже на взводе. Как только ты ее видишь, тут же выскакиваешь из машины и начинаешь орать: за каким чертом она заперла дверь и не пускает тебя в собственный дом? Ты всегда орешь на нее за это.

Она пытается успокоить тебя, подходит к джипу и вынимает ключ из замка зажигания, музыка затыкается, мотор глохнет, и фары гаснут. Она трясет этой связкой ключей у тебя перед носом, говорит — вот он, ключ от дома, протри глаза. Могла бы и не говорить. Ты и так это знаешь.

Но я знаю, и она знает, что, когда ты пьян, бессмысленно взывать к твоему разуму, ты охвачен безумием. И всякий раз ты твердо убежден, что дверь заперта изнутри и открыть ее невозможно — тебя нарочно не хотят впустить. Весь мир ополчился против тебя, более того, твой дом против тебя, и ты должен попасть внутрь чего бы это ни стоило.

На мгновение ты замираешь, изумленно таращишься на болтающиеся перед глазами ключи, а потом, пошатнувшись, обрушиваешься на нее, заключаешь в объятия и целуешь куда ни попадя. Твоего лица я не вижу, зато вижу ее лицо. Оно выражает безмерную молчаливую муку. Ты смеешься и, проходя мимо сына, ерошишь ему волосы, как будто все это была просто шутка, и я ненавижу тебя еще сильнее — за то, что ты даже извиниться не можешь. Ты ни разу этого не сделал, во всяком случае, я не видела. Как только ты заходишь в дом, нам дают свет. Ты оборачиваешься и видишь меня в окне, в спальне зажглись все лампы, я выставлена напоказ, превратившись из тайного соглядатая в явного.

Ты долго, пристально на меня смотришь, потом с грохотом захлопываешь дверь, и, после всего что натворил сегодня ночью ты, потусторонней идиоткой чувствую себя я.

Глава четвертая

Во время рождественских каникул я была в отличном настроении — никто не работал, мы были на равных. Не я одна болталась без дела, все вокруг отдыхали, и мы ничем друг от друга не отличались. Но теперь каникулы закончились, народ вернулся к делам, а я снова впала в мрачность.

Поначалу, когда меня уволили, я была просто потрясена, весь мой организм переживал настоящий шок, а потом наступил период затяжной печали, когда я оплакивала утрату прежней жизни. Мне было обидно, до ужаса обидно. Я-то считала, что мы с Ларри не только коллеги, но и друзья. Каждый Новый год мы вместе ездили кататься на лыжах, в июне я проводила недельку с ним и его семейством в их загородном доме в Марбелье, на юге Испании. Меня приглашали на домашние праздники, я была допущена в самый близкий семейный круг. Да, мы с ним нередко яростно спорили, но мне в голову не могло прийти, что он так себя поведет, что посмеет меня вышвырнуть.

Позлившись и пообижавшись, я постепенно пришла к мысли, что на самом деле ничего плохого со мной не произошло. Мне не нравилось, что я впала в такую безысходность всего лишь оттого, что меня уволили. Это не мне нужна была моя работа, это я была ей нужна — и тем хуже для нее, что она меня потеряла. Потом пришло Рождество, а вместе с ним и всяческая светская жизнь. Я ходила на вечеринки, обедала с друзьями, веселилась и пила шампанское, настроение было легкое, радостно-приподнятое, и на время я забыла о своих печалях. Но сейчас уже январь, и на душе у меня так же серо и пасмурно, как на улице.

Я никчемна, никому не нужна и ни на что не гожусь. Мне кажется, моя самооценка упала почти до нуля. Меня ограбили — лишили привычного режима, отняли мой тщательно распланированный распорядок, все то, что прежде определяло каждый мой день с утра и до вечера. Придумать что-нибудь взамен очень сложно, у меня нет обязательств, и мне невыносимо видеть, как все вокруг уверенно маршируют, подчиняясь ритму своих важных дел. А еще меня все время мучит голод и в прямом, и в переносном смысле. Меня гложет желание куда-то пойти, что-то сделать, но, кроме того, я беспрерывно ем: кухня рядом, вот она, а заняться мне больше нечем. И я жру целыми днями. И по ночам тоже. Мне скучно. И, как ни горько в этом признаться, одиноко. Бывает, я целый день провожу совсем одна, ни с кем не перемолвившись ни единым словечком. Иногда мне кажется, что я стала невидимкой. Ловлю себя на том, что делаюсь похожа на стариков, которые подолгу торчат у кассы в супермаркете, болтая с кассиршей ни о чем. Раньше они меня раздражали, я изнывала у них за спиной от нетерпения, ведь меня ждали неотложные дела.

Когда тебе некуда пойти, время начинает течь поразительно медленно. Я стала замечать окружающих, чаще ловлю на себе посторонние взгляды и даже ищу, с кем бы установить зрительный контакт. Хотя бы зрительный. А если удается еще и поболтать... считай, день не зря прошел, насыщенный событиями. Но все спешат, все заняты, и я кажусь себе невидимкой. Это совсем не так приятно, как мне думалось раньше, когда я старалась быть незаметной, неуловимой, и от этого возникало ощущение легкости и свободы. А теперь, наоборот, гнетущей тяжести. Я влачу унылое существование, старательно себя убеждая, что я легкая, видимая, даже бросающаяся в глаза, жизнерадостная и очень нужная. Полноценная, свободная личность. Но мне плохо удается себя в этом убедить.

Еще одна неприятность, вызванная потерей работы, — это неожиданные визиты моего отца. Он навещает меня без приглашения, экспромтом.

Вернувшись домой, я обнаруживаю его и свою сводную сестру Зару у себя во дворе. Заре три года, отцу шестьдесят три. Три года назад он ушел на покой: продал свой издательский бизнес за очень приличные деньги, позволяющие ему жить с комфортом. Как только родилась Зара, он взял на себя все заботы о ней, стал, так сказать, практикующим отцом. Его жена Лейла ведет занятия по йоге, у нее свой зал. Замечательно, конечно, что папа получил второй шанс, снова кого-то полюбил и в полной мере ощутил, что такое настоящее отцовство, впервые в жизни. Он и подгузники менял, и по ночам вставал, и кашу варил, и делал, что там еще необходимо делать, когда у тебя маленький ребенок. Его буквально распирает от гордости, что у него такая потрясающая дочь, он сияет, когда говорит о ее удивительных достижениях. Она растет, она умеет ходить и разговаривать. Она такая талантливая, он способен часами рассказывать, что она сегодня сделала и что сказала, и какую картинку нарисовала — прямо чудо, в ее-то возрасте! Да, это, безусловно, замечательно. Прелестно. Но все это он делает, как в первый раз, как человек, у которого никогда ничего подобного в жизни не было.

Последние месяцы я начала об этом задумываться — благо времени у меня предостаточно. Удивительно, что же он раньше так не восторгался, почему не впадал в экстаз, когда мы с Хизер были маленькие? Ну или он очень умело прятал свое восхищение за маской недовольства и раздражения. Иногда, когда он в очередной раз расписывает необычайные способности Зары, мне хочется заорать в ответ, что другие дети тоже так умеют, представь себе, папа, например, мы с Хизер делали все то же самое, а значит, и мы были необыкновенные. Но я сдерживаюсь. Это выставило бы меня злобной неврастеничкой, а я вовсе не такая, и вообще нечего скандалить на пустом месте. Я говорю себе, что это все от безделья — заняться нечем, вот и лезут в голову мрачные мысли.

Я часто думаю: если бы мама была жива, как бы она отнеслась к тому, что он стал заботливым, преданным мужем и отцом? Иногда она отвечает мне так, как в свои последние дни — ласково, всепрощающе, мудро, а иногда я слышу усталый голос измученной матери-одиночки, и слова ее наполнены горечью и злостью. То, что я слышу, зависит от моего собственного настроения. Мама умерла от рака груди в сорок четыре года. Слишком рано, чтобы умирать. Мне было девятнадцать. Слишком рано, чтобы осиротеть. Конечно, ей было очень тяжело, она не готова была покидать этот мир. Ей еще столько хотелось увидеть, столько сделать, ведь она все откладывала на потом, дожидаясь, пока я закончу школу, повзрослею и она сможет пожить своей жизнью. Она не завершила свои земные дела, строго говоря, она даже не успела многие из них начать. Первого ребенка она родила в двадцать четыре, через год второго, незапланированного. То есть меня. Она нас вырастила и сделала для нас абсолютно все, и несправедливо, что у нее не осталось кусочка жизни на себя саму.

Когда она умерла, я жила в кампусе, а Хизер осталась в интернате, куда переехала, когда мама еще проходила терапию. Иногда мне непонятно, как я могла быть такой эгоисткой и не забрать Хизер к себе. Кажется, я ей даже не предлагала. Понятно, что мне нужно было устраивать свою жизнь, но удивительно — в тот момент это вообще не пришло мне в голову. Я не сделала ничего плохого, но плохо, что я даже не подумала об этом. Оглядываясь назад, я понимаю, что и маме могла бы помогать больше. А я оставила ее справляться с проблемами в одиночку. Я могла бы проводить с ней больше времени, чаще разговаривать — тогда, когда она была жива, а не теперь, когда ее уже нет. Но подростков ничего, кроме них самих, не интересует, и потом с мамой была моя тетя.

Мы с Хизер «ирландские близнецы», то есть погодки. Она при этом обращается со мной так, словно я младше на много-много лет, и это очень трогательно. Я знаю, что родилась «случайно», у мамы не было намерения рожать еще одного ребенка сразу после появления на свет Хизер. Мама была огорошена, а папа просто в ужасе: мало ему было одного младенца, да еще с синдромом Дауна, а тут и второй на подходе. Хизер его пугала, он не знал, как себя с ней вести. Когда я родилась, он стал все больше отдаляться от семьи, предпочитая общество тех женщин, у которых хватало сил и времени, чтобы его холить и лелеять.

Зато мама держалась на редкость решительно и стойко, хотя потом она и признавалась, что у нее «поджилки тряслись от страха». Я этого никогда не замечала, не видела, чтобы она колебалась или сделала неверный шаг, впечатление было такое, что у нее все под контролем. Она много шутила и всегда просила прощения, если считала, что неправа. Я переняла это у нее. Я твердо знала, что Хизер важнее, что ей нужно больше внимания, но никогда не чувствовала, что меня любят меньше, просто так уж оно сложилось. Когда мама умирала, я знала: если кого она и не хочет здесь покидать, так это Хизер. Хизер нуждалась в ней, у мамы были насчет нее планы, которые она не успела исполнить, и она страшилась оставлять свою старшую дочь одну в этом мире. И это нормально, я все понимаю. Сердце у меня разрывалось, и не только от жалости к себе, но и к ним обеим тоже.

Есть стереотипное мнение, что люди с синдромом Дауна непременно беззаботные и лучезарные. Хизер не такая, у нее, как и у всех нас, бывают плохие и хорошие дни, но в принципе — и это не имеет никакого отношения к синдрому Дауна — она оптимист. Ее жизнь подчиняется строгому распорядку, ей это необходимо, чтобы чувствовать себя уверенно, вот почему, когда я заявляюсь к ней с бухты-барахты, на работу или домой, она теряется и даже начинает нервничать. Хизер нужен режим, твердое расписание, и в этом, как и во многом другом, мы с ней полностью схожи.

Зара прыгает по камням, которыми вымощен двор, стараясь не наступать на выемки между ними. Настаивает, чтобы папа прыгал вместе с ней. Он прыгает. Я знаю, что теперь для него это в порядке вещей, но все равно, глядя, как он скачет, потряхивая животиком и с трудом сохраняя равновесие, не могу удержаться от мысли, что этот человек мне незнаком. Он поднимает голову и видит, что я направляюсь к ним.

— Не знала, что вы зайдете, — беспечно говорю я.

Перевод: ты меня не предупредил, ты обязан был это сделать.

— А мы решили прокатиться по побережью, посмотреть на прибой, правда, Зара? — Он подхватывает ее на руки. — Расскажи Джесмин, какие мы с тобой видели волны.

Он всегда говорит со мной через нее. Да, такая манера есть у многих родителей, но меня бесит, что он так делает. Я бы предпочла общаться с Зарой сама, а не под его диктовку. В итоге мне приходится дважды выслушивать одно и то же.

— Волны были огромные, правда? Расскажи Джесмин, какие они были.

Она кивает. Делает большие глаза и задирает руки, чтобы показать мне — да, волны были о-го-го.

— А как они бились о скалы? Расскажи Джесмин.

Она опять кивает:

— Они бились.

— И заливали весь пляж, а потом выплескивались на дорогу. Где это было? В Малахайде, да? — Он говорит специальным «детским» голосом, а я думаю, что уж лучше бы взял и попросту рассказал все сам.

— Ну надо же.

Я улыбаюсь Заре и протягиваю к ней руки. Она немедленно перебирается ко мне, обхватывает меня, как обезьянка, длинными худенькими ножками и прижимается всем тельцем. Я ничего не имею против Зары. Она милая. Нет, она чудесная. Замечательная во всех отношениях, и я ее обожаю. Она ни в чем не виновата. Вообще никто ни в чем не виноват, потому что ничего и не случилось, разве что меня слегка раздражает новая папина мода приходить без предупреждения, но и в этом ничего такого нет, нечего себя попусту накручивать.

— Как поживаешь, ножки-макарошки? — спрашиваю я, отпирая дверь. — Мы же с тобой с прошлого года не виделись!

Я болтаю, а сама поглядываю на твой дом. Ничего не могу с собой поделать, это вошло у меня в привычку. Натуральный обсессивно-компульсивный бзик — перед тем как сесть в машину, или войти в дом, или просто оказавшись у окна, я непременно должна посмотреть туда. Причем днем там ничего не происходит, во всяком случае с твоим участием. А так, конечно, периодически я вижу твою жену, и дети шастают по своим делам. Иногда я вижу, как ты раздвигаешь занавески или идешь к машине, но это все. Сама не знаю, что я там высматриваю.

— Ты рассказала папе, какие мы с тобой кексики испекли на той неделе? — спрашиваю я у Зары.

Она снова кивает, и я понимаю, что веду себя в точности как отец. Наверняка эта идиотская манера сбивает ее с толку, но, как видно, я успела заразиться.

Так мы с папой и общаемся, используя ее как посредницу. Обращаемся к ней, вместо того чтобы напрямую разговаривать друг с другом. И я рассказываю Заре, что на Новый год у нас отключили свет, что я встретила в супермаркете Билла Галлахера, он, оказывается, вышел на пенсию, и еще кучу всякой ерунды, которая ей на фиг не нужна. Некоторое время она нас слушает, потом ей это надоедает, и она убегает играть.

— Твой друг опять вляпался в неприятности, — замечает папа.

Мы пьем чай с печеньем, оставшимся от моих гигантских рождественских запасов, которые я методично уничтожаю, и смотрим, как Зара роется в ящике с игрушками — я держу их специально для нее. Она высыпает на пол коробку с лего, и я не могу разобрать, что он говорит.

— Какой друг? — встревоженно спрашиваю я.

Папа кивает головой на окно, из которого виден твой дом.

— Ну, этот тип, как его зовут-то?

— Мэтт Маршалл? Он мне не друг, — возмущаюсь я. Что ж такое, нигде от тебя нет спасенья.

— Ну, тогда твой сосед. — Он пожимает плечами, и мы оба снова смотрим на Зару.

Повисает такое долгое молчание, что я наконец не выдерживаю и говорю, что первое в голову пришло:

— А что он сделал?

— Кто? — очнувшись, спрашивает папа.

— Мэтт Маршалл, — сквозь зубы цежу я. Меня злит, что я вроде как проявляю к тебе интерес.

— А, этот. — Такое впечатление, что мы час назад это обсуждали. — На него куча жалоб за новогоднее шоу.

— На него всегда куча жалоб.

— Ну, на этот раз, похоже, их больше обычного. Все газеты о нем написали.

Мы снова умолкаем, и я думаю о твоем шоу. Ненавижу его, никогда не слушаю. Точнее, раньше не слушала, а в последнее время начала, мне стало интересно, вдруг есть прямая зависимость между тем, что ты обсуждаешь, и состоянием, в котором возвращаешься домой, потому что ты не каждый вечер надираешься в лоскуты. Только три-четыре раза в неделю. В любом случае, пока что никакой взаимосвязи не обнаружилось.

— Он, видишь ли, решил встретить Новый год под звуки женского…

— Знаю, знаю, — поскорее перебиваю я. Не хочу, чтобы отец произносил это слово — оргазм.

— Я так понял, ты не знаешь, — ощетинивается он.

— Я не слышала саму передачу, я слышала о ней, — мямлю я и иду к Заре играть в лего. Мы собираем довольно странное существо, я говорю, что это динозавр и он сейчас нападет. С моей помощью динозавр легонько кусает Зарины ножки, щекочет ее, а потом сражается с отважным принцем (для «прекрасного» у него слишком много острых углов) и испускает дух с диким ревом. Она весьма довольна, и я возвращаюсь за стол, к отцу.

Два слова о твоем праздничном шоу. Кому-то из вашей команды, тебе, наверное, пришла в голову светлая мысль встретить Новый год под стоны кончающей женщины. Отличный подарок всем слушателям, и «спасибо, друзья, за вашу поддержку». Потом ты устроил блиц-тест: кто отличит стоны при настоящем оргазме от притворных. Потом содержательная дискуссия о мужчинах, имитирующих оргазм во время секса. На самом деле ничего ужасного, на мой взгляд, в этой программе не было, уж по крайней мере в сравнении с тем дерьмом, которое у тебя нередко обсуждается. Я, например, и не знала, что мужчины тоже имитируют оргазм, так что в каком-то смысле это было даже познавательно — мне вспомнился тот коллега, с которым мы переспали, о чем он жалел, а я нет. Возможно, пара-тройка тех, кто тебя слушал, кое-что полезное и узнали... хотя говнюки, которых ты позвал в студию в качестве экспертов, мало чему способны научить. Может показаться, что я тебя отчасти защищаю. Нисколько. Просто говорю, что это было не худшее шоу. Вопрос о том, может ли общество считать себя оскорбленным, если его поздравили с Новым годом сладострастными воплями, не ко мне.

— И какие у него неприятности? — спрашиваю я.

— У кого это? — не понимает папа, и я мысленно считаю до трех.

— У Мэтта Маршалла.

— А-а. Его уволили. Или временно отстранили. Точно не знаю. В общем, выдворили вон. Ну, пора и честь знать, сколько он уже на радио торчит. Найдут кого-нибудь помоложе.

— Ему всего сорок два, — говорю я.

И опять я как будто тебя защищаю, но в этом нет «ничего личного». Мне тридцать три года, я хочу найти новую работу, и поэтому меня волнует проблема возраста. Вот и все.

Мысль о том, что тебя отстранили, поначалу доставляет мне живейшую радость. Я всегда тебя терпеть не могла, надеялась, что твою программу закроют... но теперь вдруг мне не кажется, что это не так уж и здорово. Наверное, это из-за твоих детей и жены — она славная, я каждое утро приветственно машу ей рукой.

— Выяснилось, что в студии и правда была женщина. — Папа несколько смущен.

— Ну, судя по голосу, никак не мужчина.

— Да нет, просто она на самом деле... ну, ты понимаешь. — Он многозначительно смотрит на меня, но я понятия не имею, о чем он.

Повисает пауза.

— Она мастурбировала. Прямо в студии.

У меня кишки сворачиваются — и оттого, что мы обсуждаем это с отцом, и оттого, что я себе представляю, как ты дирижируешь процессом, чтобы кульминация пришлась ровно на двенадцать ночи, а твои помощники суетятся вокруг, как идиоты.

Ненависть к тебе возвращается с удвоенной силой.

Я сажаю Зару в креслице на заднем сиденье и чмокаю ее в нос-кнопочку.

— В общем, могу поговорить с Тедом, если хочешь, — неожиданно заявляет папа, как будто продолжая начатый разговор, хоть я и не припомню, чтобы мы это обсуждали.

Я хмурю лоб.

— Кто такой Тед?

— Тед Клиффорд, — небрежно пожимает плечами папа.

Меня моментально захлестывает такая дикая злость, что я боюсь, как бы она не выплеснулась наружу.

Тед Клиффорд — человек, которому отец продал свою компанию. В удачные времена, как он сам говорит, мог бы продать и втрое дороже, но сейчас времена неудачные, и он согласился на предложение Теда. Сумма вполне приличная, отцу хватает на летний месяц у моря с женой и дочкой, а также ужины в ресторане четыре раза в неделю. Я не знаю, выплатил ли он ипотеку, и меня это раздражает. Это было бы первое, что бы сделала я. Мы с Хизер к его деньгам касательства не имеем, и меня это не напрягает. В финансовом плане у меня сейчас все о'кей, а вот о Хизер я беспокоюсь. Она должна быть защищена. И поэтому, как только я заработала достаточно денег, тут же выкупила квартиру, которую она снимала. Так что у Хизер уже пять лет имеется собственное жилье — огромный плюс для нее да и вообще для кого угодно. С ней живет ее подруга, она же помощница, которая замечательно о ней заботится, они отлично ладят, что не мешает мне волноваться о Хизер каждый день и каждый миг. Квартиру я купила недорого — тогда все стремились избавиться от лишней недвижимости, чтобы свести к минимуму затраты. Когда отец отошел от дел, я полагала, что он тоже будет придерживаться разумной экономии, а он вместо этого купил дом в Испании. Он считал, что Хизер отлично живется в интернате, но я-то знала, она мечтает имеет собственный угол, а потому сама этим занялась. Опять-таки, я не злюсь, в принципе все нормально, но просто сейчас у меня несколько искаженное восприятие, и справиться с этим я не могу… мне не на что переключиться.

— Нет, — коротко отвечаю я. — Спасибо.

Закрыли тему.

Он глядит на меня так, будто хочет сказать что-то еще, и, чтобы его остановить, я добавляю:

— Я не нуждаюсь в том, чтобы ты искал мне работу.

Гордость моя. Тебя так легко уязвить. Любая помощь мне ненавистна. Я все всегда должна делать сама. Он это предложил — и я тут же ощутила себя слабой и подумала, что он думает, что я слабая. Слишком много лишних мыслей.

— Ему же это нетрудно. А тебе пригодилось бы. Тед с удовольствием поможет в любой момент.

— Не нужна мне его помощь.

— А работа нужна, — хмыкает он.

Можно подумать, что его забавляет моя реакция, но я знаю — это первая стадия, сейчас он разозлится. Он всегда так хмыкает, когда недоволен. То ли хочет, чтобы тот, кто его раздражает, тоже завелся — на меня это всегда именно так и действует, — то ли пытается скрыть свое раздражение. Так или иначе, это верный признак, что он не рад.

— Ладно, Джесмин, поступай как знаешь. — Он поднимает руки, дескать, с тобой бороться бесполезно, я сдаюсь.

Садится в машину и уезжает.

Он так это произнес, «поступай как знаешь», будто это дурно. А что ж плохого, если человек знает, как ему лучше? Да я в жизни своей с ним не советовалась, и он последний, к кому я бы пошла за помощью. Тут вдруг мне становится не по себе — с чего я вообще об этом думаю? Стою, как идиотка, на ветру и пялюсь на пустую дорогу, где отцовской машины и след простыл. Бросаю быстрый взгляд на твой дом, и мне кажется, занавеска на втором этаже чуть колышется, а может, померещилось.

Потом, уже вечером, я долго не могу заснуть. Голова, похоже, перегрелась от обилия мыслей, как мой лэптоп, когда долго работает без перерыва. Я злюсь. Во всем у меня в последнее время неопределенность какая-то, недосказанность: с работой, с отцом, с мужиком, внаглую занявшим место на парковке прямо у меня перед носом, с арбузом, который я уронила себе под ноги, да так удачно, что он разбился вдребезги и запачкал мои замшевые ботинки. Я занимаю половинчатую позицию. Нападаю, отступаю, опять нападаю, пытаюсь все уладить, снова обвиняю, подробно рассказывая, у кого что не так. И что характерно, мне от этого не легче, наоборот, только хуже и хуже.

На душе мерзко, а еще очень хочется пить.

Рита, у которой я сегодня утром была на сеансе рэйки-терапии, меня об этом предупреждала. Она велела как можно больше пить, в смысле пить воды, но ее мне как раз совершенно не хотелось, и я выпила бутылку вина. Раньше я никогда на рэйки не ходила и вряд ли пойду еще, но тетя подарила мне на Рождество ваучер на одно посещение, вот я туда и потащилась от нечего делать.

Тетя большая поклонница нетрадиционной медицины — любой. Она и маму водила ко всяким целителям, когда та заболела. Наверное, поэтому я во все это и не верю, ведь маме ничего не помогло. С другой стороны, обычные лекарства ей тоже не помогли, что не мешает мне пить таблетки, скажем, от головной боли. Не знаю, может, схожу к Рите еще раз. О сеансе я с ней договорилась уже после праздников, когда все вернулись к работе. Мне нужно себя чем-то занять, нужно, чтобы в моем новом ежедневнике — кожаном, с золотыми инициалами в верхнем правом углу — появлялись записи, хоть отдаленно похожие на «рабочие». В прежние времена ежедневник был бы уже заполнен на месяц вперед: деловые встречи, важные свидания, совещания и прочее. А сейчас он являет собой грустную картину, вполне отражающую мою нынешнюю активность: крестины, посиделки в кафе, дни рождения.

На сеансе рэйки я сидела в комнатке с белыми стенами, где так пахло благовониями, что меня неудержимо клонило в сон, точно меня одурманили. Рита похожа на птичку. Миниатюрная, лет шестидесяти, но очень энергичная и гибкая, судя по тому как она ловко угнездилась в кресле, скрестив ножки. А вот лицо ее мне показалось размытым, будто в расфокусе. Возможно, это потому, что у меня все плыло перед глазами. Зато взгляд у нее острый, даже цепкий — она не упускала ни единой мелочи, и мне пришлось тщательно следить за тем, что и как я говорю. В итоге получалось обрывочно и невнятно.

Ну, в общем, мы с ней мило поболтали, и она была сочувственно-доброжелательна. Потом я минут двадцать полежала на кушетке, релаксируя и вдыхая неведомые ароматы. И никаких перемен после всего этого в себе не обнаружила.

Но все же она дала мне небольшой совет, который вылетел у меня из головы, едва я от нее вышла, а сейчас вспомнила и, пожалуй, готова ему последовать — не вижу, почему бы, собственно, и нет. Итак, снимаю носки и хожу босиком по ковру в надежде «укорениться». То есть избавиться от негативных эмоций. Наступаю на что-то острое — крючок от вешалки — и злобно чертыхаюсь. Сажусь на пол, нежно баюкаю уколотую ногу. Не очень представляю, как должны себя чувствовать «укоренившиеся», но явно как-то иначе.

Когда Рита посоветовала мне ходить босиком, то сказала, что лучше всего, конечно, по траве, но можно и по полу. Главное, делать это регулярно. Научное обоснование такого метода состоит в следующем: Земля отрицательно заряжена, и когда ты заземляешься, то подсоединяешься к отрицательному источнику энергии. А поскольку отрицательный заряд Земли, ясное дело, больше, чем твой, ты потихоньку притягиваешь ее электроны. И это оказывает успокаивающее воздействие на твой перевозбужденный организм. Мне непонятны все тонкости этого процесса, но я хочу, чтобы у меня перестала болеть голова, и не хочу пить таблетки — так почему бы и не походить босиком?

Выглядываю во двор. Ни травиночки. Ужасную, непростительную глупость совершила я, когда въехала сюда четыре года назад. Садоводство меня не вдохновляло, мне было двадцать девять лет, я работала, дома проводила минимум времени, и уж на кустики-цветочки у меня его точно не было. А потому я наняла рабочих, и вместо милого садика получилась необременительная в уходе мощеная площадка. На мой взгляд, она производила весьма солидное впечатление, и, кстати сказать, обошлась очень не дешево. Моих соседей она повергла в ужас. У входной двери я поставила черные цветочные горшки с причудливо изогнутыми вечнозелеными растениями. Ультрасовременный дизайн. Что там думают соседи, меня мало волновало, к тому же до недавнего времени у меня не было возможности это с ними обсуждать. Я нисколько не сомневалась, что поступила разумно. Садовник бы стоил кучу денег, а сама я понятия не имею, как ухаживать за всякими насаждениями. Однако кое-какая трава все же осталась — на небольшом проходе между нашими с мистером Мэлони домами. Он ее стрижет и моего мнения на сей счет не спрашивает, думаю, он уверен, что это его территория, поскольку он поселился здесь раньше. И что я вообще смыслю в травах? Я, травовытравитель?

Мне казалось, что в двадцать девять лет обзавестись собственным жильем — в таунхаусе на две семьи — означает именно «повзрослеть и пустить корни». Кто ж знал, что, сровняв с землей свой сад, я лишила себя шанса укорениться.

Проверяю, что у тебя происходит. Ничего. Свет нигде не горит, твоего джипа нет. Об остальных соседях можно не беспокоиться, да и вообще они меня не интересуют.

Надеваю спортивный костюм и босиком спускаюсь вниз. Осторожно, как шпионка, бегу на цыпочках по тротуару к зеленой полоске газона. Так, посмотрим, нет ли тут собачьих какашек. А также слизней и улиток. Подворачиваю штанины и бреду по мокрой траве. Она холодная, но не колючая. Прохаживаюсь взад-вперед, поглядываю на пустую улицу и хихикаю себе под нос.

В первый раз с тех пор, как я здесь поселилась, чувствую себя виноватой в том, что сотворила с палисадником. Смотрю на другие дома и понимаю, что мой в сравнении с ними выглядит темным и мрачным. Не сказать, чтобы у них в садах в январе все было расцвечено яркими красками, но кусты, трава и деревья выгодно отличаются от унылого булыжника и дорожной плитки.

Не знаю, на что, кроме воспаления легких, можно рассчитывать, гуляя босиком по сырой траве, но, во всяком случае, прохладный ночной ветер остудил мою разгоряченную голову и выдул оттуда прочь лишние мысли.

Такое поведение для меня необычно. Я не о прогулках по газону посреди ночи, а об утрате самоконтроля. Конечно, бывали и на работе напряженные дни, когда требовалось перенастроиться, но это другое. Я себя чувствую по-другому. Сейчас я слишком много размышляю, мое внимание обращено на то, что раньше меня вообще не занимало.

Очень часто, когда я что-нибудь пытаюсь найти, то вслух произношу название этой вещи, чтобы мысленно ее себе как следует представить, визуализировать и дать мозгу соответствующую команду: ищи вот это. Например, потеряв ключи, брожу по дому и бормочу: «Ключи, ключи, ключи». Или: «Красная помада, ручка, счет за телефон...» И в итоге быстрее нахожу то, что требуется. Не знаю, почему так происходит, может, какой-нибудь ученый и мог бы это объяснить, привлекая всевозможные отвлеченно-умозрительно-философские обоснования, но мне главное, что оно работает. Когда я точно знаю, что надо найти, я это нахожу. Приказ дан — послушный организм его исполнил.

Нередко бывает и так, что искомый предмет обретается прямо у меня перед глазами. Но я его не вижу. Сплошь и рядом со мной такое происходит и последний раз не далее как сегодня утром. Я искала в шкафу свое пальто. Оно висело ровно передо мной, но, поскольку я не сказала «черное пальто с кожаными рукавами», оно себя не обнаруживало. И я бестолково перебирала содержимое вешалок, не в силах узреть очевидное.

Я думаю — на самом деле даже точно знаю, — что применяю этот прием довольно широко, не только для поиска конкретных вещей, но и вообще в жизни. Говорю себе, чего я хочу, хорошенечко себе это мысленно представляю, чтобы проще было искать, и нахожу. Проверенный способ, всегда он у меня срабатывает.

А сейчас я оказалась в ситуации, когда все, что я себе напредставляла и потом получила упорным трудом, у меня отнято и больше мне не принадлежит. Первое побуждение — вернуть все обратно, снова присвоить себе как можно быстрее, а лучше немедленно. Но поскольку сие невозможно — я реалист, а не колдун вуду, — то надо придумать взамен нечто новое, нечто иное, к чему можно стремиться. Понятно, что я говорю о работе. Знаю, со временем я опять начну работать, но в данный момент меня держат на привязи, и ничего с этим поделать невозможно.

Я сейчас в так называемом «садовом отпуске». К садоводству он, по счастью, никакого отношения не имеет, а не то мне пришлось бы целый год возделывать узенькие трещинки между плиток мощеного двора. Сажать туда семена и поливать их слезами. «Садовый отпуск» — это когда уволившийся (или уволенный) сотрудник некоторое время не имеет права наниматься на другую работу. Бывший шеф оплачивает ему этот вынужденный простой. Обычно так делают, чтобы сотрудник не мог воспользоваться ценной информацией, передав ее конкурирующей фирме, куда он, вполне вероятно, направится в поисках места. Я не собиралась переходить к конкурентам. Я вообще изначально никуда не собиралась, как уже было сказано. Однако Ларри был уверен, что я прямиком двину в ту самую компанию, которой хотела продать нашу «Фабрику идей», а они, безусловно, наши конкуренты. Ну что же, они и правда позвонили мне на следующий день после того, как он меня вышвырнул, и предложили место. Но, когда услышали про годичный принудительный отпуск, признались, что так долго ждать не могут. Этот чертов отпуск отпугивает всех работодателей! И я вынуждена тупо ждать, ничего, абсолютно ничего при этом не делая.

Похоже на тюремный срок. Двенадцать месяцев. Это и есть тюремный срок. У меня такое чувство, будто я стою на полке и покрываюсь толстым слоем пыли, а мир вокруг живет своей бодрой, деятельной жизнью. И я в ней участвовать не могу, я вне ее. Но нельзя же допустить, чтобы у меня ссохлись мозги, надо же их как-то подпитывать. Пользуясь, черт бы ее побрал, садоводческой терминологией, надо возделывать почву, чтобы она давала всходы.

Влажные травинки липнут к ногам, я меряю газон шагами. Взад-вперед. Туда-сюда. Что, если так и придется весь год сидеть на привязи? Что мне делать?

Ноги постепенно начинают мерзнуть, зато в голове забрезжила одна мыслишка. Проект. Цель. Точка приложения усилий. Мне будет чем заняться. Надо исправить то, что неправильно. Искоренить зло, которое сама же и содеяла.

Я преподнесу своим соседям приятный подарок. Верну обратно свой сад.

Глава пятая

— Какой он замечательный, — шепотом хвалю я младенца, которого моя подруга Бьянка нежно держит на руках.

— Да, замечательный, — улыбается она, с обожанием глядя на сына.

— Есть в этом что-то поразительное, правда?

— Да, это… поразительно.

Взгляд у нее потерянный, губы слегка дрожат, и вокруг глаз глубокие черные круги после двух бессонных ночей.

— Ну а ты как? Нашла другую работу?

— Нет, я не могу. Ты же знаешь, у меня этот проклятый принудительный отпуск.

— А, точно. — Она кивает, вдруг вздрагивает, как от боли, а затем снова успокаивается в отрешенной задумчивости. Я не рискую нарушить ее молчание. — Ты обязательно что-нибудь найдешь, — говорит она с ободряющей улыбкой.

Я уже начинаю тихо ненавидеть, когда мне так улыбаются.

Я в больнице, в очередной раз пришла навестить кого-то, кто при деле. Все мои визиты в последнее время таковы — захожу к друзьям на работу, к сестре на курсы, встречаюсь с отцом, когда он «выпасает» Зару, болтаю с подругами, а они присматривают за детьми, пока те занимаются танцами или плаванием или просто играют на площадке. Последнее время я выступаю в роли стороннего наблюдателя, люди уделяют мне внимание, но лишь постольку-поскольку. Что поделаешь, у всех полно забот. И я терпеливо жду, когда они выкроят минутку и для меня. Я как будто застыла, вокруг меняются декорации, что-то происходит, а я из этого выключена. Словно бы смотрю на себя со стороны, покидаю свое тело и наблюдаю, что происходит вокруг, пока я пребываю в молчаливой неподвижности. Осознав это, я попыталась договариваться о встречах на вечер, чтобы общаться на равных, глаза в глаза, один на один. Но всем некогда, одни не могут платить няне, у других вечера расписаны надолго вперед, и выбрать время, которое всем было бы удобно, очень непросто. Каких трудов мне стоило организовать ужин у себя дома — не меньше двух недель мы это утрясали и наконец сошлись на ближайшей субботе. Уж тогда-то я выступлю в роли хлопотливой, занятой хозяйки, а они будут праздными гостями.

Ну а пока что я здесь, в больнице, сижу у постели своей дорогой подруги, которая только что родила первенца. Конечно, я чрезвычайно за нее рада, но немножко рада и за себя — ведь Бьянка будет целых девять месяцев в отпуске по уходу за ребенком. Впрочем, в глубине души я знаю, что она не сможет составить мне компанию в моем вынужденном безделье, ей уж точно найдется чем заняться. Так что если мы и будем видеться, то я опять окажусь в роли стороннего наблюдателя, который получает свою порцию внимания по остаточному принципу.

— Мы тут с Тристаном подумали... — отвлекает меня от грустных мыслей Бьянка, и я невольно настораживаюсь, почти наверняка зная, что сейчас последует. — Лучше бы, конечно, его дождаться, но ничего, я сама скажу...

Ну точно. Боже, мне плохо. Старательно делаю заинтересованное лицо.

— Ты согласна стать его крестной?

Та-да-дам. Третий раз за два месяца, это не иначе мировой рекорд.

— О Бьянка, с радостью! — улыбаюсь я. — Спасибо вам, это такая честь...

Она улыбается в ответ, довольная тем, что предложила мне разделить с ними один из самых светлых моментов в жизни. Только вот я себя ощущаю как нищий, которому подали милостыню. Все как сговорились — зовут меня в крестные, чтобы я почувствовала себя востребованной. Но, увы, я знаю, что все одно останусь не у дел. Родители будут держать ребенка, священник — кропить его святой водой, а я — праздно болтаться рядом.

— Ты слышала про сына твоего приятеля?

— Какого приятеля?

— Ну, Мэтта Маршалла.

— Никакой он мне не приятель, — с раздражением говорю я. Потом, решив, что лучше не спорить с женщиной, едва оправившейся от родов, спрашиваю: — Что сделал его сын?

— Он выложил видео на YouTube, где рассказывает, как ненавидит своего отца. Ужас, правда? Представляешь, о родном отце говорить такое.

Младенец у нее на руках издает недовольный писк.

— Этот троглодитик уже изгрыз мне весь сосок, — бормочет она, и я тут же умолкаю, с почтительным трепетом глядя на мать и дитя.

Она перехватывает свое трехдневное сокровище, чтобы ему было удобнее сосать, держа его, как мяч для регби, ее огромная грудь больше, чем его голова, и, кажется, не дает ему дышать. Но нет, он сосредоточенно чмокает и выглядит вполне довольным.

Момент, безусловно, трогательный — мать, кормящая свое чадо, вот только у матери по щекам текут слезы. Открывается дверь, и в палату заглядывает бледная физиономия Тристана. Он видит своего первенца и расплывается от умиления, потом смотрит на жену и тревожно хмурится.

— О, привет, Джесмин! — преувеличенно радостно говорит он, заметив, что и я здесь.

— Поздравляю, папаша, — улыбаюсь я. — Он просто прекрасен.

— Да, и во рту у него полно острых зубьев, клянусь вам, — болезненно морщится Бьянка.

Младенец опять недовольно хнычет, она отняла у него свой красный, потрескавшийся сосок.

— Я тебе серьезно говорю, Тристан, это... это что-то невыносимое.

Губы ее кривятся.

Оставляю их втроем.

Я веду машину и убеждаю себя, что мне неинтересно, чего там твой сын выложил на YouTube. Не собираюсь опускаться до твоего уровня, у меня есть дела куда важнее, чем думать о тебе. Беда в том, что все мои важные дела — купить себе еды на ужин.

В отличие от многих одиноких друзей я не напрягаюсь по поводу «шопинга на одного». Мне очень хорошо одной, а есть... есть нужно всем. Но в том-то и проблема. Когда я была по горло занята, приходилось выкраивать время, чтобы перекусить, и ела я потому, что это необходимо для жизни. Теперь еда превратилась в дело, которое можно растянуть на полдня. Всю прошлую неделю я изобретала новые блюда. Вчера провела в книжном почти час, изучая кулинарные издания, потом еще полтора закупала продукты и наконец два с половиной стряпала себе еду, которую затем и съела — за двадцать минут. Собственно, этому и был посвящен весь вчерашний день. Весьма приятный, надо признать, и раньше я бы себе никак не могла этого позволить, но, как я успела заметить, радость новизны довольно быстро... приедается.

Встаю на парковке у супермаркета. День на редкость солнечный и яркий для начала января, но все равно холодно. Достаю айфон и прямиком иду на YouTube. Набираю «Мэтт Маршалл», и тут же вылезает куча ссылок «сын Мэтта Маршалла». Кликаю. Видео размещено вчера вечером, а уже тридцать тысяч просмотров. Впечатляющий результат.

С твоим сыном я никогда не общалась, но отлично знаю, как он выглядит. Каждое утро он выходит в школу — голова опущена, из-под капюшона торчат рыжие вихры, в ушах наушники — и неспешно тащится к остановке автобуса. Вдруг осознаю, что, хоть мы уже четыре года живем бок о бок, как его зовут, я не знаю. Но это сразу становится ясно из комментов:

Красава, Финн!

Мой старик тож лузер знаю что тебе херово.

Твоего предка надо закрыть в дурку а не фиг нести пургу.

Я практикующий психолог, и меня тревожит твое состояние, пожалуйста, свяжись со мной, я могу тебе помочь.

Я большая поклонница твоего отца, он помог моему сыну, когда его травили в школе, помог обратить внимание на эту проблему в Ирландии.

Молюсь, чтобы Господь усмирил твой гнев.

Папаша дебил а сын говнюк.

Дружеская поддержка общественности.

Финну около пятнадцати лет, судя по его школьной форме, он учится в дорогой частной школе «Бельведер». С экрана на меня смотрят сердитые карие глаза. Нос и щеки слегка присыпаны веснушками. Он глядит в камеру, широкие ноздри раздуваются от гнева. Из-за его спины доносится музыка, думаю, он в гостях, и думаю, он пьян. Зрачки расширенные, хотя это может быть и от злости. Из четырехминутной записи следует, что он хотел бы публично откреститься от того, чем занимается «этот лузер», то есть ты, и что ты вообще, по сути, не отец никакой. Финн говорит, что ты всех достал, ты мудозвон, семья держится на матери, а ты «урод безмазовый». Он повторяет это на разные лады, словарный запас у мальчика очень неплохой, и видно, что сам он тоже очень неплохой, только старается казаться крутым и жестким. Его обвинительная речь выстроена неумело, но главное, что он все время подчеркивает, — тебя надо уволить и вообще запретить работать на радио.

Слушать все это тяжко, я съеживаюсь на сиденье и прикрываю глаза руками. Музыка становится громче, сквозь нее пробиваются мужские голоса. Финн резко оборачивается, и все, видео заканчивается.

Вопреки тому, как я к тебе отношусь, никакого злорадства или удовлетворения я не испытываю. Мне жаль, что я это видела, жаль тебя и всех вас.

Иду в магазин, хмуро озираю забитые продуктами полки, наугад выбираю кое-что на ужин. Еду домой, и меня не покидает ощущение, что в моей жизни случилось что-то плохое. Пытаюсь от него избавиться, говорю себе, что меня все это абсолютно не касается, но проблема в том, что, как ни глупо, уверенности в этом у меня нет. Касается.

На ужин делаю тушеные баклажаны с пармезаном, без затей, и открываю новую бутылку красного вина. Как же нам решить твою проблему? Что мы будем делать с Финном, а, Мэтт? У тебя в доме темно. Машины жены нет, все куда-то уехали. Тишина.

В спальне у доктора Джеймсона гаснет свет. Не знаю, Мэтт, мне ничего не приходит в голову.

Впервые в жизни засыпаю на диване в гостиной, а когда просыпаюсь спустя некоторое время, никак не пойму, где я. В комнате темно, только слабо мерцает экран телевизора. Вскакиваю и опрокидываю на пол тарелку с недоеденными баклажанами, а заодно разбиваю винный бокал. Сна уже ни в одном глазу, бешено стучит сердце, и становится ясно, что именно меня разбудило. Знакомый шум — твой джип мчится по улице. Огибаю осколки, иду к окну и вижу, как ты, по своему обыкновению, не сбавляя скорости, едешь прямо на закрытые ворота гаража. Только на сей раз ты не тормозишь, а с грохотом врезаешься в них, белые крашеные створки сотрясаются, и гулкое эхо разносится по всей улице. Так и вижу доктора Джеймсона — он резко просыпается и рывком сдирает с лица темную ночную повязку для глаз.

Гаражные ворота выстояли, и дом не рухнул тебе на машину. Вообще-то жалко. Некоторое время ничего не происходит. Звучит «Городрай», на всю громкость. Мне тебя видно, ты сидишь неподвижно. С тобой все нормально или сработал мешок безопасности, вжав тебя в кресло? Может, надо в «Скорую» позвонить, только непонятно, есть ли в этом необходимость, а то еще получится ложный вызов. Как же не хочется выходить из дома, но и оставить тебя в таком состоянии я не могу.

Прошлой ночью ты нарушил ритуал, не стал орать и барабанить в дверь, а тупо заснул в машине. Я тоже пошла спать и не видела, как тебе удалось попасть домой, но кто-то тебя впустил. Может, Финн? К тому моменту он уже выложил свое видео в Интернет. Может, ты так его достал, что он ослушался матери и решил открыть дверь, а заодно и высказать, что он о тебе думает? Обидно, что я это пропустила. Знаю, мысль странная.

Сегодня ты совсем никакой. Подозреваю, что это из-за Финна и «милых» постов на YouTube. Уверена, ты уже в курсе.

Вечером я послушала радио, хотела убедиться, что тебя правда отстранили, и да, программу вел другой диджей.

Отстранили не только тебя, но и всю твою команду, за «возмутительную выходку в новогоднем эфире». Но ты, как я вижу, вместо того чтобы воспользоваться свободным в кои-то веки вечером и провести его с семьей либо просто поразмыслить о жизни, поехал и нажрался в хлам.

Честно сказать, довольно странно было не слышать тебя в привычный час. Ты прочно с ним ассоциируешься у десятков тысяч людей — дома, в машине, на работе, в дороге они ждут встречи с тобой в назначенное время.

Узнав, что тебя отстранили, я, к своему удивлению, вовсе не так обрадовалась, как можно было бы ожидать. А потом пришла к выводу, что тебе это отстранение пойдет на пользу. Может, ты наконец призадумаешься о своей работе, обо всех тех гадостях, которые обсуждались на твоем шоу, о том, как это влияло на людей. Поверь мне, очень сильно влияло, знаю по собственному опыту. Может быть, ты решишь что-нибудь изменить в себе? Размышляя об этом, я вспоминаю тот вечер, после которого так сильно тебя возненавидела.

Шестнадцать лет назад ты работал на другой радиостанции. В тот вечер темой передачи, которую ты вел, были люди с синдромом Дауна. Обсуждались самые разные аспекты, была и полезная информация, в первую очередь благодаря сотруднице ассоциации Down Syndrome Ireland. Было ясно, что ее раздражает непрофессиональный уровень дискуссии, но говорила она при этом очень сдержанно и умно. К сожалению, это вовсе не та стилистика, которая интересна тебе, и ты очень быстро убрал ее из эфира. Зато необразованным истеричным придуркам дал возможность высказаться сполна. В основном разговор крутился вокруг медицинского теста на синдром Дауна, который делают, чтобы еще на стадии беременности выявить геномное отклонение. Этот тест особенно рекомендуют женщинам из «группы риска», то есть тем, у кого имеется наследственная предрасположенность к хромосомной патологии. Тест безопасен и дает высоко достоверные результаты. Понятно, почему ты взял эту тему, — речь ведь идет о проблеме выбора, женщина должна решить, оставлять ей ребенка или делать аборт. Но, вместо того чтобы вести обсуждение спокойно и без истерик, ты, конечно, выбрал другую манеру, максимально конфликтную, тебе же нужен «накал страстей». Пригласил в студию малообразованных психов и позволил им рассуждать о проблеме, в которой они вообще ничего не смыслят. Например, какой-то напористый, но не пожелавший назвать свое имя жлоб все выспрашивал, может ли он заставить свою девушку прервать беременность, если узнает, что у плода угроза синдрома Дауна.

Мне было семнадцать, я пришла на вечеринку вместе с парнем, в которого была по уши влюблена. Все были пьяны, и нам показалось, что будет прикольно на время перестать слушать музыку, а послушать, наоборот, Мэтта Маршалла. Тогда я ничего против тебя не имела, даже думала, что ты крутой и обсуждаешь крутые вещи, — любое яркое проявление привлекательно, когда ты еще неопытен и не обрел свой голос. Но от этого «разговора» меня замутило. Хуже того, тему подхватили, стали обсуждать уже в нашей компании, и мне пришлось выслушивать, что говорят мои друзья, которым, уж казалось бы, должно быть стыдно болтать всякую ахинею, и что говорят незнакомые мне гости, и что говорит парень, с которым я пришла. Каждый спешил сообщить свое мнение, и в итоге выяснилось, что никому не нужен ребенок с синдромом Дауна. Один тип даже заявил, что предпочел бы ему больного СПИДом. Мне стало плохо от того, что я услышала. Я подумала о своей замечательной Хизер, которая в тот момент мирно спала дома, и о маме, проходившей курс лечения от рака, изо всех сил боровшейся за жизнь, потому что больше смерти маму страшило, как Хизер будет жить без нее. Мне было невыносимо это слушать, я встала и ушла.

Полицейские подобрали меня на дороге у побережья. С ног я не валилась, но была перевозбуждена до предела, так что ради моей же безопасности они отвезли меня в участок.

Мама была слаба, ее нельзя было тревожить. Тете я позвонить не могла после того, что произошло месяц назад между мной и ее сыном Кевином, это было невозможно, так что полицейские позвонили отцу. Он был на свидании со своей новой девушкой, и они приехали за мной на такси — он в смокинге, она в вечернем платье — и отвезли меня к нему домой. Всю дорогу они переглядывались и фыркали от смеха, видимо, им казалось, что все это дико забавно. Как только мы добрались до квартиры, они тут же развернулись и отправились развлекаться дальше, к моей величайшей радости.

Итак, я стою у окна и наблюдаю за твоей неподвижной фигурой, и мне все равно, видишь ты меня или нет, потому что я на самом деле встревожена. Ровно в тот момент, когда я решаю выйти и помочь тебе, дверца джипа открывается, и ты выпадаешь из машины. Неспешно — как в замедленной съемке. Бац головой об землю. Ноги зацепились за ремень безопасности. Пауза. Не шевелишься. Оглядываюсь в поисках пальто, и до меня доносится смех. Смеешься, смеешься... пытаешься высвободить ноги, раздражаешься и перестаешь смеяться, сражаешься с ремнем, а кровь, поди, приливает к голове.

Смотри-ка, выпутался все же. Дальше по стандартной схеме — орать, долбить, жать на звонок. Нет ответа. Тогда посигналить. Вообще странно, что никто из соседей не скажет тебе, что пора бы уняться. Может, спят и не слышат? Может, опасаются? Или, подобно мне, наблюдают из окна? Нет, вряд ли. У Мерфи ложатся рано, у Мэлони, кажется, все это никого не тревожит, а Ленноны настолько трусливы, что никогда не отважатся выступить против тебя. Похоже, ты мешаешь только мне и доктору Джеймсону. В доме у тебя темно и абсолютно тихо, машины твоей жены нет, занавески раздвинуты во всех окнах. Никого, пусто.

Ты уходишь за дом и исчезаешь из поля зрения, но вскоре я тебя слышу, а вот уже и вижу. Ты волочишь по траве деревянный стол на шесть персон. Ножки стола выдирают траву, вспахивают землю, оставляя глубокие борозды. Так, выволок стол на бетонную дорожку. Господи, какой мерзкий скрежет. Куда ты его тащишь теперь? Понятно, в палисадник. Да, повози его погромче по бетону, вон уже у Мерфи свет зажгли, не выдержали-таки. Ты водружаешь стол посреди лужайки и снова отправляешься на задний двор. Три ходки — и все шесть деревянных стульев встали вокруг стола. Что дальше? Ага, зонтик от солнца. Эх, зонтик не открывается, ты в бешенстве. Открылся, но ты уже не хочешь с ним знаться и злобно отшвыриваешь в сторону. Зонтик повисает на ближайшем дереве. Изящная композиция. Ты совсем выбился из сил. Идешь к машине, достаешь пакет. Знаю, у нас в ближайшем магазине такие дают. Выгружаешь из него банки с пивом, выстраиваешь их на столе и наконец усаживаешься сам. Ноги на стол, будь как дома, чего уж там, ты ведь именно дома. Точнее, у дома. С радио тебя выперли, теперь ты в телевизоре. Моем личном. Мало того что я тебя каждую ночь слышу, так сейчас еще и вижу. Бельмо на глазу.

Некоторое время наблюдаю за тобой, но это быстро наскучивает. Ты ничего интересного не делаешь, только тупо пьешь и пускаешь в ночное небо колечки сигаретного дыма.

Смотрю, как ты смотришь на звезды, — небо такое ясное, что видно Юпитер неподалеку от Луны. И о чем же ты думаешь? Что делать с Финном. Что делать с работой. То есть в конечном счете мы мало чем отличаемся?

Глава шестая

Восемь тридцать утра, я на площадке перед домом со строителем по имени Джонни, здоровенным рыжим мужиком, который ведет себя так, словно люто меня ненавидит. Никто ничего не говорит, он и его напарник Эдди, облокотившийся на отбойный молоток, просто молча на меня взирают. Джонни переводит взгляд на тебя — ты спишь, положив ноги на стол у себя в палисаднике, — затем обратно на меня.

— Так вы чего хотите? Нам ждать, пока он проснется?

— Нет! Я...

— Но вы же сами так сказали.

Да, именно так я и сказала.

— Нет, не так, — твердо заявляю я. — Сейчас полдевятого, не рановато ли поднимать грохот? Мне казалось, официально разрешенное для любых строительных работ время — девять утра.

Он неопределенно машет рукой:

— Почти все уже на работе.

— Не на нашей улице, — возражаю я. — Здесь никто на работу не ходит.

Ну да, с недавних пор — вообще никто.

Прозвучало это, наверное, странно, но ведь так оно и есть. Он смотрит на меня как на больную, потом ищет взглядом подтверждения у своего коллеги — дескать, ненормальная, верно?

— В общем, милая, вы сказали, что вам это нужно срочно. У меня есть два дня, чтобы со всем тут управиться, потом я буду занят в другом месте. Так что либо я сейчас начинаю, либо…

— Хорошо, хорошо. Начинайте.

— Вернусь к шести, гляну, как тут что.

— А вы куда?

— Есть одна работенка. Эдди сам тут справится.

Не говоря ни слова, Эдди, которому на вид лет семнадцать, надевает наушники. Спешно ретируюсь в дом.

Стою у окна гостиной, которое выходит на твой сад, и смотрю, как ты сидишь за столом, откинув назад голову, и мирно посапываешь в пьяном забытьи. Кто-то набросил на тебя плед. То ли твоя жена, то ли ты сам проснулся от холода среди ночи и взял его из машины. Здравый смысл подсказал бы тебе там и остаться, но здравомыслие тебе чуждо.

Сегодня утром все, безусловно, не так, как должно быть. Помимо того, что ты спишь у всех на виду посреди раскуроченного палисадника на садовом стуле, криво воткнутом в землю, еще и дома у тебя все как будто вымерло. Дети уже должны были бы уйти в школу, жена выйти и проводить их, потом заняться делами, но… ничего подобного не случилось. Дом не подает никаких признаков жизни, занавески не шевелятся, машины твоей жены нет. Зонтик по-прежнему висит на дереве. Похоже, тебя все бросили.

Неожиданно врубается отбойный молоток — с таким грохотом, что у меня, хоть я и не на улице, звенит в ушах и отдает дрожью по всему телу. Тут мне в первый раз приходит в голову, что следовало бы предупредить соседей: в ближайшие дни будет шумно, поскольку я решила раздолбать свою чудесную дорогущую площадку и засеять двор травой. Они бы меня наверняка предупредили, можно не сомневаться.

Ты в обалдении вскакиваешь со стула, судорожно дергая руками и ногами, и озираешься, словно на тебя напали. Пытаешься сообразить, где ты, что происходит и что тебе делать. А потом видишь у меня в саду Эдди. И немедленно устремляешься к моему дому. У меня бешено колотится сердце, сама не знаю почему. Мы никогда с тобой не общались, не считая брошенных на ходу «здрасте». Кроме того единственного раза, накануне Нового года, когда ты увидел, что я наблюдаю за тобой в окно, ты никак не дал понять, что знаешь о моем существовании, и я — тоже. Потому что я ненавижу тебя и все, что ты отстаиваешь, потому что ты не в состоянии понять: любая мать, даже умирая, больше всего тоскует не о жизни, а о том, каково будет ее ребенку, оставшемуся без ее заботы. Особенно ребенку с синдромом Дауна. Погружаюсь на секунду в воспоминания — что ты тогда говорил, что говорили твои мерзкие собеседники, и ненависть захлестывает меня с новой силой. Когда ты подходишь к палисаднику, я полностью готова к схватке.

Я вижу, как ты орешь на Эдди. Эдди тебя вряд ли слышит, он же внутри этого грохота и на нем наушники, но он видит, что перед ним стоит мужик и яростно открывает-закрывает рот, уперев одну руку в бок, а другой тыча в мой дом. Эдди тебя игнорирует и продолжает разбивать мою дорогостоящую площадку. Я иду в прихожую и нервно топчусь у двери, ожидая, когда ты позвонишь. Подскакиваю, услышав звонок. Ты звонишь всего один раз. Вежливо, даже любезно. Легкое нажатие — и мелодичная трель, ничего похожего на пулеметные очереди, которые ты посылаешь своей жене.

Открываю дверь, и мы впервые оказываемся лицом к лицу. Это за тебя, сестренка, за тебя, Хизер, и за маму, за то, что она так несправедливо рано должна была нас покинуть. Мысленно твержу это себе, непроизвольно сжимая и разжимая кулаки, готовая к битве.

— Да? — Я говорю резко, с напором.

Тебя это несколько ошарашивает.

— Доброе утро. — Ты произносишь это внятно, слегка покровительственно: дескать, вот как принято здороваться у людей приличных, соблюдающих правила вежливости, которые ты, конечно, знаешь досконально, до мельчайших подробностей. Протягиваешь руку и сообщаешь: — Я Мэтт, живу напротив вас, через дорогу.

Мне очень нелегко это сделать, терпеть не могу грубость, но я смотрю на твою руку, потом на небритое лицо, красные глаза, слышу запах перегара, которым провоняло все твое тело, потом на губы, столь мне ненавистные за все гнусные вещи, которые они произносили, и засовываю руки в задние карманы джинсов. Сердце стучит уже как безумное. За тебя, Хизер, за тебя, мама.

Ты скептически наклоняешь голову. Убираешь руку, с трудом попав в карман полупальто.

— Я чего-то не улавливаю? Сейчас полдевятого, а вы ведете земляные работы! Мы все, видно, не в курсе дела? Здесь нашли нефть? Пора столбить участки?

Ну, ясно, ты все еще пьян. Ноги вроде твердо стоят на земле, но качает тебя, как Майкла Джексона, то рывками, то плавно, вкруговую.

— Если это вам так сильно мешает, может, встанете лагерем на своем заднем дворе на ближайшие несколько дней?

Ты смотришь на меня как на величайшую, невменяемую суку, а потом разворачиваешься и уходишь.

Сколько всего я могла бы тебе сказать. Много-много вариантов было у меня, чтобы донести до тебя свое негодование от той «дискуссии» о людях с синдромом Дауна. Написать тебе письмо. Или, может, пригласить вместе выпить кофе. Поговорить как взрослые люди. И вместо этого я сказала, что сказала. На первой нашей встрече.

И уже об этом жалею — не потому, что, возможно, тебя обидела, а потому, что, возможно, упустила шанс сказать нечто важное так, как это надо было сказать. И вдруг до меня доходит, что ты-то, скорее всего, вообще не помнишь ту передачу. У тебя их было столько, что эта, наверное, ничего не значит и давно забылась. И я для тебя всего лишь малоприятная соседка, которая не предупредила о «земляных работах».

Из окна я смотрю, как ты идешь через дорогу. Эдди, яростно-равнодушный к миру, вгрызается в асфальт, и каждое его движение эхом отдается у меня в голове. Ты проходишь вдоль дома, заглядываешь в окна, пытаешься сообразить, как тебе попасть внутрь. Тебя качает, ты все еще пьян. Потом идешь к столу, я жду, что ты усядешься там, но вместо этого ты берешь садовый стул и несешь к входной двери. Отводишь руки, сколько можно назад, а потом бьешь со всей силы — раз, другой, третий, целясь в окошко посреди толстой деревянной панели. Разбил. Отбойный молоток напрочь заглушает шум, которым, наверное, это сопровождается. Ты примериваешься, а потом с трудом протискиваешь широкие плечи в образовавшуюся дыру и наконец проникаешь в дом. Ты справился и нашел свой путь.

И хотя я лично видела, каким кретиническим образом ты это проделал, ты снова заставил меня ощутить себя бессмысленной дурой.

Глава седьмая

Эдди два часа работает без передышки, потом исчезает — на три. Его зверский агрегат стоит посреди моего сада, который выглядит как после землетрясения. Он устроил настоящий погром, и мне противно на это смотреть, но приходится, потому что я постоянно выглядываю в окно — нет, не для того, чтобы увидеть тебя, ты, я знаю, до вечера не покажешься, — а чтобы не пропустить Эдди, который как ушел в своем защитном шлеме, так больше и не возвращался. Звоню Джонни, но он не отвечает, а такой услуги, как «оставьте сообщение», на его телефоне нет. Дурной знак. Мне его рекомендовал ландшафтный архитектор, который занимался дизайном моего двора, что тоже дурной знак.

У меня звонит мобильный, какой-то неизвестный номер, поэтому не отвечаю. Тетя Дженнифер малость перебрала на Рождество и сообщила мне, что кузен Кевин к Новому году собирается приехать домой и хочет со мной связаться. Новый год уже наступил, так что я отслеживаю все звонки не хуже ЦРУ. В двадцать два года Кевин уехал из Ирландии, какое-то время странствовал по свету, а потом обосновался в Австралии. Впрочем, не думаю, что Кевин может где-нибудь «обосноваться». Он уехал, чтобы найти себя, чему предшествовала бурная семейная драма, и с тех пор ни разу не появился, ни на Рождество, ни на дни рождения, ни на мамины похороны. Это тот самый Кевин, который сказал, что я умру, когда мне было пять, и что он меня любит, когда мне было семнадцать.

Тетя была у нас, проводила выходные с мамой, а я, как тогда было заведено, отсыпалась у нее дома. Дядя Билли смотрел телевизор, а мы с Кевином сидели на качелях на заднем дворе и изливали друг другу душу. Я горевала из-за маминой болезни, Кевин меня внимательно слушал. Слушать он умел, это правда. А потом Кевин раскрыл мне свою тайну: он только что узнал, что его усыновили. Сказал, что чувствует, будто его предали, после всех этих долгих лет молчания, но с другой стороны, это наконец помогло ему разобраться в его отношении ко мне. Он меня любит. В ту же секунду он набросился на меня, жадно водя руками по всему телу, и, задыхаясь от вожделения, засунул мне в рот мокрый горячий язык. Всякий раз, вспоминая об этом, я мчалась в ванную, чтобы как следует прополоскать рот. Может быть, по крови он мне и не двоюродный брат, но он мой брат. Мы играли у них на заднем дворе в «Повелителя мух»[1], связывали его братика Майкла и поджаривали его на вертеле, устраивали костюмированные представления и показывали их, стоя на подоконниках. Мы были дети одной семьи. Все воспоминания, которые у меня с ним связаны, это воспоминания о брате. То, что он сделал, было мерзко.

Больше я с ним не разговаривала. Тете ничего не сказала, но знала, что она знает. Думаю, мама ей рассказала, но мы с тетей никогда этого не обсуждали. Первый год после того она держалась нервно, словно извиняясь, а потом тоже нервно, но уже обвиняя. Кажется, она считает, что, если б я простила Кевина, это могло бы его вернуть. Нет, тогда он еще не уехал, но напрочь отдалился от семьи, всячески показывая, что он больше не один из них. Постоянно встревоженный, никогда ни в чем не уверенный — ни в себе, ни в других. Мне тогда было чем заняться, проблемы Кевина не входили в этот список. Жестоко, наверное, но мне было семнадцать, и я его заморочек не понимала. Он был моим старшим братом, приемным, сдвинутым на всю голову, и я хотела только одного — чтобы он провалился ко всем чертям. Но теперь он вернулся, и, видимо, нам придется встретиться. Я давно перестала на него обижаться, мне больше не хочется прополо-

---

[1] Игра основана на экранизации романа У. Голдинга «Повелитель мух» (если не на самом романе), где дети, оказавшись на необитаемом острове, охотятся на дикую свинью, жарят ее на вертеле, пляшут и т.д.

скать рот, когда я о нем думаю. Но, хоть у меня и нет никаких важных дел, я знаю массу более приятных способов провести время, чем неловкая беседа с кузеном, который опробовал на мне французский поцелуй шестнадцать лет назад на качелях.

Снова смотрю в окно в надежде увидеть Эдди, и в этот момент звонит домашний телефон. Его номер не знает никто, кроме папы и Хизер, и обычно именно она на него и звонит, так что я беру трубку.

— Простите, могу я поговорить с Джесмин Батлер?

Замираю, пытаясь понять по голосу, кто это. На Кевина непохоже. У него, поди, теперь австралийский акцент, хотя черт его знает. В любом случае не думаю, что это он. Со стороны тети Дженнифер было бы ужасно подло дать ему мой номер. А между тем слабый акцент есть, он слегка пробивается сквозь дублинское произношение — милый такой, певучий сельский говор.

— С кем я говорю?

— А я с Джесмин Батлер говорю?

Улыбаюсь и пытаюсь скрыть, что он меня позабавил.

— Пожалуйста, не могли бы вы представиться? Я экономка миз Батлер.

— О, простите! — радостно восклицает он, и это звучит очаровательно. — Как вас зовут?

Да кто же это такой? Он звонит мне, а говорит так, словно это мне что-то от него нужно, но никакой грубой напористости, напротив, все предельно вежливо и до крайности мило. Не могу понять, откуда он. Точно не из Дублина. Не северянин. Но и не южанин. Центральные графства? Тоже нет. Но акцент прелестный. Видимо, что-то продает. Надо выдумать имя для экономки и заканчивать разговор. Взгляд падает на тумбочку, где возле телефонной базы лежит пенал с ручками, если понадобится что-нибудь записать.

— Пен. — Я стараюсь не захихикать. — Пен-ни. Пенелопа, но все зовут меня Пенни.

— А иногда Пен?

— Да, — улыбаюсь я.

— Могу ли я узнать вашу фамилию?

— Вы заполняете анкету?

— Нет-нет, это на случай, если я снова позвоню, а миз Батлер опять не будет дома. На всякий, знаете ли, случай, — с саркастической печалью говорит он.

Не могу удержаться и смеюсь.

— Мм... — Так, что тут еще в поле зрения, ага, айпад. Закатываю глаза. — Пад. — Закашливаюсь, чтобы скрыть смех. — Паддингтон.

— Значит, Пенелопа Паддингтон, — резюмирует он, и я слышу, что он все понимает. Не надо большого ума, чтобы понять. — Вы не знаете, когда вернется миз Батлер?

— Не могу вам сказать. — Присаживаюсь на подлокотник дивана и вижу в окно, что доктор Джеймсон стоит у тебя перед дверью. — Она приходит и уходит. По работе. — Доктор Джеймсон заглядывает сквозь разбитое стекло. — А что вы хотите?

— Это дело частного характера, — вежливо, доброжелательно отвечает он. — Мне хотелось бы обсудить его лично с миз Батлер.

— И она вас знает?

— Пока нет. Но, быть может, вас не затруднит передать ей, что я звонил.

— Разумеется. — Я беру ручку и листок, чтобы записывать.

— Я попробую позвонить ей на мобильный.

— У вас есть ее номер?

— Да, и рабочий тоже, но я звонил в офис, и она недоступна.

Ну и ну. У него есть все мои телефоны, но он не в курсе, что меня уволили. Это ставит меня в тупик.

— Спасибо, Пенелопа, вы мне чрезвычайно помогли. Всего вам наилучшего. — Он отключается, а я еще некоторое время в растерянности слушаю гудки.

Потом нараспев говорю:

— Джесмин, вам только что звонил ну очень странный тип.

Доктор Джеймсон идет через дорогу к моему дому.

— Здравствуйте, доктор Джеймсон.

У него в руках белый конверт. Интересно, что еще придумали жители нашей улицы и во сколько мне это обойдется.

— Привет, Джесмин.

Он, как обычно, безукоризненно подтянут, рубашка аккуратно выглядывает из V-образного выреза свитера, брюки с идеальной стрелкой, ботинки сверкают. Он ниже меня, и при росте в 173 сантиметра я ощущаю себя рядом с ним здоровенной дылдой, притом весьма экзотической. У меня волосы ярко-рыжие, как пожарная машина, или, цитируя изготовителей краски для волос, «цвета огненных всполохов». Вообще-то от природы я шатенка, но с пятнадцати лет никто меня такой не видел, и единственное, что об этом напоминает, — это брови. Все говорят, что рыжий еще сильнее подчеркивает необычный цвет моих глаз, а они у меня бирюзовые, или, как многие любят выражаться, «цвета морской волны». Глаза и волосы — их все отмечают первым делом. И, куда бы я ни шла, на работу или в гости, всегда подвожу глаза ультрачерным карандашом. Вся такая броская, заметная. Сиськи у меня тоже выдающиеся. Они даже слишком большие, но я для этого ничего специально не делала, сами вымахали, умницы мои.

— Простите за весь этот грохот с утра пораньше, — абсолютно искренне извиняюсь я. — Мне следовало предупредить заранее.

— Ничего страшного, — отмахивается он, давая понять, что пришел по другому поводу. — Я хотел навестить нашего друга, но у него, судя по всему, неотложные дела.

Доктор произносит это так, будто «наш друг», то есть ты, надуваешь шарики для детского праздника на заднем дворе, а не валяешься на полу в ванной в луже собственной блевотины. Впрочем, кто тебя знает, может, ты валяешься на ковре в гостиной.

— Эми передала мне это для мистера Маршалла — для нас с вами он просто Мэтт, не так ли?

У меня тут же возникает подозрение: доктору отлично известно, что я за тобой наблюдаю. Но это невозможно, ведь тогда он, в свою очередь, должен бы наблюдать за мной, а я знаю, что это не так, потому что наблюдаю и за ним тоже.

— А Эми — это кто?

— Жена Мэтта.

— А. Ну да, конечно. — Типа я знала, но забыла. Но я не знала.

— Думаю, дело не терпит отлагательств, — он взмахивает белым конвертом, — но Мэтт не отвечает. Я мог бы положить его… мм… в открытое окно, но не уверен, что он заметит. Кроме того, есть еще один дубликат, который я бы хотел отдать вам. — Он протягивает мне конверт.

— Дубликат чего?

— Ключа от входной двери. Эми сделала два запасных, чтобы отдать соседям, — она отчего-то подумала, вдруг да пригодятся. — Он говорит, словно удивляется, с чего бы это она так подумала, меж тем мы оба отлично знаем, с чего. — Полагаю, ее нет дома, и вряд ли она появится в ближайшие дни. — Взгляд у него очень многозначительный.

Ага. Понятно.

Убираю руки за спину, подальше от ключа и конверта, которые он пытается мне всучить.

— Пусть они лучше у вас останутся, доктор Джеймсон. Я не тот человек, которому надо их отдать.

— Почему же?

— Ну, знаете, какая у меня жизнь. Прихожу, ухожу. Дел полно. Работа и… всякое такое. Я думаю, надо их передать тому, кто почаще бывает дома.

— Вот как. А у меня сложилось впечатление, что вы… в последнее время редко уходите надолго.

В яблочко.

— И все же мне кажется, будет лучше, если они останутся у вас. — Я твердо стою на своем.

— У меня есть свой экземпляр, но проблема заключается в том, что я уезжаю на две недели. Племянник позвал провести отпуск с его семьей. Они меня впервые так приглашают. — Лицо его радостно освещается. — Исключительно любезно с их стороны, хотя наверняка это его Стелла убедила. Чудесная женщина. И я согласился. Тем более в Испанию… — Он весело подмигивает. Потом, помрачнев, добавляет: — В общем, я должен это кому-то отдать. — Видимо, его огорчает вся эта история.

Меня мучает совесть, но я не могу выполнить его просьбу. Ну как это я возьму себе ключи от совершенно посторонних людей? Абсурд. Не желаю в это ввязываться. Мое дело сторона. Да, я за тобой наблюдаю, но… нет, я не могу. И меня не растрогает его встревоженное, растерянное лицо. Черт, будь у меня работа, я бы знать ничего не знала о дурацких проблемах моих соседей, и они отлично решали бы их без меня.

— Ну, может быть, вы отдадите их мистеру и миссис Мэлони?

Представления не имею, как их зовут. Четыре года живу в соседнем доме… а ведь они каждый раз поздравляют меня с Рождеством и на открытках ставят свои имена.

— Да, наверное, это мысль. — В голосе у него сквозит большое сомнение.

Я знаю, почему он сомневается, — не хочет втравлять их в лишние проблемы. Когда ты в очередной раз заявишься в невменяемом состоянии, ни чете Мэлони, которым уже за семьдесят, ни Мерфи или Леннонам, которые примерно того же возраста, общаться с тобой не стоит. Он прав, я отлично это знаю, но все равно не могу.

— Может быть, все же передумаете? — на всякий случай спрашивает он.

— Нет, — твердо заявляю я и решительно мотаю головой. Ни за что не желаю в этом участвовать.

— Понимаю. — Он кивает, слегка поморщившись, и убирает конверт за спину. Пристально смотрит мне в глаза, и я знаю, что мысленно он представляет себе сцену, разыгравшуюся сегодня ночью. — Вполне вас понимаю.

Мы прощаемся, и доктор Джеймсон отступает назад, на дорогу, где его едва не сшибает «скорая», но, по счастью, в последнюю секунду я успеваю выдернуть его за рукав обратно на тротуар. Мы оба автоматически смотрим на твой дом, нас, видимо, посещает одна и та же мысль, однако «скорая» останавливается возле дома Мэлони, и парамедики стремительно исчезают за дверью.

— О боже милостивый, — бормочет доктор Джеймсон. В жизни своей не встречала человека, который вставлял бы в разговор столько архаических выражений.

Стоя рядом с ним, я вижу, как из дома выкатывают носилки с миссис Мэлони, она в кислородной маске. Носилки быстро погружают в «скорую», следом идет мистер Мэлони. Лицо у него совершенно серое, он совсем подавлен. В душе у меня что-то переворачивается. Надеюсь, это не моя вина. Надеюсь, ее сердечный приступ случился не потому, что у меня гремел отбойный молоток.

— Винсент. — Мистер Мэлони замечает доктора Джеймсона. — Марджори… — Вот как зовут его жену. Мне ужасно стыдно, что я не знала этого.

— Я пригляжу за ней, Эдвард, — обещает мистер Джеймсон. — Два раза в день? Еда в буфете?

— Да, — обессиленно произносит мистер Мэлони, и ему помогают сесть в машину.

Нет. Не жену.

Дверцы закрываются, «скорая» мгновенно уезжает, и улица снова пуста, словно ничего и не случилось, только вдалеке затихает вой сирены.

— Ой, горе, горе, — грустно говорит мой сосед. — Вот ведь беда какая, боже ж ты мой.

— С вами все в порядке, доктор Джеймсон?

— Зовите меня Винсент, пожалуйста. Я уже десять лет не практикую, — с отсутствующим выражением говорит он. — Ладно, пойду покормлю кошку. Кто это будет делать, когда я уеду? Наверное, мне лучше остаться. Сначала это, — он смотрит на конверт у себя в руке, — а теперь еще и бедные Мэлони. Да, видимо, я нужен здесь.

Я чувствую себя ужасно виноватой, мне и не по себе, и зло берет, словно весь мир сговорился против меня. В данной ситуации не предложить свою помощь было бы уже запредельным свинством. Равно как и попытаться найти кого-нибудь другого вместо себя.

— Я буду кормить эту кошку, если вы мне покажете, где ее еда. И вообще объясните, что с ней нужно делать.

— Согласен! — кивает он.

— Как мы туда попадем? — Я смотрю на опустевший дом со смешными садовыми гномами, аккуратными тропинками, веревочной лесенкой на дереве — для внуков, чтобы было удобнее лазить. Старая плакучая ива опустила ветки до земли, туда, в своеобразный шатер, тоже ведет тропинка. По бокам окон потрескавшиеся, еще восьмидесятых годов ставни, бежевые с розоватым рисунком, а на подоконниках цветы в дешевых горшочках. Такой кукольный домик, бережно укутанный пеленой времени, домик, за которым ухаживают нежные, заботливые руки.

— У меня есть ключ.

Ну разумеется, как иначе. Похоже, у всех на нашей улице есть ключи от соседских домов. Только не от моего.

Он смотрит на конверт, точно впервые его видит, и я замечаю, что пальцы у него подрагивают.

— Винсент, я возьму его, — ласково говорю я и слегка пожимаю ему руку.

Ну вот, этим и закончилось — у меня письмо к тебе от твоей жены и ключ от твоего дома.

Да, и просто чтоб ты знал: я этого ни секунды не хотела.

Глава восьмая

Эдди возвращается, чтобы еще немного поработать. Я как раз кладу Марджори еду, и она нетерпеливо трется мне об ноги, но вдруг ее перекручивает так, точно она хочет вылезти вон из своей шкуры, и она бросается в дом в поисках спасения. Не буду я ее там искать, не хочу вторгаться в чужое пространство. Кошка, она кошка и есть, выйдет, когда жрать захочет.

Эдди усердно трудится, будто и не отлучался ни на миг, и тут приезжает Джонни, поглядеть, как идут дела. На мои жалобы на его напарника он реагирует молча, даже глазом не моргнув. Потом заявляет, что все идет по плану, а сейчас им пора, ждет другая работа. Ждет она их недалеко — прямо напротив. Они просто перебираются на другую сторону улицы, к твоему дому. Паркуются рядом с джипом и бодро выскакивают из своего фургона. Я наблюдаю из-за занавески. Судя по всему, становлюсь законченной вуайеристкой, но поделать с собой ничего не могу, меня мучает любопытство. Джонни промеряет раму вокруг разбитого окна, потом они достают из фургона доску и принимаются ее пилить. Мне их почти не видно, зато хорошо слышно. Всего полшестого, а уже почти темно. Они зажгли большой переносной фонарь, а еще слабо светится окно у тебя на кухне. Оно выходит на задний двор, и толку от него мало. Однако ясно, что ты проснулся.

Минут через десять они ставят деревянную заплатку тебе на дверь, запрыгивают в свой драндулет и уезжают. А что у меня в саду хаос и разорение, никого, конечно, не тревожит. Хоть трава не расти.

На столе лежит белый конверт. Доктор Джеймсон взял с меня слово, что я передам его тебе лично в руки. И тогда он сможет сказать Эми, что ее поручение исполнено. Твой ключ по-прежнему на кухонной стойке, вид у него какой-то чужеродный, но я не знаю, куда его деть. Этот ключ, словно магнит, притягивает мой взгляд. Куда ни отвернусь, все время к нему возвращаюсь.

Это неправильно, что у меня дома твоя вещь. Да еще письмо… Похоже, Эми наконец решила от тебя уйти и доверила соседям роль горевестника. Не сомневаюсь, она подробно изложила все, что о тебе думает. Наверное, не один час сидела, подбирала подходящие слова. В общем, деваться некуда, мой долг перед ней отдать тебе письмо. Мне бы сейчас позлорадствовать, но нет, моя миссия не доставляет мне ни малейшего удовольствия. И слава богу, не всем же быть такими сволочами, как ты, меня чужие несчастья не радуют.

Надеваю пальто, беру конверт. Звонит мобильный, номер какой-то незнакомый. Может, это давешний странный тип с неведомым акцентом? Ладно, отвечу.

— Привет, Джесмин. Это Кевин.

В животе противно холодеет, я застываю, как соляной столб, и вижу, что ты выходишь из дома, идешь к машине, садишься и уезжаешь.

Не могу заснуть. Это не из-за предстоящего свидания с Кевином — я согласилась с ним встретиться, но не у меня, а в кафе, чтобы в любой момент можно было встать и уйти, — а потому, что мысленно прокручиваю разные сценарии твоего ночного возвращения. Вот ты приехал, пьяный в стельку, я отдаю тебе ключ, потом письмо. Ты не можешь открыть дверь, я помогаю, ты вдруг приходишь в ярость, швыряешь в меня стулом… орешь, не знаю, что еще делаешь… Не хочу, не хочу я в этом участвовать. А придется — соседский долг обязывает.

Когда ты приезжаешь, я все еще не сплю. Гремит «Город-рай». Сегодня гаражные ворота не пострадали, ты успеваешь затормозить вовремя. Выключаешь зажигание, захлопываешь дверцу машины и, заплетаясь, направляешься к дому. Не с первого раза, но все же умудряешься попасть в замочную скважину. Заходишь и ногой закрываешь за собой дверь. В прихожей загорается свет. Лампочка на крыльце гаснет. Свет загорается в спальне и гаснет в прихожей. Через пять минут в доме темно.

Вокруг меня царит непонятная тишина. Я вдруг осознаю, что все это время наблюдала за тобой, затаив дыхание. Ложусь в полном смятении.

Я разочарована.

В субботу у меня гости. Нас восемь человек, все мои самые близкие. Бьянки нет, она осталась дома с новорожденным, но Тристан пришел. Он засыпает в кресле у камина еще до того, как мы садимся за стол. Там мы его и оставляем, не стоит тревожить беднягу.

Разговор крутится в основном вокруг младенцев, которыми почти все мои друзья уже успели обзавестись. Я не против, для разнообразия и эта тема сгодится. Узнаю много нового о желудочных коликах. Делаю заинтересованное лицо, когда возникает дискуссия: пеленать или не пеленать детей на ночь. Свобода воли, а он себя будит, размахивая ручками, ну и пусть, ограничивать нельзя... Переходим к проблеме первого прикорма. Овощи или фрукты? Можно ли давать киви в восемь месяцев? Папа даже гуглит это в Интернете.

Полчаса кряду Каролина рассказывает мне на ухо, чем отличается секс с ее новым любовником от секса с «этой скотиной», в смысле бывшим мужем. И эта тема сойдет для разнообразия. Ведь это жизнь, и мне она интересна. Затем разговор переключается на меня и мою работу, и, хоть все они друзья, которых я нежно люблю, рассказать им правду я не могу. Поэтому сообщаю, что наслаждаюсь неожиданной свободой, к тому же — завидуйте все! — еще и оплаченной. Они весело смеются, когда я рисую картины своей счастливой жизни: валяюсь на диване, книжки почитываю, а денежки капают. Но это одно сплошное притворство, и мне нелегко дается эта роль — беспечной лентяйки, довольной своим положением. Вранье, все вранье от первого до последнего слова.

И тут я слышу шум твоего джипа. Интересно, в каком состоянии ты заявился сегодня? Я никому не рассказывала о твоих ночных эскападах. Не знаю почему. Ведь такая прекрасная сплетня пропадает, все с огромным интересом бы послушали, я уверена. Ты же знаменитость, это всегда придает подобным историям особую пикантность. Но у меня язык не поворачивается. Как будто это моя личная сокровенная тайна. Как будто я тебя оберегаю, черт его поймет почему. Наверное, я слишком всерьез воспринимаю все, что имеет к тебе отношение, чтобы сделать это предметом застольных шуток. У тебя дети, от тебя только что жена ушла. И я ненавижу тебя, мне, понимаешь, не до смеха.

Встаю и задергиваю занавески, чтобы никто не мог тебя ненароком увидеть.

Слышу, как ты чем-то грохочешь, но это проходит незамеченным — за столом живо обсуждают разницу между мужской и женской стерилизацией. Одни стоят за перевязывание фаллопиевых труб, а другие — за вазэктомию. Я вскользь замечаю, что предпочла бы второе, и все хохочут, но я не собиралась шутить, просто не могу сосредоточиться и постоянно прислушиваюсь к тому, что происходит на улице. А там странным образом тихо, и это меня нервирует еще больше. Я все жду, что ты выкинешь какой-нибудь дикий номер, тебя услышат, пойдут посмотреть, в чем дело, начнут смеяться или, того хуже, захотят помочь. И ты перестанешь быть моим личным секретным достоянием. Да, это странно, но только я одна знаю, что с тобой. И никому не хочу ничего объяснять.

Собираю десертные тарелочки, Каролина мне помогает, и мы уходим на кухню. Вообще вечер удался — всем весело, атмосфера замечательная, и Тристан, тихо прожаривающийся у камина, отлично дополняет картину.

Пользуясь случаем, Каролина в самых скабрезных подробностях описывает мне, что они вытворяют с ее новым приятелем. По идее я должна бы быть шокирована, именно этого она от меня и ждет, но я реагирую вяло, мои мысли не то чтобы далеко, но и не здесь. Через дорогу.

Наконец Каролина удаляется в туалет, и у меня есть возможность тихо улизнуть. Беру письмо, твой ключ, набрасываю пальто и выскальзываю за дверь.

Переходя через улицу, вижу, что ты в палисаднике. Сейчас около одиннадцати, ты сегодня что-то рано. О, ты оказывается, ужинаешь: вижу, как ты ешь прямо из бумажного пакета. Фастфуд не полезен, особенно в твоем возрасте.

Ты замечаешь меня и пристально на меня смотришь. По спине бегут противные мурашки, но это не от холода, во мне довольно много горячительного. Это от неловкости. Подхожу к столу.

— Привет.

Ты смотришь равнодушно, чтобы не сказать — пренебрежительно.

Никогда не видела тебя трезвым, в смысле вблизи. Впрочем, пьяным я тебя тоже вижу только на расстоянии. Когда мы общались вчера утром, ты был где-то между этих двух состояний. А сейчас двенадцатый час ночи, на улице плюс три, ты ешь какую-то дрянь из бумажного пакета, сидя перед домом в саду, и воздух вокруг тебя насыщен винными парами. Сомневаюсь, что ты в здравом уме.

— Привет, — роняешь ты.

Что ж, могло быть хуже.

— Доктор Джеймсон просил вам передать вот это, — протягиваю тебе конверт.

Ты забираешь его и, не глядя, бросаешь на стол.

— А что, док уехал?

— Он сказал, что племянник пригласил его погостить, в Испанию.

— Да ладно? — оживляешься ты. — Давно пора.

Я удивлена. Не знала, что вы с доктором Джеймсоном так близко знакомы. То есть из твоих слов не следует, что вы прям друзья, но все же явно общаетесь.

— Знаете, у дока жена умерла давно, лет пятнадцать назад. Потом брат и его жена тоже умерли. Так что этот племянничек с семьей — вся его родня. А он ни разу не приехал навестить дядю и его к себе никогда не звал. — Видно, что тебя это возмущает. И ты громко рыгаешь, вероятно, от избытка чувств. — Пардон.

— О, — только и нашлась я что сказать в ответ.

— Вы ведь напротив живете, точно?

Я растерянно молчу. То ли ты прикидываешься, то ли правда забыл, что произошло вчера. Черт тебя разберет.

— Точно-точно. Вы из третьего дома.

— Да. — Глупо же отпираться.

— Мэтт. — Ты протягиваешь мне руку.

Что это — шанс начать все с чистого листа? Или очередная вздорная выходка и ты в последнюю секунду уберешь руку и высунешь язык? Но, если ты и правда ничего не помнишь, значит, у меня вновь появился шанс поговорить с тобой о том, что гложет меня уже столько лет.

— Джесмин. — Я протягиваю тебе руку в ответ.

Ну вот мы и ударили с дьяволом по рукам. Впрочем, для дьявола рука у тебя слишком холодная.

— Доктор Джеймсон мне еще ключ отдал от вашей входной двери. Ваша жена сделала два запасных — ему и мне.

Ты недоверчиво разглядываешь ключ, потом отрицательно мотаешь головой.

— Пускай лучше у вас побудет.

— Как скажете. Вы точно не против?

— С чего это мне быть против?

— Ну, вы же меня не знаете. В общем, можно открыть дверь и пойти домой.

Ты чуть склоняешь голову набок и медленно изучаешь меня с ног до головы. И что я должна делать? Ты явно не собираешься трогаться с места. Ладно, сама открою.

— У вас праздник? — спрашиваешь ты, когда я возвращаюсь к столу. Киваешь на припаркованные у моего дома машины.

— Нет, просто друзья в гости зашли.

Вот черт. Ты тут на морозе гамбургеры ешь, а у меня застолье. Что, я должна тебя пригласить? Да ни за что. Я тебя знать не знаю и вообще ненавижу с семнадцати лет. Не могу я тебя пригласить.

— Чего это вы у себя в саду затеяли?

— Хочу травой его засеять.

— И за каким?..

— Хороший вопрос, — мрачно ухмыляюсь я.

Ты берешь со стола конверт.

— Прочитаете мне, что там?

— Нет.

— Почему — нет?

— А вам почему бы не прочитать?

— Не разберу ни хрена.

Вовсе не так уж ты пьян. Вон как складно разговариваешь. Это профессиональное, не иначе.

— И потом, я очки дома забыл.

— Нет. — Я решительно убираю руки за спину. — Это личное письмо.

— С чего вы взяли?

— Оно вам адресовано.

— Ну и что? Может, это очередная затея дока. Зовет на барбекю, по-соседски.

— Точно. В январе.

— Ну, тогда устраивает прием… на дому. «Прием соседей, страдающих алкоголизмом, вне очереди». — Тебе кажется, что это очень остроумно, и ты хрипло, цинично смеешься.

— Он сказал, что это от вашей жены.

Смех резко обрывается.

Если смотреть на тебя под определенным углом, вот как сейчас, когда сверху светит луна, то ты вполне хорош собой. Высокий лоб, синие глаза, светлые волосы и твердый, упрямый подбородок. Нос тоже ничего, прямой, хорошей лепки. Или ты вообще всегда такой, а мне злость мешает это увидеть?

Ты пододвигаешь ко мне конверт, лениво, одним пальцем, и повторяешь:

— Прочтите.

Некоторое время я растерянно молчу, потом решительно выдыхаю:

— Нет. Я не могу. Извините. — Ты ничего не говоришь, только внимательно на меня смотришь. — Доброй ночи.

Возвращаюсь к себе, в радостную, хмельную неразбериху. Тристан все так же сладко дрыхнет в кресле, остальные заняты разговором. Похоже, никто не заметил моего отсутствия. Захватив на кухне бутылку вина, присоединяюсь к остальным. Потом снова встаю, иду к окну и слегка отодвигаю занавеску. Ты сидишь на прежнем месте. Поднимаешь голову, замечаешь меня, встаешь и идешь в дом. Дверь захлопывается. Я вижу, что белый квадратик письма остался на столе. Луна почти скрылась за тучами, пошел мелкий дождик.

Рейчел говорит о чем-то важном, ее все внимательно слушают, одна я не могу сосредоточиться. У нее на глазах слезы, я понимаю наконец, что она рассказывает об отце — у него обнаружили рак. Мне очень их жаль, и ее, и отца, но мыслями я все время возвращаюсь к мокнущему под дождем конверту. Муж Рейчел нежно берет ее за руку, чтобы хоть как-то утешить. Я бормочу, что пойду принесу салфетки, пулей вылетаю из дома — в чем есть, без пальто, — бегу к столу, хватаю конверт и мчусь обратно.

Ты мне никто, я тебе ничего не должна, но мне хорошо известно, что внутри каждого из нас есть кнопка, запускающая механизм саморазрушения. И я не дам тебе его запустить. Не дам.

Глава девятая

Наконец-то Джонни с Эдди завершили свои дробильные работы — на неделю позже срока. В свое оправдание они приводили немыслимое количество аргументов, так что в итоге я плюнула и перестала с ними спорить. Главное, что теперь не менее ста квадратных метров очищено и можно класть дерн. Остальное пространство по-прежнему занимает драгоценный булыжник. Папа сказал, чтобы я его сохранила, ибо он стоит денег. И теперь на подъезде к гаражу стоит нечто вроде вагонетки, набитой камнями, прежде украшавшими мой двор. Мысль о том, что булыжник нужно сберечь, пришла папе в голову после того, как Джонни вдруг предложил мне помочь «избавиться от этого барахла», причем совершенно безвозмездно. Я честно пытаюсь придумать, на что бы могли сгодиться полуразбитые камни, и, видимо, в конечном счете просто их выброшу.

Папа с Лейлой пригласили нас в четверг на ланч — меня и Хизер. По понедельникам Хизер работает в ресторане: убирает со столов и загружает грязную посуду в посудомоечную машину. В среду у нее работа в кинотеатре: она сопровождает зрителей на места, а после сеанса убирает остатки попкорна и прочий мусор. По пятницам помогает местному страховому агенту: сортирует почту, уничтожает ненужные бумаги в измельчителе и ксерокопирует документы. Все эти работы ей очень нравятся. В субботу с утра у нее театралка и музыка, а по вторникам день психологической поддержки, когда она общается с друзьями. Остаются только четверг и воскресенье, и раньше, когда я работала, четверг тоже отпадал. Поэтому десять лет мы неизменно встречались по воскресеньям. Я бы отправилась на край света, лишь бы не пропустить этот день с Хизер. Проводим мы его разнообразно. Иногда Хизер твердо знает, чего ей хочется, а иногда предоставляет решать мне. Очень часто мы ходим в кино — «Русалочку» она знает наизусть, слово в слово. Но бывает, ей хочется просто остаться дома, посидеть у телевизора. На это Рождество я подарила ей билеты на «Ледовое шоу Диснея». Все первое действие было посвящено как раз «Русалочке». Никогда еще я не видела свою Хизер такой: она замерла в кресле и всецело отдалась тому, что происходило на сцене. Это было так искренне, так прекрасно, что у меня перехватило горло. Когда на лед под тревожную, мрачную музыку выехал огромный осьминог — злая ведьма Урсула, — многие дети испуганно закричали. Я заволновалась, что Хизер тоже испугается, но она крепко взяла меня за руку и прошептала: «Все будет хорошо, Джесмин». Она беспокоилась обо мне, хотела меня подбодрить, и вовсе не я ее защитница, а она моя. Так было всегда, с самого детства. Хизер — старшая сестра, которая опекает младшую. Когда представление закончилось, зажегся свет и волшебство потихоньку рассеялось, Хизер подняла на меня полные слез глаза, огромные за линзами очков, прижала руки к сердцу и сказала: «Я потрясена, Джесмин. Я так потрясена».

Я люблю ее, люблю в ней абсолютно все, и если мне бы и хотелось что-то изменить, так это избавить ее от гипотиреоза, из-за которого она быстро утомляется, становится вялой или, наоборот, раздражительной. Будь моя воля, я бы глаз с нее не спускала, охраняла как коршун, но она мне не разрешает. Потратив долгие годы, чтобы научить ее всему, что доступно ее пониманию, я наконец осознала: это она мой учитель, а я ее ученица. Да, она часто говорит не слишком внятно, хотя я в принципе всегда ее понимаю, у нее есть проблемы с моторикой и восприятием, но Хизер знает поименно всех персонажей всех диснеевских мультиков, может назвать абсолютно каждого автора и исполнителя песен. Музыку она обожает. У нее очень приличная коллекция винила, и, хоть я и пыталась приобщить ее к айподу и айпаду, она девушка консервативная и предпочитает старые добрые пластинки. Хизер назовет с любой пластинки любого музыканта, скажет, кто на чем играет, чья аранжировка. Она досконально изучает обложки и безошибочно запоминает все до последнего слова, написанного самым мелким шрифтом. Поняв, что у нее нешуточный музыкальный аппетит, я всячески пытаюсь его удовлетворить и не только покупаю пластинки, но и хожу с ней на живые концерты.

Когда мне было четырнадцать, мы с Хизер пришли в гости к мальчику по имени Эдди, тоже с синдромом Дауна. Его родители рассказали, что он буквально зациклился на песне Элвиса «Синие замшевые туфли», ставит ее по сто раз на дню и всех уже этим замучил. Я была возмущена до глубины души — как же можно не понять, что ребенок не на этой песне «зациклился», а просто любит музыку. Они не помогали ему развить лучшее, что в нем было. И я не замедлила им это объяснить.

Когда Хизер обнаруживает свои познания, это производит на всех огромное впечатление. А что бывает с Хизер, когда ею восхищаются? Правильно, то же, что и с любым из нас, — она расцветает.

Но самое поразительное, чтобы не сказать волшебное, — это ее умение распознать в человеке главное. И более того, увидеть себя чужими глазами. Я сотни раз наблюдала, как чье-либо отношение к ней немедленно отражается на ее поведении. Она умеет разглядеть в человеке его затаенную суть, умеет, как никто из всех, кого я знаю. Общаясь с теми, кто смотрит на нее с жалостью и мечтает поскорее отойти куда подальше, она съеживается и почти исчезает, превращается в «человека с синдромом Дауна». Потому что знает — это все, что они способны в ней увидеть. Но если Хизер попадает в компанию людей, которым нет дела ни до каких синдромов, например детей, которые еще не доросли до возраста, когда уже умеют дразнить и унижать, она совершенно преображается, вся сияет и превращается в настоящую Хизер, в личность. Хизер очень восприимчива, и я научилась «считывать» незнакомых людей по ее реакции. Такой уж у нее дар — сразу видеть правду. Он есть очень у многих детей, но, увы, с возрастом мы утрачиваем его. А у Хизер, наоборот, с годами он стал только острее, и в результате она почти безошибочно отличает искренность от фальши.

Я везу Хизер в роскошные апартаменты в «Саттон-касл», где обитают папа, Лейла и Зара. Этот замок был построен в 1880 году для семейства Джеймсон — никакого родства с нашим доктором, сколько я знаю, нет, — потом в здании находился отель, и мы иногда ходили туда обедать по воскресеньям всей семьей, вместе с папой, который еще жил с нами. Место самое престижное, огромная территория, собственный сад и великолепный вид на Дублинский залив. Во времена строительного бума здание сильно перестроили и в одном крыле сделали семь роскошных квартир. У отца с Лейлой три спальни, гостиная, большой холл и даже зимний сад. Лейла все прекрасно обустроила в доме, на свой богемный лад. Ей тридцать пять, то есть почти как нам с Хизер, но я далека от того, чтобы подружиться с ней. Для меня она — молодая женщина, на которой женился мой отец, и я все диву даюсь, что же с ней не так. У нас неплохие отношения, но я предпочитаю со всеми держать дистанцию, и с ней тоже. А Хизер, наоборот, прониклась к Лейле симпатией с самой первой встречи, настолько, что сразу взяла ее за руку, чем повергла в немалое смущение. Лейла и не подозревает, что это величайший комплимент и знак огромного доверия. Хизер, конечно, сразу почувствовала мое прохладное отношение к Лейле и, хоть мы никогда этого не обсуждаем, пытается помочь нам найти точки соприкосновения. Так, бывает, мать стремится помочь своему ребенку найти друзей в незнакомой компании. Это очень трогательно, я люблю в ней эту искреннюю, материнскую заботу. Забавно, что мы с Лейлой стараемся проявлять дружелюбие исключительно ради Хизер, а в результате и в самом деле становимся ближе.

Зара открывает нам дверь. Она сегодня в пиратском костюме, на руку надет пластмассовый крюк.

— Пр-р-ривет, др-р-ужищи! — весело вопит она.

Хизер несколько сбита с толку, ее пугает столь бурное проявление чувств.

Зару она очень любит, но немного опасается. Этот ребенок в свои три года обладает недюжинным темпераментом. Ее громкое недовольство, или неожиданные слезы, или, наоборот, восторженная радость вызывают у Хизер тревогу.

— И тебе пр-р-ривет! — Я приседаю, чтобы ее обнять, невзирая на протесты и угрозы повесить меня на рее, и в итоге маленький шустрый пират опрокидывает меня на пол, лупит пятками и пытается заехать крюком в ухо.

Хизер быстренько огибает нас и поспешно направляется в столовую.

Зара зажимает мне шею крюком и, приблизив разгоряченную физиономию к самому моему носу, цедит сквозь зубы:

— Увидишь этого Питера Пэна, передай, что я его ищу! И его маленькую фею, с которой они всегда и повсюду вместе!

Она многозначительно смотрит мне в глаз (второй вжат в пол, и я ничего им не вижу), вскакивает и убегает.

Я переворачиваюсь на спину и громко хохочу.

Для таких случаев, как сегодня, у меня с собой есть для Хизер занятие: конструктор-головоломка, в который она может играть, никому не мешая. Она садится за стол и сосредоточенно гоняет по браслетам бусины, выстраивая их в какой-то сложной последовательности. Заре очень хочется присоединиться, и мы с Лейлой пытаемся объяснить, что — нет, не надо, это не игрушка, а такое особо важное дело для Хизер. У тебя, дескать, полно, Зара, своих игрушек, например ветеринарный набор, который тебе сегодня подарила Джесмин. Зара не внемлет и впадает в истерику, что чрезвычайно пугает Хизер. Она замирает, напряженно поднимает плечи и нервно перебирает бусины. На ее щеках расцветают красные пятна. Лейла спокойно, но очень твердо уводит Зару в детскую. Я подхожу к столу, сажусь напротив Хизер, подпираю ладонями подбородок и смотрю, что она делает.

— Чего ты, Джесмин?

— Ничего, просто гляжу на тебя.

Она застенчиво улыбается:

— Чего глядеть-то?

— Ты очень милая.

Она смущается и мотает головой:

— Да ну, Джесмин!

Я смеюсь и никуда не ухожу. Она недоуменно хихикает, но довольно быстро забывает обо мне и с головой погружается в свою конструктивную задачу.

К нам возвращается Зара. Она успокоилась, притихла и погрустнела. Глаза красные. В руке утешительный леденец. Садится в углу и играет в ветеринара, что-то иногда негромко прибормотывая себе под нос. Хизер быстро, обеспокоенно на нее смотрит, потом снова обдумывает, куда какую бусину загнать. Минут на двадцать они обе выключаются из оперативного общения. Лейла пользуется этим, чтобы приготовить еду, и уходит на кухню, а я остаюсь на случай непредвиденных обстоятельств.

С кухни доносятся восхитительные ароматы — Лейла натирает баранью ногу маслом с чесноком и розмарином, который сорвала в своем зимнем саду. Папы нет, он играет в гольф и придет к ланчу. Я ставлю «Рапунцель» — единственный мультик, который признает Зара, — и с наслаждением растягиваюсь на диване.

Через час меня будят поцелуи, нежные, как прикосновения мотылька. Хизер ласково смотрит на меня, и до чего же это прекрасно — вот так проснуться.

— Папа пришел, Джесмин.

Я всклокочена, платье сбилось и помялось, а папа уже в гостиной. И кто же идет следом? Тед Клиффорд собственной персоной. Он высокий, за метр восемьдесят, и очень могучий. Он заполняет весь дверной проем, и я чувствую, как Хизер напряженно каменеет. Вообще-то напрягаются все, включая Лейлу. Похоже, она понятия не имела, что он заявится в гости.

— Привет, Тед. Я не зна... добро пожаловать.

— Лейла, дорогая! — Он влепляет ей в щеку смачный мокрый поцелуй и фамильярно приобнимает за талию. — Пардон, что вторгаюсь без приглашения на ваши семейные посиделки, но Брайан мне сегодня проиграл, значит, за ним угощение! — похохатывая, возвещает он.

Лейла улыбается в ответ, но я вижу, что ей неприятна его беспардонная самоуверенность. Во взгляде, который она бросает на мужа, — досада и встревоженный вопрос. В ответ он досадливо хмурится.

— Ага, а это кто же? Зарочка! — громогласно орет Тед.

Он нависает над Зарой, и ей, наверное, кажется, что это огромный великан из сказки про Джека и бобовое зернышко. Она испуганно смотрит на маму и нервно кривит губы в улыбке, готовая в ту же секунду разрыдаться. Но Тед всех этих мелочей в упор не видит. Он подхватывает Зару, поднимает под потолок и целует мокрыми мясистыми губами. Лейла дипломатично забирает у него дочку, и та крепко обхватывает ее, как испуганная обезьянка. Но папе все равно, он сияет как медный таз, и мне тоже все равно — я откровенно злюсь. Потому что не бывает таких случайных совпадений: недавно мы говорили о том, что Тед может помочь мне с работой, и вот, здрасте, мы вдруг оказались в одном месте в одно время. Ясно, что все продумано заранее. С чего бы Теду быть здесь сейчас, если сегодня четверг? Ему надо быть на работе. Но, однако же, он именно здесь. Зачем? А чтобы поговорить с упрямой дочерью своего приятеля и наставить ее, неразумную, на путь истинный. Стараюсь не встречаться глазами с папой, а то как бы не вышло скандала.

— Тед, ты ведь знаком с моей дочерью Джесмин? — Широкий взмах в мою сторону.

Тед быстро окидывает меня оценивающим взглядом и покровительственно замечает, что я очень, очень выросла с тех пор, как он в последний раз меня видел. Ему шестьдесят пять, но это не повод разговаривать с женщиной, которая вдвое его младше, так, будто она только что достигла половой зрелости, причем исключительно ему на радость. Совершенно очевидно, что мое присутствие в гостях у папы его ничуть не удивляет. Ну, либо у меня паранойя, либо они и впрямь сговорились заранее.

Мы пожимаем друг другу руки, и я бы хотела этим ограничиться, но Тед обслюнявливает мне все щеки, и я не могу удержаться, тут же брезгливо их вытираю. Лейла бросает мне сочувственный взгляд.

— А это Хизер, — говорит папа.

Как о посторонней. Ни улыбки, ни любезного жеста, ни «моя дочь». Так, некая Хизер, не более того. Я очень восприимчива к таким вещам, когда дело касается Хизер. И поскольку заранее себя накручиваю, то порой бываю несправедлива. Мне всегда кажется, что ее могут обидеть, и я постоянно настороже. Ведь многие не знают, как легко ее смутить или даже напугать. Но по поводу папы я не ошибаюсь. Он так и не сумел преодолеть свою неловкость, так за тридцать четыре года и не научился достойно представлять ее своим знакомым. Особенно таким, как Тед, который вызывает у папы какое-то странное, мальчишеское восхищение. Ему кажется, что Тед во всем его превосходит, и поэтому, например, надо продать ему свою компанию — за полцены. А то вдруг Тед, не дай бог, решит, что Брайан не крут. Не думаю, что папа прямо-таки стыдится Хизер, нет, он вовсе не настолько бессердечный, просто слишком много значения придает тому, как на Хизер реагируют окружающие. Ему кажется, что они испытывают дискомфорт в ее обществе. А на самом деле это он его испытывает. И потому старательно от нее отгораживается, делает вид, будто ее не существует, отодвигает на задний план — чтобы не мешала. Разумеется, такое отношение вызывает эффект, обратный желаемому. Я много раз обсуждала с ним эту тему, но он убежден, что я себя накручиваю и выдумываю то, чего нет.

— О! — снисходительно изрекает Тед. — Привет, Хизер. — Мне не нравится ни его взгляд, ни его тон. — Ну, будем знакомиться. — Он настойчиво протягивает ей руку.

Это рискованный жест.

Жизнь с Хизер научила меня тому, что все люди — существа чувственные. Независимо от того, ограниченны их способности или нет, у всех есть сексуальные влечения. И нам всегда было важно, чтобы Хизер, чье физическое развитие превосходит развитие эмоциональное, различала разные аспекты человеческих проявлений — физические, психологические и сексуальные. Это непросто, и этому нельзя научить за несколько уроков, но это важно, особенно теперь, когда у нее появился друг, которого она склонна расценивать как своего бойфренда. Больше всего я страшусь, что ее обидят или поднимут на смех.

Чтобы ей было проще, мы с детства ввели в обиход понятие кругов. Каждый круг предполагает ту или иную степень близости. И людей наподобие Теда я не люблю, потому что они вообще плевать хотели на личное пространство кого бы то ни было, они пользуются физическим контактом, чтобы навязать свое превосходство всем и каждому — ребенку, жене друга, его дочери.

Первый, центральный круг — Пурпурный. Это сам человек, в нашем случае Хизер. Затем идет Голубой, куда входят самые близкие и где объятия и поцелуи — норма. У Хизер в Голубой круг входим мы с папой, Лейла и Зара. Потом Зеленый — чуть более дальние родственники и самые лучшие друзья. Бывает, что людям из Зеленого круга бессознательно хочется перейти в Голубой, но Хизер твердо объяснили, что этого позволять нельзя. Граница должна соблюдаться безоговорочно. В Зеленом круге допустимы сдержанные, доброжелательные объятия. Затем идет Желтый круг рукопожатий. Туда входят люди, которых она знает по имени. В следующем, Оранжевом круге — малознакомые лица, например дети друзей. Они зачастую жаждут проявить нежность, хотят обнять или поцеловать ее, но Хизер знает, что должна пресекать подобные попытки, как бы это ни казалось невежливо. Здесь максимум взаимодействия — приветственно помахать рукой. И никаких физических контактов. Ну и, наконец, самый отдаленный, внешний Красный круг. Он же, разумеется, и самый широкий. Включает всех незнакомых людей. Ни контактов, ни даже разговоров. Исключение составляют люди в форме и с бейджиками.

Если кто-то захочет притронуться к Хизер вопреки ее желанию — не важно, из какого он при этом круга, — она тут же должна сказать: «Стоп». Замечу, что некоторые остаются в Красном круге навсегда.

Мы с Хизер железно придерживаемся этой системы невзирая на то, что она порой задевает чувства окружающих. Папа знает о системе кругов, но научила нас ею пользоваться, разумеется, мама. Он во все эти тонкости не желал вдаваться.

Итак, Хизер встревоженно смотрит на протянутую ей руку. Я знаю, ей хорошо известно, как нужно себя повести, но все же она оборачивается ко мне в поисках поддержки.

— Оранжевый, Хизер. Оранжевый.

Хотя я бы лично поместила Теда в Красный круг чужаков.

Хизер кивает мне и машет Теду рукой: привет, вот и познакомились.

— Ну что это? Разве я не заслуживаю чего-то большего? — напористо, как несмышленышу, говорит Тед.

Он подступает вплотную к Хизер, и я уже готова вклиниться между ними, но тут Хизер поднимает руки и объявляет ему:

— Стоп. Вы не из Голубого круга объятий.

Но Тед не принимает ее всерьез. Он громко хмыкает и вдруг рывком заключает ее в свои медвежьи лапы. В ту же секунду Хизер громко, пронзительно кричит, а я вцепляюсь в Теда и стараюсь отодрать его от сестры.

— Джесмин! — негодующе протестует папа.

Лейла что-то торопливо пытается ему объяснить, и в этот момент Зара принимается испуганно, истерически рыдать. Хизер истошно кричит как заведенная.

Тед отступает, подняв обе руки вверх, изображая несправедливо обиженную добродетель.

— Ладно, ладно, я же просто по-дружески!

Папа всячески перед ним извиняется, ведет поскорей за стол и рявкает на Лейлу, чтобы налила им выпить. Но она его напрочь игнорирует.

— Хизер, милая, ты в порядке? — заботливо спрашивает Лейла, ничуть не скрывая, на чьей она стороне.

Хизер никак не может успокоиться и нервно всхлипывает у меня на плече. Понятно, что нам с ней лучше уйти прямо сейчас. За одним столом им делать нечего, после того как Тед грубо нарушил все ее привычные заповеди.

— Что ты с ума-то сходишь? — сердито спрашивает папа, выходя вслед за нами в прихожую.

Хизер снова ищет защиты у меня на груди, и я мысленно советую ему заткнуться. Он, конечно, обращается ко мне, но она легко может воспринять его слова на свой счет.

— Папа, она ему ясно сказала: «Стоп». Он глухой?

— Да что такого? Ну обнял и обнял!

Я с трудом удерживаюсь от ответа. И, прежде чем нахожу нужные слова, он взрывается:

— Все! Это последний раз! Хватит с меня таких сцен! — Он в ярости, я уже много лет его таким не видела. — Больше я ничего подобного не допущу! — Он тычет пальцем в нас с Хизер, а потом в сторону столовой. Понятно, это мы во всем виноваты.

— Извинения излишни, — цежу я сквозь зубы и выхожу вслед за Хизер.

Предлагаю ей поехать ко мне и остаться переночевать, но она отказывается. Ласково, по-матерински, гладит меня по щеке, словно ей очень жаль, что мне пришлось все это пережить, и выходит у своего дома. Ей там, в привычной обстановке, комфортнее.

И я еду к себе — одна.

Глава десятая

Жалко, конечно, что Хизер не захотела переночевать у меня. Во-первых, мне с ней хорошо, во-вторых, хотелось бы убедиться, что она не переживает из-за папы, в-третьих, был бы повод отказаться от пугающей встречи с Кевином, которая намечена на завтра. Или, может, получилось бы взять ее с собой, хотя вряд ли — у Хизер слишком много работы в страховой компании, куда она ходит по пятницам.

Мы с Кевином договорились посидеть в «Старбаксе» на Дейм-стрит, рядом с Музеем восковых фигур. Там полно туристов, «интимной» обстановку в этом заведении никак не назовешь. Могу уйти, как только захочу.

В глубине души я уверена, что все пройдет отлично. Он извинится за двадцатидвухлетнего себя, скажет, что всегда был одинок и потерян, что искал возможность познать самого себя и я ему в этом чрезвычайно помогла. Подробно опишет свои искания — как он издавал журнал, начал писать роман или вообще «бродил в сандалиях на босу ногу» и стал поэтом. А может, в итоге заделался банковским клерком. Наверное, он встретил женщину — или мужчину, кто ж его знает, — и теперь вполне доволен собой и своей жизнью. Прости, дескать, Джесмин, глупые порывы моей юности, давай смотреть на прошлое как взрослые люди. И, конечно, лед между нами быстро растает, мы примемся хохотать, вспоминая детские забавы: как привязывали к дереву бедняжку Майкла и плясали вокруг него дикие индейские танцы, а однажды по случайности засадили ему стрелой в ногу; как утащили платье толстушки Фионы, когда она купалась голышом, и пришлось ей карабкаться за ним на скалу в чем мать родила. Не исключено, что я упомяну пресловутое «Ты тоже умрешь, Джесмин» и потрясение, которое вызвал у меня тот давний разговор. Может даже, припомню ему Санта-Клауса.

Увидев Кевина, я удивляюсь тому, как он выглядит. Не знаю, чего именно я ожидала, но точно чего-то другого. Н-да, а ведь ему тридцать восемь лет, следовало бы как-то это учесть. И я вдруг понимаю, что сама уже далеко не девочка, мне тридцать три. Мы оба взрослые.

Все вдруг куда-то испаряется, остается только нежность. Он — мой двоюродный брат. На меня обрушивается поток воспоминаний, и большинство из них так или иначе связаны с мамой. Я буквально оглушена этим неожиданным наплывом чувств. Я уже давно не испытывала столь пронзительной, острой тоски, мне кажется, что я снова маленькая и страшно одинокая, снова пытаюсь дотянуться и поймать то, что поймать невозможно.

Некоторое время в доме еще сохранялся ее запах, я забиралась в мамину кровать и заворачивалась в ее одеяло, чтобы быть к ней поближе. А иногда, уловив аромат ее духов от кого-то совсем постороннего, застывала, словно загипнотизированная, очутившись в ловушке животрепещущих воспоминаний.

Но с годами это случалось все реже и реже. Все, что меня окружало, — рестораны, магазины, дороги, по которым мы ездили, парки, где мы гуляли, песни по радио, мимоходом сказанные фразы, — абсолютно все было связано с мамой. Ну а как иначе, ведь она умерла, когда я была совсем юной, и она была средоточием моего мира, я не успела еще создать собственную реальность. Мама ушла, а я осталась в том же городе, на тех же улицах, и повсюду наталкивалась на воспоминания о ней. Мне казалось, так будет всегда. Всякий раз, как она была нужна мне — в моментальном запечатлении, — я шла туда, где мы прежде бывали вместе, и ждала, что она проявится, подарит мне немножко своей силы. Но вместо этого на старые места накладывались новые воспоминания, затирая те, совсем ранние, пока однажды я не осознала, что все «места памяти» перестали быть моим прошлым и сделались настоящим. И спустя двенадцать лет после ее смерти уже почти невозможно найти что-нибудь, связанное с мамой напрямую, незамутненным образом. Все эти годы я с Кевином не общалась, и неудивительно, что, увидев его, моментально окунулась в свою юность.

Он поднимает голову, видит меня и расплывается в улыбке. Все хорошо, наша встреча пройдет в приятном ностальгическом ключе. Я немедленно начинаю жалеть, что предложила «Старбакс», и прикидываю, не переместиться ли нам в ресторан где-нибудь по соседству.

Он выбрал небольшой столик на двоих, нам придется сидеть по диагонали, чтобы не стукаться коленками. Кевин встает и заключает меня в широкие теплые объятия. Волосы у него поредели, вокруг глаз появились морщинки. Наверное, ни с кем у меня не было столь долгого перерыва в общении, как с ним. Такой скачок во времени приводит мозг в некоторое замешательство.

— Ой-ой. — Я сажусь за столик и всматриваюсь в знакомые черты, проступающие из-под новой маски, которую наложило время. Не знаю, с чего начать разговор.

— Ты вообще не изменилась, — сияет он. — Все такая же рыжая.

— Это точно, — смеюсь я.

— И глаза те же. — Он пристально на меня смотрит, затем качает головой и тоже смеется.

— Мм-да. Решила глаза не менять. — Смеюсь. Нервно. — Итак… — Мы оба молчим, глядя друг на дружку.

Он буквально лучится от радости и беспрерывно мотает головой, будто не в силах поверить, что мы и впрямь встретились. Ну я поняла, все уже, давай дальше. И, пожалуй, очень хорошо, что мы остались здесь.

— Кофе? — предлагаю я, и он тут же вскакивает.

Идет к стойке, и я изучаю его, пока он делает заказ. На нем бежевые брюки, джемпер с V-образным вырезом, из-под него рубашка — не ах какая модная, но очень приличная. Вид вполне себе респектабельный, ничего общего с длинноволосым смутьяном в потертых джинсах.

Он возвращается, и мы переходим к стандартному набору: как работа, как жизнь, давно ты вернулся, а с Сэнди поддерживаешь контакт, с Лайамом видишься, а помнишь Элизабет? Кто на ком женился, у кого от кого дети, кто с кем расстался. Вот же радость для тети Дженнифер, что ты вернулся. Да, как раз этого не надо было говорить, я это понимаю сразу, как сказала. Простая, мимоходом брошенная фраза, но от нее слишком большое эхо. «Приемная» мать, которую он не навещал более десяти лет, хотя она к нему куда-то ездила, — небезопасная тема. Мысленно даю себе в лоб. Стилистика разговора меняется.

— Она, конечно, очень рада, что я вернулся, но для нее это непростая ситуация. Я ведь ищу своих настоящих родителей.

Он обхватывает обеими руками большую кофейную кружку. Смотрит в стол, я вижу только длинные темные ресницы, и, когда он поднимает глаза, передо мной прежний Кевин — потерянный, расстроенный, измученный. Брошенный одинокий щенок. Он все еще требует от жизни каких-то ответов, хотя уже не так напористо и агрессивно. Мы обсуждаем его поиски биологических родителей, говорим о том, зачем он жаждет обрести реальные корни, почему не может осесть и завести детей: не зная, кто он и откуда, не понимая своих глубинных связей с мирозданием, не ведая, что им на самом деле движет из глубины веков. Мне кажется, я могу его разубедить. И тут мы подходим к сложному моменту.

— То, что я сказал на качелях… — он говорит так, точно это произошло не шестнадцать лет, а минут пять назад, — …было неправильно. Я был слишком молод, растерян и слишком тебя боялся. Знаю, что был неправ, и прошу прощения. Потом я уехал и все обдумал всерьез. И теперь хочу тебе сказать, что да, я, конечно, испортил наши отношения. У нас всегда было столько общего, я знал, что ты меня понимаешь как никто. И эта история с твоим отцом…

О чем он, не было никакой истории. Ну ладно.

— Я уехал и пытался тебя забыть, но все остальные женщины…

И вот большая радость — выслушивать длинный список «всех остальных женщин», с которыми он пытался «обрести счастье», а потом — БАЦ! — осознал, что не может «перестать думать о тебе, Джесмин».

— Не могу, они все — не ты. И мыслями я постоянно возвращаюсь к тебе. Да, я знаю, как ты ко мне относишься. И знаю, что у нас в семье по этому поводу думают. Поэтому и не приезжал. Но сейчас… Джесмин, ничего не изменилось с того вечера на качелях. Я бесконечно люблю тебя.

Вообще-то я эмоционально уравновешенна. И неплохо справляюсь со сложными ситуациями. Слишком не драматизирую, сохраняю трезвый рассудок и способность рассуждать логически. Но вот сейчас... не могу. Нет, хватит с меня. Встаю, извиняюсь и быстро сваливаю.

Возвращаюсь домой как раз в тот момент, когда ландшафтный архитектор загружается в свой фургон. Дни, конечно, все длиннее, но темнеет по-прежнему довольно рано. И трава все еще в скатанных рулонах, загромождающих подъезд к дому.

— Вы куда? — спрашиваю я.

Он видит, что я в ярости, и нервно озирается.

— Кто говорил, что сегодня трава будет на месте?

— Ну, видите, оказалось, надо лучше подготовить почву. Мне придется еще раз приехать, в понедельник.

— В понедельник? Вы же сказали, что только по выходным работаете. Почему завтра нельзя?

— Завтра, боюсь, не получится. Другой заказ.

— Другой заказ, — говорю я с самым мерзким сарказмом. — А зачем же брать новую работу, когда не закончена старая? — Он не отвечает, и я злобно вздыхаю: — Я думала, траву надо раскатать сразу, как ее привезли.

— Ничего страшного, чуть-чуть полежит. На этой неделе холодов не будет. Она отлично сохранится.

Он смотрит на скатанные рулоны травы так, будто ждет, что они сами меня уверят: все хорошо.

Рулонам без разницы. Он пожимает плечами:

— Ну если вам так надо, распакуйте их и полейте.

— Полить? Да уж неделю льет без продыха.

— Ладно тогда. — Он снова пожимает плечами. — Все будет нормально.

— М-гм. А не будет — вы заплатите за это.

Смотрю, как он отъезжает от дома. Стою посреди раскуроченной земли, руки в боки, взгляд способен убить любого, кто помешает мне закончить начатое. Нет. Не убивает. Н-да, тяжело даются новые всходы. А завтра уже первое февраля — почти три недели, как я жду, что на этом месте произрастет нечто зеленое. Не произрастает. Маразм, деньги, закопанные в землю.

Ты выходишь из дома и машешь мне. Я не отвечаю, потому что ты меня бесишь по новой. Меня вообще все бесят, а ты — первым номером. Ты неизменно будешь вызывать мое возмущение. Садись в свой джип и уе… жай. Доктора Джеймсона сейчас нет, миссис Мэлони все еще в больнице, мистер Мэлони регулярно навещает ее. Кошку Марджори больше не нужно пасти безотлучно, только когда попросит мистер Мэлони. Она строго темперирована, милое животное.

Оглядываюсь. Да, вокруг, несомненно, живут люди, но мне это пофиг, улица как пустая. А, пропадом вы все пропади, лишь бы сильных морозов не было, и я смогу тогда раскатать посреди двора новую траву.

Ночь. Не могу заснуть. Ворочаюсь и бесконечно злюсь. Как папа мог так обойтись с Хизер и чего он лезет в мои дела? Понятно, что из лучших побуждений, но надо же думать головой. И Кевин, заново объявившийся со своей любовью, и сад, не желающий обрести нормальный вид. Все не завершено, хуже того, все раздергано и концы торчат. А ведь, как ни странно, это отражает мой внутренний мир. Он таков. И нет мне покоя, я не знаю, как свести концы воедино, и не могу спокойно уснуть. У меня сейчас нет большого отвлекающего дела, требующего большого отвлеченного плана. Нет цели, идеи, воплощения — чего-то, чего угодно, на чем можно было бы сосредоточиться.

Встаю, иду вниз и зажигаю свет во дворе — на полную. Так ярко, что хоть самолет сажай. То, что я вижу, приводит меня в запредельное бешенство. Я — бестолочь. Я — возмутительная дура.

Надеваю куртку поверх пижамы и выхожу из дома. Вон они, скатанные в рулоны «листья травы». Если хочешь, чтобы нечто было сделано хорошо, сделай все сам — это же моя жизненная философия. И не так уж оно и сложно.

Хватаю первый рулон и обнаруживаю, что он несколько тяжелее, чем ожидалось. Опрокидываю его, чертыхаюсь и тихо уповаю, что он не развалится. Примериваюсь и надеюсь, что все получится. Раскатываю.

Два часа спустя я грязная, как не знаю что. И вся потная. Куртка давно скинута, она мне мешала. Я вся в грязи, мокрая и в какой-то момент заплаканная до ушей. Слезы пришли непроизвольно: из-за работы, из-за Кевина, из-за Хизер и мамы, а еще я ноготь содрала. Наплевать, у меня тут другие проблемы. Я так погружена в собственные мысли, что ничего вокруг не слышу и чуть не подпрыгиваю, когда рядом кто-то надсадно кашляет.

— Простите, — вот что ты говоришь.

Три часа ночи. Я смотрю через улицу на твой сад и ни черта не вижу. Взгляд судорожно пытается что-то различить в темноте. Смутно различаю стол у тебя на участке, но остальное тонет во мраке, свет на улицу идет только от моих окон. Сердце колотится как сумасшедшее. Вижу огонек сигареты. Да, это ты. И давно ты здесь? Джипа твоего я не слышала и не видела, значит, ты все это время был тут. Мне хочется плакать. Но я и так давно плачу, довольно громко, думая, что никто меня не слышит.

— Не мог войти, — говоришь ты, нарушая тишину.

— И давно вы тут? — тупо спрашиваю я.

Конечно, давно. Все время. Так и сидишь во главе пустого стола, на своем привычном уже месте.

— Часа три…

— Надо было сказать.

Иду в дом, чтобы взять ключ, и, вернувшись, вижу тебя у твоей входной двери.

— А почему на улице так темно?

— Фонарь накрылся.

Я смотрю вверх и понимаю, почему тебя не было видно. Доктор Джеймсон будет недоволен, когда вернется. Стекло разбито, осколки на земле. Странно, что я не слышала, как это случилось. Ведь я же не спала. Осуждающе смотрю на тебя.

— Очень ярко. Невозможно заснуть, — мягко поясняешь ты.

Не очень пьяный, уже вполне пришел в себя — в моей компании, — но пахнешь алкоголем.

— Где же ваш джип?

— Бросил в городе.

Я протягиваю тебе ключ. Ты отпираешь дверь и возвращаешь его мне.

— Надо было сказать, — повторяю я и наконец смотрю тебе в глаза. Но, засмущавшись, тут же отвожу взгляд в сторону.

— Не хотел вас беспокоить. Мне показалось, вы заняты. И чем-то огорчены.

— Ничем я не огорчена, — фыркаю я.

— Да нет, конечно. Четыре утра, вы в саду роетесь. Я фонари бью. У нас обоих все отлично. — Ты издаешь свой хриплый, ненавистный мне циничный смешок. — И вообще, было приятно, что я здесь в кои-то веки не один.

Насмешливо кривишь рот и мягко захлопываешь за собой дверь.

Вернувшись домой, я осознаю, что у меня дрожат руки, горло совершенно пересохло и нечем дышать. Нервно хожу взад-вперед, как ненормальная, не находя себе места.

Ночь-полночь, но меня раздирает. Беру телефон.

Ларри отвечает, как больной или пьяный, еле слышно. Но отвечает. Никогда не отключает телефон — ждет худшего. Его дочь уходит на дискотеку в короткой юбке, на высоких каблуках.

Или ночует у подружки. Это все — стресс. Убийственный.

— Ларри, это я.

— Джесмин, — протяжно выдыхает он. — Господи. Который час? — Я слышу, как он шарит вокруг. — У тебя все нормально?

— Нет. Ты меня уволил.

Он тяжко, нервно вздыхает. Бедный, разбуженный посреди ночи Ларри. Нет, не надейся, я не стану вежливо извиняться.

— Ларри, мы уже это обсуждали, но знаешь, надо все же поговорить еще. Этот вынужденный отпуск — он мне не подходит. Нужно отменить его. Вообще убрать.

Он нерешительно выжидает, потом говорит:

— Джесмин, это есть в контракте. Мы это обговаривали…

— Да, обговаривали четыре года назад, когда мне и в голову не могло прийти, что ты решишь меня уволить и засадишь на целый год дома. С этим надо кончать.

Я говорю резко, с нажимом, чтобы вдолбить ему суть. Мне очень нужно работать. Как героинщику нужно уколоться, когда у него ломка, так и мне нужно работать. Я в отчаянии.

— Это меня убивает, ей-богу, Ларри. Ты даже представить себе не можешь, до чего мне дерьмово.

— Джесмин, — он слегка успокоился, и голос звучит уверенно, — с тобой все нормально?

— Да, мать твою, со мной все супер. Ларри, послушай меня… — Отрываю зубами обломок ногтя, а заодно и кусочек кожи и громко охаю от боли. — Я не прошу взять меня обратно. Я хочу, чтобы ты отменил этот гребаный отпуск. Правда, это излишняя мера…

– Нет, не излишняя.

— Ну поверь мне. Или хотя бы сократи его. Пожалуйста, а? Я уже два месяца болтаюсь без дела. Хватит с меня, ладно? Двух месяцев более чем достаточно. Многие компании назначают именно столько. А мне уже пора чем-то заняться… ты же меня знаешь. Я не хочу превратиться в этого, через дорогу, ненормального полуночного сыча, который…

— Кто через дорогу?

— Да не важно. Я тебе о другом говорю: мне нужно работать, Ларри. Мне необходимо…

— Никто и не предлагает тебе сидеть без дела. Займись проектами.

— В жопу проекты. Какие такие проекты? Я не школьница, Ларри, мне тридцать, блин, три года. И я НЕ МОГУ целый год сидеть без работы. Ты хоть понимаешь, как мне потом будет трудно себе что-нибудь найти? Кто меня возьмет после такого перерыва?

— Ясно. И где ты будешь работать? Скажи, Джесмин, каким именно бизнесом ты займешься? Вот завтра появись у тебя такая возможность — куда бы ты пошла? Ну скажи, скажи. Или тебе помочь?

— Я… — Мне как-то совсем не нравится его тон. На что-то он намекает… — Не пойму, о чем ты.

— Хорошо, в таком случае я сам скажу: ты, Джесмин, пошла бы к Саймону.

Господи, опять эта паранойя.

— Не пошла бы я к нему…

— Пошла бы, Джесмин, пошла бы. Я знаю, ты с ним встречалась. Вы пили чай у «Граффона». — Как же он злится, аж голос звенит. — В том же самом месте, где ты пыталась впарить компанию, которую не имела права впаривать. Что, скажешь, не так?

Он вдруг замолкает, и я молчу, ожидая продолжения. Потом вдруг понимаю, что мое молчание он расценивает как подтверждение своих слов. Только я открываю рот, чтобы возразить, он подытоживает:

— Видишь, надо быть поосторожнее. Никогда не знаешь, кто за тобой наблюдает. Ты небось думала, что я не в курсе? Ну а я в курсе, и я, мать твою, честно говоря, просто был в шоке. А еще я знаю, что он предлагал тебе работу, и ты согласилась, но только вот он не готов так долго ждать. Мне все это отлично известно: его юристы связались с моим, хотели выяснить подробности. Да, год для него — слишком большой срок. Ты не настолько ценный кадр, чтобы держать для тебя место. И не надо мне звонить и просить чего-то там убавить и сократить, ты самая натуральная предательница.

— Извини, а ты вообще кто, чтобы говорить о предательстве? Мы основали компанию вместе, Ларри, вместе!

Примерно такой же разговор у нас уже был — одиннадцать недель назад, когда он меня уволил. На самом деле даже чуть раньше, когда он узнал, что я встречалась с Саймоном по поводу продажи, хотела прокачать ситуацию.

Мы продолжаем тупо препираться, и тут раздается крайне злобный голос его жены. Ларри елейным тоном просит прощения, что разбудил ее, а потом громко и злобно сообщает мне в ухо:

— Я больше не желаю тратить время на эти выяснения. Послушай меня внимательно, Джесмин: Я. Не. Буду. Отменять. Твой. Отпуск. Точка. И если б мог, так продлил бы его до двух лет. Мне наплевать, что ты будешь делать. Езжай в теплые страны, развлекайся, а лучше хоть раз в жизни начни что-нибудь и доведи до конца! Короче, мне пофиг. Главное, не звони больше по этому телефону, особенно ночью. У тебя есть год. Один гребаный год, а потом можешь снова стартовать, продавать и никогда ничего не заканчивать, как ты всегда и делаешь. О'кей?

Он швыряет трубку, и я буквально дрожу от злости.

Хожу взад-вперед по кухне и громко продолжаю с ним спорить: это бред, чушь собачья, я кучу вещей довела до конца. Неправда, что я все бросаю на середине. Да, он задел меня за живое. Странным образом даже сильнее, чем когда вышвырнул с работы. Никто раньше не говорил мне ничего столь обидного, и меня натурально колотит. Я ищу все новые возражения, и, конечно, одерживаю верх. Я права, а мой мысленный оппонент Ларри — нет.

Выглядываю в окно — черт-те что у меня в саду творится. Господи, как же меня это бесит!

Выхожу и злобно пинаю рулон с травой. Каблук проделывает в нем дыру, а сам рулон валится навзничь и раскатывается. Из дыры торчит трава. Н-да, что-то я не так делаю, явно. Поднимаю голову и вижу, что у тебя колышутся занавески. Возвращаюсь в дом и с грохотом захлопываю за собой дверь.

Иду в ванную и долго стою под горячим душем, заливаясь горючими слезами. Выключаю воду, насухо, до красноты, вытираюсь жестким полотенцем.

Одно я знаю точно: я не стану твоим ночным сотоварищем. Надеюсь, сегодня я достигла самого дна и ниже уже не опущусь. Вообще, это ты виноват в том, что мне так хреново. Ларри, конечно, тоже, но если б не ты, я бы ему сегодня не позвонила. Потому что именно ты заставил меня посмотреть на ситуацию со стороны, и она мне так не понравилась, что захотелось что-то срочно изменить. Я вновь и вновь слышу твои слова: было приятно, что я здесь в кои-то веки не один.

Ты затащил меня в свой мир, не спросив моего согласия, втянул в свои проблемы. Я зачем-то теперь в курсе твоих мыслей. Ты нас уравнял, и это ужасно, потому что твои слова полны отравы, они опасны. Но они меня согрели. Приятно, что я не один…

Мне стало легче, когда ты это сказал. Получилось, и я не одна.

Но больше этот номер у тебя не пройдет.

Глава одиннадцатая

Просыпаюсь. Комната залита солнечным светом. До чего же это приятно, как надоела унылая серая хмарь, висевшая за окном все последние недели. На меня снисходит необыкновенное умиротворение. Здравствуй, солнце. Сегодня первое февраля. Еще зима, но уже началась «весна света», и есть надежда, что постепенно она перейдет в «весну тепла». Я сегодня проснулась поздно, хотя обычно я ранняя пташка. Не люблю валяться в кровати, не понимаю лежебок. Как бы поздно я ни легла, всегда вскакиваю с утра пораньше — и на прогулку, вдоль побережья, меня это исключительно бодрит. Но вчерашние ночные работы по благоустройству территории не прошли бесследно. Все тело ломит, мышцы болят так, что трудно пошевелиться.

Радио сообщает мне, что я продрыхла восемь часов, и за это время на нашу страну снова обрушились ветра и ураганы. «Штормовая активность», так это теперь называется. Есть еще нововведение — «полярные вихри». Хорошие клички для скаковых лошадей вышли бы из этих дебильных терминов. «Штормовая активность» уступила полкорпуса «полярному вихрю», как-то так. Прогноз неутешительный: ближайшие две недели нас ждут всякие погодные бесчинства, что-то там в Атлантическом океане никак не угомонится. Так что нынешнее спокойствие обманчиво, это типа затишье перед бурей. Три города уже затоплены, волны достигают пяти метров в высоту, все радиостанции взахлеб обсуждают глобальное потепление, таяние полярных льдов и прочие стихийные беспорядки. В январе «дождевых осадков» выпало на 70% больше нормы, на февраль прогноз столь же многообещающий. Но сейчас у меня за окном чистое голубое небо с редкими белыми облачками. И хотя я еще не до конца отошла после вчерашнего, надо выбросить все неправильные мысли и радоваться жизни.

Однако, переведя взгляд с небес на землю, для чего пришлось вылезти из кровати и подойти к окну, обнаруживаю, что поводов для радости нет. Мой сад… боже, что же я тут ночью натворила?! Он похож на драное лоскутное покрывало. Или на то, что творилось у меня на душе. Разор и раздрай. Я выставила свой внутренний мир на всеобщее обозрение, вот что я натворила. С тем же успехом можно оставить открытым свой дневник, куда записаны самые постыдные, самые сокровенные мысли. Значит, надо немедленно захлопнуть этот дневник, пока никто не успел в него заглянуть. Нельзя ждать до понедельника, когда приедет ландшафтный архитектор. Я не могу позволить, чтобы все видели, какой у меня в голове бардак.

Спешно лезу в Интернет — лучше бы вчера это сделала, чем беситься попусту и вышвыривать в пространство лишний адреналин. Изучаю, что нужно, чтобы устранить последствия своей «штормовой активности». Еду в садовый торговый центр и возвращаюсь оттуда во всеоружии. Никогда не делай того, чего потом нельзя переделать, — я всегда так говорю и сейчас повторяю снова. Н-да, работа предстоит немалая. Грязная, долгая, но в общем исполнимая. Мой ландшафтный приятель все же очень неплохо подготовил почву, хоть и утверждал обратное.

Первым делом надо скатать все то, что я вчера раскатала. И теперь раскладываем по новой, но уже самым аккуратным образом. Вот, отлично, тык впритык к бордюру. Один есть. Следующий. А, это тот, который я пробила каблуком. Злобная истеричка. Он прям как трупешник, оставленный на месте преступления, — и рана зияет возле правого бока. Ладно, попробуем замаскировать следы насилия. Кладу рулоны впритирку, чтоб никаких зазоров не оставалось. Вчера бы тебе проявить такое тщание. Нет, боюсь вчера это шло вразрез с общим настроем — быстрее, энергичнее... а не так, как следует по инструкции.

Потихоньку устраняю вчерашние повреждения и втягиваюсь в это дело с головой. Треволнения последних недель отступают куда-то на задний план, я целиком погружена в созидательный кропотливый труд. Вот оно, отвлекающее занятие. Наконец я нашла его, и мне тут же стало легче. Говорю же, я человек действия. За несколько часов выкладываю почти всю центральную часть. Остались куски по краям. Здесь уже понадобятся инструменты, которые я сегодня прикупила. Тут подрежем, здесь подравняем...

Возле дома останавливается чья-то машина. Мельком отмечаю, что водитель не местный, я его впервые вижу. Но по выходным к нам часто заворачивают те, кто едет на побережье. Обычно это семьи с детьми — они едут, прижавшись носом к стеклу, и с любопытством смотрят на улицу, или пожилые пары — эти тоже никуда не торопятся, но глазеют по сторонам не так откровенно. У нас вообще-то есть на что посмотреть, много красивых особняков, уютно, сады опять же.

Водителю приходится совершить разворот в три приема, тут ведь тупик, места совсем немного. Я вижу, что он пытается найти нужный дом, а это тоже непросто — номера каждый вешает где хочет, изощряясь кто во что горазд. У тебя, например, темная деревянная дощечка с розовыми цветочками вокруг номера. Симпатичная, наверняка твоя жена выбирала. У доктора Джеймсона номер держит в клюве летящий гусь, а у других соседей — гном: в одной руке цифра 2, а другой он поддерживает сползающие штаны, из-под которых торчат трусы в красный горошек. Ну, у меня все просто: черный почтовый ящик на двери, на нем цифра 3.

Мужчина паркуется рядом с моим домом и выходит из машины. Поскольку я точно знаю, что это не ко мне, продолжаю заниматься своим делом, но никак не могу сосредоточиться. Кого же он ищет, интересно? Чувствую на себе его взгляд. Слышу приближающиеся шаги.

— Простите, я хотел бы видеть Джесмин Батлер.

Выпрямляюсь, откидываю волосы и вытираю пот со лба.

Высокий, смуглый, скулы прям точеные. Глаза поразительно зеленые, особенно по контрасту с темными густыми волосами — они у него вьются тугими колечками, оставляя лоб открытым, но отдельные пряди опускаются до твердых изящных бровей. Он в черном костюме, белой рубашке, ботинки начищены до блеска и в довершение ко всему темно-зеленый галстук. Аж дух захватывает от такого великолепия.

Поскольку я обалдело молчу, он решает, что я не расслышала.

— Вы Джесмин Батлер?

Что-то в нем есть неуловимо знакомое, но раньше я его точно не видела, иначе бы уж конечно не забыла. Ну разумеется! Голос, я узнала его голос. Таинственный телефонный собеседник.

— Или вы, может быть, Пенелопа Паддингтон? — Он чуть-чуть поджимает губы, чтобы скрыть улыбку, и на щеках появляются пленительные ямочки.

Улыбаюсь, подтверждая, что обман раскрыт.

— Джесмин… — В горле что-то сипит, и я откашливаюсь.

— Санди О'Хара. Я вам звонил несколько раз за последние две недели.

— Вы не назвали себя и не оставили никаких контактов, — отвечаю я, недоумевая, правильно ли разобрала его имя.

— Верно. Мне хотелось поговорить именно с вами, а не с вашей… экономкой.

Выжидательно на него смотрю. Пока что он не сказал ничего такого, ради чего стоило бы отвлечься от работы и пригласить его в дом.

— Я из DSI, международного агентства по подбору персонала. К нам обратились David Gordon White, они ищут сотрудника на новую должность, и я думаю, вы идеальная кандидатура.

С трудом улавливаю, что он говорит дальше, — в голове все плывет.

— Я пытался дозвониться до вас на работе, но никак не удавалось. Не беспокойтесь, никаких сообщений я не оставлял. Чтобы не возникало лишних вопросов, говорил, что я по личному делу. Но они крепко охраняют своих сотрудников от посторонних, уж не знаю, по душе это вам или не очень.

Во мне борются противоречивые чувства. Ясно, что он не знает о моем увольнении. Возможно, ему об этом не сообщили, потому что формально я все еще там числюсь, хоть меня и на порог не пустят.

— Вас нелегко разыскать, — с улыбкой замечает он. Улыбка у него чудесная. Эти ямочки на щеках и еще крошечная щелка между передними зубами, такой мелкий изъян, который доводит идеал до совершенства, имхо.

Дома у меня жуткий беспорядок. На полу грязные следы еще со вчерашнего, возле стиралки валяются вещи, которые ждут своей очереди в стирку, в раковине немытая посуда. Нет, я не могу его пригласить.

— Прошу прощения, что потревожил вас в субботу, но знаю по опыту, что обсуждать такие вещи лучше всего в нерабочее время. И потом, мне совсем не хочется, чтобы у вас в офисе узнали о нашей встрече.

Я все еще обдумываю, не позвать ли его в дом, и он ошибочно принимает это за недовольство, извиняется и достает из нагрудного кармана визитку. Протягивает мне. Для этого он вынужден перегнуться через свежепостеленный газон, но ему и в голову не приходит на него наступить, вот что приятно. Читаю. Санди О'Хара. Хедхантер. DS International. Все это вкупе невольно вызывает улыбку.

— Нам необязательно говорить прямо сейчас, я лишь хотел познакомиться и...

— Нет-нет, сейчас вполне удобно. Ну то есть не прямо сию секунду... — Я приглаживаю волосы ладонью и вытряхиваю засохший лист. — Вас не затруднит подождать минут двадцать, чтобы я могла привести себя в порядок? Давайте встретимся в отеле «Марин»? Это рядом, за углом.

— Отлично, — на мгновение вспыхивает ослепительная улыбка. И тут же снова прячется в упрямых складках губ. Он деловито кивает мне и направляется обратно к своей машине. Я иду к дому и с трудом удерживаюсь от того, чтобы пуститься в пляс.

Сижу на слишком большой кушетке в вестибюле отеля, свежая как роза — я успела принять душ и переодеться, — а Санди пошел искать официанта. Меня слегка колотит от возбуждения, от предвкушения чего-то хорошего. Наконец-то я сдвинулась с мертвой точки. Он и не подозревает, что меня уволили, даже не знает, что я больше не работаю, и, если это постепенно все же выяснится, не стоит сообщать ему, что я ушла не по собственной воле. Зачем я все это затеяла? Затем, что это игра, сродни той, что ведет любая женщина, которой хочется чувствовать себя желанной. Да, пусть хоть ненадолго, но я из неудачницы, которой ничего не светит, превращусь в ценного сотрудника, за которого сражаются две компании. Ну и, пожалуй, есть еще одна причина, так, второстепенная, но все же... уж больно он хорош. Не хочется мне предстать перед ним слабой и никчемной.

За соседним столом справа от меня сидят мама с дочкой. Девочке года четыре, не больше. Она берет ложечку и негромко стучит по стакану.

— Я бы хотела сделать тост, — заявляет она, и ее мать весело хохочет.

— Сказать, Лили.

— Ой, — хихикает ребенок. — Я бы хотела сказать тост. — Она опять стучит по стакану, вытягивает шею, задирает подбородок и делает торжественное, важное лицо.

Мать снова хохочет от души.

Девчонка очень забавная, но именно реакция ее матери побуждает меня присоединиться к их веселью и тоже рассмеяться. Ей смешно буквально до слез, так что приходится утирать глаза салфеткой.

— Да, прости. Так какой тост?

— Мой тост говорит, — нарочитым басом произносит Лили, — спасибо, масло и джем!

Ее мама всхлипывает от смеха.

— Да, за краткую, но беспорочную службу, — не удержавшись, встреваю я.

Лили замечает меня и смущенно умолкает.

— Нет, нет, ты продолжай, пожалуйста. У тебя потрясающе получается.

— Ой, — мать вытирает слезы, — ты меня совсем уморила, Лили. Живот болит от смеха.

Лили произносит еще несколько заздравных речей, и я тихонечко смеюсь, стараясь остаться незамеченной. Возвращается мой хедхантер, охотник за головами. Он и на меня охотится, в этом есть что-то... плотское. Я невольно краснею и приказываю себе выбросить дурь из головы. Целиком сосредотачиваюсь на Санди и больше не обращаю внимание на чудесную пару за соседним столиком.

— Я заказал вам зеленого чаю. Вы не возражаете?

— Нет, отлично. Спасибо. Значит, вас зовут Санди. Никогда раньше не сталкивалась с таким именем.

Он слегка упирается в стол и чуть наклоняется вперед. Немножко слишком близко, но отодвинуться было бы невежливо, так что я честно смотрю ему в глаза и стараюсь не терять самообладания. Не надо любоваться его скулами, Джесмин, надо слушать, что тебе человек рассказывает. И не забывать, зачем ты сюда пришла. Он тебя отыскал, выследил, можно сказать, он считает, что ты потрясающий, идеальный кандидат, высококвалифицированный кадр. Ну, как-то так.

Мой вопрос его ничуть не задевает, понятно, что он уже тысячу раз на него отвечал.

— Моя мать с приветом, — произносит он с комической обреченностью.

Я не могу удержаться от смеха:

— А я, признаться, ожидала чего-то другого.

— Поверьте, я тоже, — кивает он, и мы дружно улыбаемся. — Она тогда была виолончелисткой Национального симфонического оркестра. А сейчас дает уроки музыки. Живет в Коннемаре, в автофургоне, который стоит в саду рядом с домом. В доме жить отказывается наотрез: говорит, что там ей явилось привидение Кристи Мура[1], хотя он, как всем нам известно, еще и не думал умирать. Она назвала меня Санди, потому что я родился в воскресенье. Второе мое имя Лео, я родился в июле, а это созвездие Льва. О'Хара я по матери, а не по отцу. — Он улыбается и смотрит уже не в глаза мне, а на мои волосы. — Она рыжеволосая, как и вы, но этого я от нее не унаследовал. Только веснушки.

---

[1] Кристи Мур — ирландский исполнитель народных песен, бард и гитарист, один из основателей фолк-рок-группы Planxty (1972).

И правда, его нос и щеки украшают немногочисленные, но очень славные крапинки. Мое воображение рисует рыжеволосую даму с бледной, усыпанной веснушками физиономией и виолончелью, зажатой между ног. Она обретается где-то посреди просторов графства Голуэй. Картина довольно колоритная.

Ладно, теперь моя очередь.

— Дедушка принес маме в роддом букет зимнего жасмина из своего собственного сада. Поэтому я Джесмин.

Похоже, он удивлен.

— Вообще-то мне редко в ответ рассказывают историю своего имени.

— Почему? Если у имени есть история, надо ее рассказать, — говорю я.

— Мне выбирать не приходится. — Он печально разводит руками. — Сказал, как тебя зовут, — изволь объяснить почему. Мы с сестрой Пятницей уже привыкли.

— Ну не может быть. Неужели вашу сестру зовут Пятница?!

— Нет, конечно, — смеется он.

— А у меня есть сестра. И на ее день рождения дедушка принес в роддом букет зимнего вереска. Ее назвали Хизер.

— Вполне предсказуемо, — хмыкает он, загнув уголки губ.

— Ага. Всем остальным сорнякам не повезло.

Он щурится с некоторым недоумением. Потом смеется.

— Откуда же был ваш отец? — спрашиваю я.

— Да так, испанский моряк.

— В вас не читается испанская кровь.

— Шучу. «Испанский завоеватель» — так говорила мама. Не знаю, никогда его не видел. Представления не имею, кто он и что он, она никому о нем не рассказывала. Но у меня и моих друганов всякий южный мужик, появившийся в окрестности, вызывал огромные подозрения. Таких смуглых, как вы понимаете, не то чтобы уж много в графстве Голуэй. Получилась игра: найди, кто отец Санди. У нас на Квей-стрит был уличный музыкант, играл на саксе, вот мои приятели все шутили, что я от него. В двенадцать лет я рискнул к нему подвалить. Спросил: «Типа да?» — Он смеется. — Мужик сказал, что нет, но не возражал бы, мама, дескать, ему очень нравится.

Мы оба смеемся, но он вдруг резко обрывает себя и переходит на деловой тон:

— Итак. По поводу работы, — достает кожаную папку, кладет на стол и расстегивает молнию. — Меня подрядили David Gordon White. Вы, полагаю, много о них слышали. Ну, на всякий случай, прошу.

Раскладывает передо мной бумаги.

Все серьезно, внушительно, солидно. У меня сердце замирает. Неужели я им нужна? Нужна, нужна. Они считают, что я обладаю высочайшей квалификацией, прям потрясающей. Я им идеально подхожу, так они думают. Они хотят мне платить неимоверные деньги, потому что я их стою. Расплываюсь в идиотской улыбке… ну а что, плакать из-за этого?

— Да, наслышана. Крупнейшая консалтинговая компания. Налогообложение, аудит и прочее.

— Именно. Входят в первую мировую десятку. Вы, думаю, знаете, что компании такого уровня ведут корпоративные благотворительные проекты. Социальной направленности.

— Пиар-проекты, если быть точным.

— Не надо этого говорить, когда пойдете на собеседование, — хмыкает он, пряча профессиональное одобрение. — Если бы речь шла о стандартном пиаре, никто бы не толковал о благотворительности. А у них это — главный посыл компании. Права человека и глобальное изменение климата. Они очень хотят видеть вас своим сотрудником...

Он замолкает. Видимо, ждет, что я начну задавать вопросы. Но я в такой оторопи, что не знаю, что спросить. Это не моя работа. Я не умею и не знаю, как взаимодействовать с благотворительностью.

— Я все готов с вами обсудить, давайте беседовать, и перебивайте меня, если возникнут вопросы, ладно?

Киваю. В недоумении. Это же David Gordon White. И он такой весь из себя. Красавец, говорит мне комплименты, возникает ощущение, что я и правда могу получить отличную работу. Я так нервничаю, что на щеках расцветают красные пятна. Какая интересная ждет меня жизнь. Та самая работа, о которой я мечтала. Он все говорит, говорит и говорит. И все о работе. Зашибись.

Наконец он умолкает и смотрит на меня.

— Я вас утомил?

Хочется сказать: «Да».

И еще кое-чего хочется сказать, но нельзя, не надо давать верх чувствам. Сколь бы собеседник ни был хорош.

— Я несколько растерянна. Мне никогда еще не приходилось иметь дела с благотворительными проектами. Я работала со стартапами, доводила их до максимального успеха, а потом продавала… за большие деньги.

Ну, что ж теперь: как умею, так и есть. Да, похоже на то, в чем меня обвинял Ларри. Но сейчас совсем иное. И пусть это будет очень далеко от благотворительности. Я всегда страстно задействуюсь в то, чем занимаюсь. Ларри никогда не понимал: главное — это дело. Меня можно и не упоминать, лишь бы получилось. В каком-то смысле благотворительность мне не чужда. О, начинаю ее любить.

Ну, похоже, я его слегка испугала. Однако он держится твердо: «Я понимаю, к чему вы стремитесь». Он видит, что я не уверена, и пытается извлечь из этого максимум.

— Вы будете отвечать за общее руководство. Благотворительные проекты — точно такой же бизнес, как и любой другой. Им тоже нужен стартап.

Он начинает меня убеждать: рассказывает, чем я занималась (как будто я сама не в курсе), сравнивает с тем, что потребуется на новом месте. Проводит параллели. Да, он проделал отличную работу и много всего обо мне накопал. Выражает неподдельное восхищение моими успехами, безбожно льстит, превозносит мои организаторские и креативные таланты. Похоже, я лучшая. Самая-самая-самая. Понимаю, что потихоньку заглатываю наживку. Говорит, что пока наводил справки в поисках подходящей кандидатуры, не раз всплывало мое имя. Очень он грамотно излагает, видно, что профи, а то, что он красавец, конечно, ему помогает. Трудно противоречить такому обаятельному собеседнику. Обидно его разубеждать, хочется, чтобы он и впрямь уверился — я самая лучшая, умная и талантливая. Ему идеально подходит работа хедхантера, он умеет вселять в людей ощущение собственной значительности, убеждать их, что они достойны большего. Со мной он почти в этом преуспел. Только вот… работа, которую он предлагает, не очень меня привлекает. Не вызывает она во мне того душевного подъема, который я обычно испытываю, принимаясь за новый проект.

Он смотрит на меня с надеждой.

Тут как раз и зеленый чай подоспел. Пока официант меня обслуживает, успеваю собраться с мыслями. Да, работа не восторг, но ведь других предложений у меня нет. Разрываюсь между желанием выказать заинтересованность и необходимостью сказать правду. И вообще он мне нравится, хотя и не надо бы принимать этого в расчет. Но как-то не получается. Ох, совсем я растерялась. Это проклятое увольнение лишило меня прежней уверенности в себе, я мучаюсь сомнениями: то ли я делаю, правильно ли поступаю? Может, надо дождаться более стоящего предложения? А может, хвататься за то, что есть, просто на всякий случай?

Он пристально, изучающе на меня смотрит, его зеленые глаза, кажется, заглядывают мне в самую душу, и я тону в них, погружаясь все глубже и глубже. Господи, ну что со мной творится? Он всего лишь смотрит собеседнику в лицо, это нормально. Что я себе выдумываю? Отвожу взгляд в сторону. Мне кажется, он меня насквозь видит, прекрасно понимает, что происходит. Нет, не могу я его обманывать, только не его — мой лучик света посреди долгой мрачной зимы.

— На самом деле, Санди, я должна перед вами извиниться. — Нервно потираю руки от неловкости. — Возникло некоторое недопонимание. Я больше не работаю на «Фабрику идей», уже больше двух месяцев. У нас с партнером возникли определенные разногласия. — Щеки у меня горят. — Так что я временно безработная. — Не знаю, что еще сказать, и делаю большой глоток зеленого чая. О! Как больно-то! Обожгла и рот, и гортань, и даже, кажется, все кишки. Главное, не разрыдаться, это было бы кошмарно неудобно.

— О'кей, — спокойно отвечает он, и его поза неуловимо меняется, как будто он резко расслабился. — Ну так это же, в общем, к лучшему, верно? Моим клиентам не надо будет вас переманивать. Вы сейчас в активном поиске, правильно я понимаю?

Делаю невинное лицо и судорожно соображаю, говорить ли про принудительный отпуск. Нет, я не могу. Я не могу упустить свою единственную возможность. Ну как это — разом взять и все зачеркнуть, сказать, что Ларри держит меня на коротком поводке и это будет длиться еще десять бесконечных месяцев. Тем более я не могу сказать это ему, прекрасному хедхантеру. Он помогает мне принять решение.

— Я вам это оставлю, — он пододвигает мне папку, — здесь вся необходимая информация. Вы спокойно все изучите, а потом уже позвоните мне и скажете, что надумали. Мы можем еще раз встретиться, и я отвечу на все вопросы, которые у вас возникнут.

Мне вдруг становится нестерпимо грустно. Нет, это вовсе не та работа, о которой я мечтаю. Но мне нужна хоть какая-нибудь. Бог с ними, с амбициями и высокими устремлениями, надо быть проще. Беру папку и прижимаю к груди.

Он отставляет в сторону допитую чашку кофе, я торопливо заглатываю проклятый зеленый чай. Нам пора.

— Значит, встретимся еще раз перед вашим собеседованием. — Он любезно открывает передо мной дверь.

— Кто сказал, что будет собеседование?

— Я уверен, непременно будет. — Он заговорщицки усмехается. — Это моя работа, я вижу, кто на что способен. И очень редко ошибаюсь.

Широко улыбается, подсмеиваясь над собственной напористостью. Что-то мне подсказывает, что свою работу он делает превосходно. Он вкрадчиво добавляет:

— Эта работа как раз для вас, Джесмин.

Мы на улице. Погода стремительно испортилась. Поднялся ветер, деревья качаются как безумные, впечатление такое, будто мы на тропическом острове и надвигается шторм. Но мы в Ирландии, и сейчас февраль. Все графично, серо, люди ходят угрюмые, пряча заледеневшие руки глубоко в карманы.

Смотрю, как он идет к своей машине.

Когда он раскусил меня, мне стало неприятно, но в итоге я поняла, что спорить с ним мне совсем не хочется.

Глава двенадцатая

К нам пришла буря. Соседям досталось по полной программе: ветер сто семьдесят километров в час, две тысячи шестьсот человек сидят без электричества, куча дорожных происшествий, перевернутые грузовики, разрушенные дома, сорванные крыши, выбитые стекла. Наше восточное побережье, считай, почти не затронуто, так, по мелочи: опрокинутые мусорные баки, поломанные деревья и раскуроченные детские площадки. Можно сказать, легко отделались.

Но все же и на нашей улице эта ночь оказалась весьма бурной.

Разбираюсь с бумагами, которые дал мне Санди, и пытаюсь найти связь между правами человека и глобальным изменением климата. И вдруг в мои размышления вторгаешься ты.

Нет, не так, как всегда. Ты не приехал домой пьяный, в машине у тебя не орет музыка, ты дома и ты трезв. С тех пор как от тебя ушла жена, ты резко поутих, срываться больше не на кого. И хотя ты иногда возвращаешься пьяный и порываешься устроить свой обычный концерт, быстро вспоминаешь, что дома никого нет, успокаиваешься и засыпаешь в машине. Либо за столом в саду.

Когда у всех соседей садовая мебель так и летала по участку, твоя оставалась незыблема. У Мэлони гномик рухнул и расшиб себе нос. А у тебя разве что правые ножки стола чуть глубже ушли в землю. И теперь у тебя появилось новое развлечение. Ты кладешь зажигалку на левый край стола и ждешь, когда она сползет вниз, прямо в подставленную ладонь. Не знаю, осознаешь ли ты, что делаешь, но выражение лица у тебя совершенно отрешенное.

Я помогала тебе войти в дом лишь трижды, и всякий раз ты захлопывал дверь перед моим носом. Понятно, что наутро ты ни черта не помнил.

Сейчас меня отвлек от чтения громкий скандал. Ты выясняешь отношения с Финном. Слов не разобрать, слишком шумит ветер, но отдельные фразы до меня долетают. Можно даже понять, о чем вы спорите. Выглядываю из окна спальни, вижу вас в саду: ожесточенно что-то друг другу втолковываете и машете при этом руками. Оба без курток, стало быть, это спонтанно возникшая склока под ночными звездами. Финн длинный, худой как щепка, его мотает от ветра из стороны в сторону. Нет, не от ветра. Он абсолютно, то есть просто в хлам пьян. Ты высокий, крепко сбитый, с широкими сильными плечами, надежно стоишь на земле. Ветру тебя не сдвинуть. Ты пытаешься дотянуться до сына, приобнять его и поддержать, но всякий раз он отталкивает тебя, бешено машет кулаками и норовит ударить.

Тебе удается обхватить его за пояс и даже подтолкнуть к дому, но Финн выворачивается, выскальзывает из твоих рук и с размаху бьет тебя под дых. Ты резко перегибаешься пополам. Но выйти к вам я решаю не поэтому. Я вижу, как открывается дверь и на крыльцо выходят малыши, такие беззащитные и трогательные в своих пижамах, что я немедленно натягиваю спортивный костюм и спускаюсь вниз. С трудом открываю входную дверь — ветер сильнющий. Закрыть ее тоже не так-то просто. Напираю на нее обеими руками, уф, получилось. Как же холодно, до костей пробирает. Но вы не замечаете этого в горячке спора, яростно кричите друг на друга, будто вторя неистовой буре.

И тут, прямо на моих глазах, происходит нечто ужасное. Ты никогда себе этого не простишь, я в этом уверена. И хоть я не склонна тебя поддерживать, могу засвидетельствовать, это вышло случайно. Ты не хотел его ударить, наоборот, ты пытаешься как-то его утихомирить и отвести домой. Но при этом случайно задеваешь локтем по лицу. И тут же, потрясенный, отшатываешься назад. Мне кажется, что тебе плохо, так ты побледнел. И снова ты тянешься к Финну, чтобы приласкать, извиниться, пожалеть его, но он гневно кричит и отпихивает тебя прочь. И произносит такие слова, какие ни один отец не должен слышать от своего сына. Малыши на крыльце принимаются плакать, и теперь ты пытаешься успокоить уже их, а ветер ревет и неожиданно срывает с места садовые стулья. А казалось, они прямо вросли в землю. Но нет, стихия решила подыграть вашей семейной драме. Накал страстей возрастает. Один стул беспомощно валится, задрав кверху ножки, а другой пролетает, как торпеда, в опасной близости от окна. В мои намерения отнюдь не входит разнимать кулачный бой отца с сыном, я хочу увести детей в дом, успокоить их и чем-нибудь отвлечь. Но в тот момент, когда я прохожу мимо вас обоих, Финн кричит, что ноги его не будет в твоем доме, разворачивается и направляется вниз по улице — с разбитым носом, без куртки, пьяный вдрызг. Ветер едва не сбивает его с ног, но он упорно тащится дальше. И это меняет дело.

В итоге твой сын оказывается у меня дома. Я веду его наверх, в гостевую спальню, он не расположен беседовать, да и мне неохота что-либо обсуждать. Умываю его, убеждаюсь, что нос, слава богу, не сломан, приношу чистые полотенца, бутылку воды и таблетку от головной боли, а еще здоровенную футболку, так ни разу и не надеванную с тех пор, как кто-то мне ее подарил. И оставляю его одного. Сама иду на кухню и ставлю чайник — я не могу заснуть, пока он ходит туда-сюда из спальни в ванную. Его безостановочно рвет.

Незадолго до шести просыпаюсь от странного звука. Птичка. Выпала из гнезда и просит о помощи? Нет, она весело, радостно поет нехитрую утреннюю песню. К семи светлеет, за окном тишь да гладь, ни дождя, ни ветра. Буря отбушевала, природа невинно притворяется, будто ничего и не было. А по всей стране люди с тоской смотрят на ночные разрушения.

Наливаю себе кофе и выхожу в сад. Как хорошо, что я успела уложить почти все рулоны, они так и лежат, я молодец, аккуратно все сделала. Зато оставшиеся расшвыряны, разодраны и валяются где ни попадя, даже под колесами машины.

Стоит мне выйти, как ты немедленно открываешь дверь и устремляешься через дорогу, как будто уже давно меня ждешь.

— Он в порядке? — В голосе такая неподдельная тревога, что мне невольно становится тебя жалко.

— Он еще спит. Его всю ночь рвало.

Ты киваешь, вид у тебя измученный.

— Это хорошо. Хорошо.

— Хорошо?!

— В смысле теперь не скоро ему захочется опять напиться.

Поднимаю с земли разбитый стакан.

— Н-да, сколько вы трудились, и все насмарку.

Равнодушно пожимаю плечами, мол, ничего страшного.

— Ну, не все, кое-что, даже многое, уцелело.

И все же очередное недоделанное дело. Мысленно проклинаю Ларри, который уж всяко не виноват в том, что ночью натворила буря.

— А из этого, — ты указываешь на кучу булыжника, — можно сделать отличную альпийскую горку. Мои дед с бабушкой не стали срывать холм у себя в саду, а обложили камнями. И вокруг посадили цветы. Очень красиво получилось. Я могу прислать вам Финна на помощь, ему полезно будет потаскать тяжести.

У меня в голове проносится с полдюжины язвительных ответов, мол, спасибо за потрясающую идею, но в последний момент успеваю прикусить язык.

Ты смотришь мне за спину, на дом, видимо надеясь, что я приглашу тебя внутрь.

— Надо дать ему выспаться.

— Знаю. Но скоро приедет его мать.

— О. Во сколько?

Ты смотришь на часы.

— Через пятнадцать минут. У него сегодня матч по регби.

— Не лучший способ разобраться с похмельем.

Да уж, в школе «Бельведер» состояние Финна вряд ли расценят как должное.

— Что вчера стряслось? — Не знаю, зачем я об этом спрашиваю. Как-то само с языка сорвалось.

— Я должен был забрать его из школы после занятий по регби вчера днем. Но его уже не было, когда я приехал, куда-то ушел с друзьями. Домой заявился поздно, абсолютно пьяный. Я так думаю, что пьяный. — Ты хмуришься и снова смотришь на мои окна. — Начал на меня нападать.

— Слушайте, ну с кем не бывает в его возрасте.

Я припоминаю, бывало ли такое со мной. В общем, да.

Понятия не имею, с чего мне вдруг пришло в голову тебя утешать. Тебя, который приезжает домой вдребезги пьяный чаще, чем иные люди готовят себе яичницу на завтрак. Но ты с благодарностью усмехаешься, дескать, спасибо за поддержку.

— Э-э, — нервно откашливаюсь, — письмо вашей жены все еще у меня…

А вот и она сама подъехала. Ты напряженно смотришь, как она заходит в дом, негромко хлопнув дверью. Некоторое время все тихо.

— Он в спальне, наверху.

— Спасибо.

Через пять минут вы спускаетесь вниз, ты первый, следом Финн. Ну и видок: нос потемнел и распух, над губой запекшаяся кровь. Как я его ни умывала, она, вероятно, пошла снова, когда его рвало. Бледный, несчастный, помятый. Так, наверное, и спал в одежде, не пригодилась моя футболка. Выйдя на улицу, он жмурится от света. И тут выходит Эми. Рука прижата ко рту, чтобы не закричать и не расплакаться.

Все, хватит с меня. Я не хочу в этом участвовать, не хочу никаких разборок, оставьте меня в покое.

Иду домой и некоторое время нервно жду, что кто-то из вас позвонит в дверь, но потом мое внимание привлекает телевизор. Идут новости, звук выключен, но того, что я вижу, хватает, чтобы у меня внутри все похолодело.

Это она, та девчушка из отеля. Голубоглазая хохотушка, мастерица говорить тосты. Ее фотографию сменяет фото ее матери. Обе широко улыбаются. Лили нежно прильнула к маме, та обнимает ее, прижав к себе. Похоже, фотограф только что сказал им что-то смешное. Позади них видна рождественская елка, значит, снимали совсем недавно. И потом фото разбитой машины, перевернутый грузовик... я опускаюсь в кресло, ноги не держат. Беру пульт, включаю звук. Они обе погибли. Виноват водитель грузовика. Меня колотит крупная дрожь. В дверь звонят, но я не могу встать. Снова звонят. И снова. Вся в слезах иду открывать, негодуя на такую беспардонную настырность. Вижу три встревоженные физиономии.

— Простите, мы не вовремя, — сразу же извиняется Эми. — Извините нас, пожалуйста...

Мой гнев немедленно испаряется.

— Ничего... я просто... только что по телевизору показали...

Дверь в гостиную открыта, им видно телевизор, где идет все тот же сюжет.

— Ох, это ужасно. Я тоже уже видела. Они ведь совсем рядом, за углом здесь живут. Это жена Стивена Уоррена и их дочка. — Эми оборачивается к тебе: — Ты слышал про них?

— Дочку зовут Лили. — У меня перехватывает горло.

— Нет, я не знал.

Мы все замолкаем, а потом Финн решает, что пора ему прорезаться:

— Мм, спасибо вам за вчерашнее.

— Не за что. — Я не знаю, насколько Эми в курсе того, что у нас происходило, и отвечаю расплывчато.

Он с явным облегчением разворачивается и потихоньку уходит, шаркая длинными худыми ногами в приспущенных широких джинсах.

Ты и Эми по-прежнему не отрываете глаз от телевизора. Точнее, Эми смотрит, а ты, кажется, погрузился в мрачные размышления.

— Я видела их вчера днем.

Звучит так, будто я была с ними знакома. Что ж, в каком-то смысле так и есть.

— Это произошло именно днем. Возможно, вы последняя, кто их видел, — говорит Эми, и у меня в душе все переворачивается.

Она сказала просто так, ничего особенного не имея в виду, но я вдруг чувствую странную сопричастность тому, что случилось. Как будто они разделили со мной свои последние счастливые минуты. Может быть, и я должна теперь с кем-то этим поделиться? Не оставлять только себе? Наверное, эти мысли — последствие шока, а еще я совсем не выспалась и нахожусь в каком-то полувменяемом состоянии.

— Мэтт, ты ведь тоже знаком со Стивом и Ребеккой?

— Да не то чтобы близко…

— Ну вспомни, ты с ним несколько раз играл в бадминтон.

Меньше всего я ожидала услышать нечто подобное. И так удивляюсь, что даже задираю бровь.

— А, это давно было.

— Он всегда о тебе спрашивает. — Она поворачивается ко мне: — Сходите к ним вместе с Мэттом.

— Простите?

— Мэтт вас проводит. Надо пойти, выразить соболезнования. Вы разве не собирались? А я думаю, вам следует это сделать. — Тон у нее не самый любезный, прямо скажем. — Ну что ж, еще раз извините за беспокойство и спасибо вам, что позаботились о Финне.

Она резко разворачивается и уходит, а ты остаешься и смотришь на меня в ожидании дальнейших указаний. Небось надеешься, что если сделаешь, как она велела, то заработаешь галочку в списке похвальных поступков. Впрочем, возможно, я неправа. Ты пристально на меня глядишь, будто чего-то ждешь, будто настойчиво о чем-то просишь. О чем? А, ты хочешь, чтобы я перед ней за тебя заступилась. Сказала ей, как все было.

— Эми, — окликаю я, — насчет вчерашнего... Это вышло случайно. Мэтт не хотел его у...

И обрываюсь на полуслове, увидев, как она на тебя смотрит. Боже, сколько омерзения и гнева в этом взгляде. Ясно, она не знала, что это ты ему расквасил нос. Здорово я выступила.

Эми усаживает детей в машину, и ты подбегаешь попрощаться. Двигатель уже включен, дверцы закрыты, ремни пристегнуты. Ты хватаешься за ручку, вынуждаешь Эми разблокировать заднюю дверь и целуешь малышей. Смущенно треплешь Финна по плечу, но он никак на это не реагирует. Ты захлопываешь дверь, дважды легонько стучишь по крыше, и машина трогается. Машешь им вслед, но никто даже не оборачивается.

Мне грустно и тяжело это видеть. Странно, ведь я столько раз была свидетелем твоих ночных безобразий, я прекрасно знаю, каково приходилось твоей жене, сколько она от тебя натерпелась. Удивительно, что она не ушла раньше. Но вот ты стоишь посреди улицы, засунув руки в задние карманы джинсов, и смотришь, как они уезжают, оставив тебя одного в большом опустевшем доме, и мое сердце сжимается от жалости.

— Пойдемте, — зову я.

Ты в недоумении оборачиваешься.

— Пойдем к Стивену.

Подозреваю, что тебе совсем не хочется туда идти, но, с другой стороны, это поможет не думать о своих несчастьях. И мне туда не хочется идти, но это и мне позволит не думать о моих проблемах. У нас с тобой схожие мотивы…

Ты идешь в дом, чтобы взять куртку, я тоже иду к себе за пальто. Встречаемся посреди улицы.

— Простите, я не хотела вас выдавать. Не надо было ей этого говорить.

— Ничего страшного. Она все равно узнала бы. Так уж лучше от меня.

Вот как. «От меня». Ты, стало быть, считаешь, что я с тобой заодно? Поразительно, как это так получается. Не я ли проклинала тебя по ночам, не я ли всякий раз надеялась, что Эми проявит стойкость и оставит тебя на улице, невзирая на все твои мерзкие вопли?

— А где они сейчас живут? Эми с детьми, куда они переехали?

— К ее родителям. — Ты идешь рядом, насупив брови и зябко поводя плечами.

— Но она вернется?

— Не знаю. Она не хочет со мной разговаривать. То, что вы сегодня слышали, были ее единственные слова за все эти дни.

— Она написала вам письмо.

— Да, знаю.

— Вы должны его прочитать.

— Она тоже так говорит.

— Почему же вы этого не делаете?

Ты молча идешь рядом.

— Вот, возьмите.

Протягиваю тебе конверт. Ты с удивлением на него смотришь, потом небрежно забираешь у меня и суешь в карман. Не думаю, что ты станешь его читать, но я, во всяком случае, свое дело сделала. Я его тебе отдала. Или не сделала?

— Вы что, не собираетесь его читать?

— Господи, да что вы прицепились к этому письму?

— Если бы от меня ушла жена и написала мне письмо, я бы обязательно прочла.

— Вы лесбиянка?

У меня глаза на лоб лезут.

— Нет.

Ты хмыкаешь.

— Я заметил, вы последнее время не ходите на работу. Отдыхаете?

— Я в отпуске. Его еще называют «садовым отпуском».

— Ясно, — улыбаешься ты. — Но, знаете, при этом необязательно заниматься именно садом.

— Представьте, знаю. А у вас как дела? Слышала, вас с работы выгнали, — ядовито интересуюсь я.

Мой тон тебя удивляет, даже заинтриговывает. Ты смотришь на меня со своей дурацкой, насмешливой, всепонимающей ухмылкой.

— Нет, меня не выгнали. Я в отпуске. Как ни смешно, я тоже в «садовом отпуске». Но в отличие от вас я намерен побездельничать. И ни черта не делать.

— Принимать лунные ванны?

Ты смеешься:

— Точно.

Это мы с Хизер придумали, когда были маленькие. Лежишь себе под луной, на звезды смотришь, мечтаешь. Принимаешь лунные ванны. Мысль о Хизер тут же заставляет меня вспомнить, что я тебя на дух не выношу. Задираю нос и сердито замолкаю. Ты это, разумеется, тут же отмечаешь. Видишь, что меня мотает — от теплого сочувствия до холодной вражды. Ты вообще приметливый, профессионал человеческого общения.

— В общем, это временно. Меня отстранили, пока идет разбирательство, — сухо, чуть ли не официально сообщаешь ты.

— Да ладно, чего уж там. Выгнали с треском.

— Это называется «принудительный отпуск». Такова формулировка.

— И сколько он будет длится?

— Месяц. А у вас?

— Год.

Ты изумленно присвистываешь.

— Что же вы такое натворили, что вам дали целый год?

— Почему «дали»? Это же не тюремный срок. И ничего я не натворила. Просто они подстраховались, чтобы я не ушла к конкурентам.

Ты внимательно на меня смотришь и молчишь. Наконец спрашиваешь:

— И чем же вы намерены заниматься?

— Есть пара идей. Как раз года хватит, чтобы их обдумать и все разрулить. — Я и сама слышу, как фальшиво это звучит. — А вы?

— Вернусь, когда все устаканится. У меня свое шоу на радио, я диджей.

Ты что, шутишь? Нет, вполне серьезен. Надо же, я считала, ты уверен, что тебя знает каждая собака, что стоит тебе назвать свое имя, как все непременно кричат: «Ах, тот самый Мэтт Маршалл!» Но ты, похоже, искренне думаешь, что я не в курсе, какой у меня сосед знаменитый. И мне это нравится. А поэтому не нравится.

— Мне известно про ваше шоу, — говорю я с таким нескрываемым отвращением, что ты издаешь свой хриплый, прокуренный смешок.

— Так я и знал!

— Что именно?

— Вы из-за моей передачи так со мной держитесь. Враждебно. Напряженно. Как будто заняли глухую оборону.

Никому из моих друзей и в голову бы не пришло сказать обо мне такое. Неужели ты и вправду так меня воспринимаешь? Это очень неприятно слышать, в особенности от тебя. Ведь именно так я о тебе и думаю. Но мне в голову бы не пришло, что ты способен меня раскусить, разглядеть меня настоящую, ту, от которой я пытаюсь спрятаться. Друзья сказали бы, что я сама себе хозяйка, всегда поступаю, как считаю нужным, никогда не пляшу под чужую дудку. Может, добавили бы, что я упрямая, в худшем случае твердолобая. Но они видят меня лишь с одной стороны, я не показываю своего истинного «я». А ты умудрился докопаться до сути. Черт бы тебя побрал совсем.

— Вы, похоже, не из числа моих поклонников.

— Это уж точно, — злобно подтверждаю я.

— И что же вас так задело? — Ты суешь в рот антиникотиновую жвачку.

— Не понимаю. Вы о чем?

Сердце бьется как сумасшедшее. Ну вот, после стольких лет мы наконец добрались до этой точки. И теперь я могу тебе все высказать. Прямо сейчас. Судорожно подбираю нужные слова, чтобы ты понял, как сильно ты меня тогда оскорбил.

— Ну, говорите. Какая это была программа? Что я такого сказал, что стало вам поперек горла? А знаете, я шестым чувством вычисляю тех, кто ненавидит мое шоу. Вхожу в комнату и сразу определяю, кто фанат, а кто, наоборот, противник. Интуиция, наверное.

Ну и наглость. Верх самовлюбленности. Из всего, даже из чьего-то отвращения, ты умудряешься извлечь подтверждение своих талантов. Смотрите, дескать, какой я чутьистый.

— А может, дело вовсе не в вашей передаче, а конкретно в вас? — сердито спрашиваю я.

— Вот-вот, именно об этом я и говорю. — Ты улыбаешься и прищелкиваешь пальцами. — О таком подходе. Нет, Джесмин. Дело не во мне, а в моей передаче. Я — ведущий. Нейтральная сторона. Я направляю разговор, но не высказываю своей точки зрения. Я даю людям сообщить свое мнение в прямом эфире.

— Вы их провоцируете, разжигаете страсти.

— Приходится иногда. Но ведь так устроен любой спор — на противоположных суждениях. Поэтому нас и слушают.

— И вы считаете, что такие споры нужны?

Мы доходим до дома Стивена. В саду повсюду горят свечи, лежат букеты цветов и детские игрушки.

Останавливаемся и мрачно смотрим друг на друга.

— Ваше шоу не имеет ничего общего с попыткой хоть в чем-нибудь разобраться, вы плевать на это хотели. И факты вас не волнуют. Оно предназначено для придурков, которые жаждут выплеснуть свою ненависть, свою агрессуху и поведать всем свои тупые идеи.

Ты слегка хмуришься и отвечаешь очень серьезно:

— У нас все по правде. Никаких подставных звонков, все люди реальные. Это наши с вами соотечественники, и нелишне знать, что они думают об этой жизни. Оно, может, и комфортнее ограничиться только узким кругом своих вежливых, политкорректных друзей-приятелей, чтобы возникала иллюзия, будто мир — славное, уютное местечко, где все друг друга любят и уважают, но только неправильно это. Есть немалый риск поскользнуться на чьей-то блевотине и упасть мордой в грязь. Потому что мир — разный. И наше шоу дает возможность в этом убедиться. А заодно кое-что исправить. И для начала дать людям — всем без исключения — высказаться. Благодаря нам некоторые проблемы выходят на иной уровень обсуждения, вплоть до нижней палаты парламента. Травля детей в школах, однополые браки, наркотики, тайные бордели... мы много чего сделали, Джесмин. Точнее, мы дали толчок, привлекли внимание к проблемам.

Ты начинаешь перечислять список ваших добрых дел.

— То есть вы всерьез думаете, что действуете во благо общества? — фыркаю я. — Возможно, так бы и было, приходи к вам нормальные люди, а не дебилы невменяемые, полупьяные-полуобдолбанные. Или психи, сбежавшие из дурдома. А по-вашему, значит, очень хорошо, что они излагают свои пакости в прямом эфире? Да их надо бы, наоборот, запереть где-нибудь. И рот им заткнуть покрепче.

— Отлично, прекрасная идея, Ким Чен Ын[1]. Зачем нам свобода слова?

— Так, может, и его позвать в прямой эфир? Пусть чувак поделится своими соображениями? Как бы то ни было, в газетах пишут, что вам больше в этот эфир хода нет. Ни прямого, ни кривого. И больше у вас ни одной передачи не выйдет.

Решительно разворачиваюсь, задираю подбородок и иду прочь. Последнее слово за мной. Или нет? Или это тоже враждебная, нервозная нападка в рамках глухой обороны?

— Непременно выйдет. Мы с Бобом вот так. — Ты сплетаешь пальцы обеих ладоней. По-твоему, вы крепко спаяны. — Боб — директор радиостанции, мы вместе с самого начала. Меня отстранили, да, но это сугубая формальность. На нас постоянно поступают жалобы, приходится делать вид, что мы реагируем. А иначе его бы просто не поняли.

— Вы, похоже, очень собой гордитесь. Такой мощный общественный резонанс вызвали... — Я нажимаю кнопку входного звонка.

— Ясно. Я реально вас чем-то задел. — Ты стоишь рядом, готовый войти в дом. Свои слова ты шепчешь мне на ухо.

Оборачиваюсь к тебе. Ты саркастически подмигиваешь. До меня только сейчас доходит, что тебе нравится, что ты меня бесишь. И, как это ни

---

[1] Ким Чен Ын — северокорейский государственный деятель, высший руководитель КНДР.

ужасно, мне тоже это нравится. Ненавижу тебя. Но это — повод отвлечься от всего остального. Моя ненависть занимает кучу времени. Это уже почти полноценный рабочий день. Я трачу на свое отношение к тебе столько же, сколько тратила на работу. Нет, больше. Я ненавижу тебя круглосуточно — без выходных и обеденных перерывов.

Дверь открывается, на пороге стоит женщина с красными от слез глазами. Она сразу, немедленно, тебя узнает. Она тебе рада, более того, благодарна, что ты пришел. Тут же приглашает тебя войти. Господи, что они все — слепоглухотупые? Почему никто не видит тебя так, как вижу я?

Ты вежливо пропускаешь меня вперед.

На кухне куча народу, люди стоят отдельными группками, иногда переговариваясь друг с другом. Стол заставлен едой — все это принесли соседи: пироги, сэндвичи и салаты.

Нас с Мэттом ведут в гостиную. У окна, безучастно глядя в небо, одиноко сидит в кресле молодой мужчина.

На стенах висят фотографии, съемка явно профессиональная. Черно-белые портреты Стивена, Ребекки и Лили. Они оба в черных свитерах с высоким воротом сняты на фоне белого задника. Лили в белом прелестном платьице похожа на светлого ангела. Очень веселого, радостно улыбающегося в объектив. А вот Лили держит огромный леденец, вот — хохочет и показывает язык. Все трое, вместе — счастливые, любящие друг друга. Я узнала Стивена, вспомнила, что видела его в супермаркете и когда гуляла на побережье.

— Мэтт. — Он встает, и они обнимаются.

— Стивен, я очень тебе сочувствую…

Они замирают в молчаливом объятии. Друзья по бадминтону. Я озираюсь вокруг, смотрю на фотографии, потом в пол, не зная, чем себя занять.

— Это моя соседка Джесмин. Она живет напротив.

— Мне жаль, от всего сердца, очень жаль.

Протягиваю ему руку, и он слабо ее пожимает.

— Спасибо. Вы подруга Ребекки?

— Н-нет. То есть я… — глупо мямлю в ответ. Как бы это объяснить? Может, зря я сюда пришла? Не знаю. Вряд ли это было так уж необходимо. Зачем вторгаться в чужую жизнь?

Входит та женщина, что впустила нас в дом, и теперь они все выжидательно на меня смотрят.

— Я видела их вчера днем, в ресторане отеля «Марин».

Стивен в растерянности. Похоже, он мне не верит.

— Э-э, я сомневаюсь, что они могли там быть.

— Лили пила горячий шоколад. Она его называла «хоро-горо-шоко».

Он улыбается, потом обессиленно садится в кресло и прикрывает лицо руками.

— Она была в ударе. Ребекка все время хохотала над ее шутками. Я на них сразу обратила внимание, как только вошла. Лили произносила тост.

Он поднимает голову и смотрит на женщину — теперь я поняла, что она его сестра, они очень похожи.

— Это из-за праздника на той неделе, — поясняет он, и она кивает, улыбаясь сквозь слезы.

Стивен ловит каждое мое слово, ему дорога малейшая подробность. Ты тоже глаз с меня не сводишь, и меня это сильно нервирует. Стараюсь смотреть только на Стивена. И все больше вижу, как Лили на него похожа: те же светлые волосы, те же чистые, правильные черты лица. Так я стою посреди незнакомой комнаты и рассказываю чужим, по сути, людям про тост, про то, как они смеялись, вообще стараюсь ничего не упустить. Всячески подчеркиваю, что им было очень хорошо, что они наслаждались каждой секундой из последних отпущенных им минут, прежде чем сесть в машину и поехать в гости к родителям Ребекки, чтобы по дороге встретить тот проклятый грузовик. Мне кажется, это очень важно — объяснить, что они были счастливы. Стивен, как губка, впитывает мой рассказ и мысленно оказывается с ними рядом.

Наконец я умолкаю, повисает тишина, и я понимаю, что сейчас он во второй раз пережил их смерть. Они ожили, пока я говорила, они были здесь и снова исчезли.

Застываю, не зная, как себя вести, что делать дальше. Мне хочется подойти к Стивену и как-то его утешить, но понятно, что это не моя миссия. Его сестра заботливо над ним склоняется, а ты подходишь поближе и крепко сжимаешь его плечо. Потом идешь к двери, и я следом за тобой. Мне так плохо, что я передвигаюсь как механическая кукла, и в голове бьется одна мысль: не надо было сюда приходить, не надо, это была ошибка, я сделала только хуже, причинила лишнюю боль. Или я неправа? Хорошо бы ты что-нибудь мне сказал, как-то поддержал, что ли. А впрочем, нет, только не ты, ничего мне от тебя не нужно, никакого сочувствия и поддержки.

На улице ты выплевываешь антиникотиновую жвачку и закуриваешь нормальную сигарету.

Всю обратную дорогу мы проделываем в полном молчании. Щеки у меня горят. Мне тоскливо и горько. Вдруг ты разворачиваешься и участливо, мягко произносишь:

— Мне бы тоже было важно узнать то, что вы рассказали. — Выбрасываешь окурок. — Хорошо вы все сделали, очень правильно. — И треплешь меня по плечу.

И тут меня отпускает. Удивительно, до чего мне сразу же становится легче. Странно, ты понял меня, тебе не все равно, каково мне. Как это не вяжется с тем, что я привыкла о тебе думать.

— Джесмин! — окликает меня знакомый голос. Резко оборачиваюсь и вижу, что Хизер поднимается с моего крыльца. Идет к нам. Все смещается у меня в голове, я плохо соображаю, но ясно лишь одно: сейчас ты окажешься лицом к лицу с человеком, которого я всю жизнь пыталась от тебя защитить.

Глава тринадцатая

Раз в месяц у Хизер бывают так называемые «встречи поддержки». Мы начали проводить их, когда она была еще подростком. Вообще все придумала мама, и она неизменно на них присутствовала, даже когда проходила курс химиотерапии и была совсем плоха.

Я тоже была подростком, и часто мне вовсе не хотелось туда идти, у меня были дела поважнее и поинтереснее. Но мама настаивала, чтобы я не пропускала ни одной встречи, и тогда меня это раздражало, но теперь я очень ей за это благодарна. Мамы не стало, но я к тому времени уже знала, как и зачем это делается. Личностно-ориентированное планирование подразумевает, что Хизер советуется с теми, кто в данный момент так или иначе связан с ее жизнью. Они регулярно собираются и обсуждают, какие перед ней стоят задачи и как ей их решать. Хизер сама определяет, кого позвать и о чем конкретно пойдет разговор.

Пока она училась в школе и в колледже, встречи проходили раз в неделю, потом мы стали собираться раз в месяц — она сочла, что этого достаточно. Чего мы только не проговаривали — как пользоваться общественным транспортом, как покупать и готовить еду, что из дополнительных занятий ей бы хотелось выбрать...

В основную группу поддержки раньше входили ее преподаватели, ассистентка, которая сейчас живет вместе с ней, — Хизер сама ее выбирала, кое-кто из друзей по колледжу, человек из центра профориентации, ее работодатели и я, это уж неизменно. Папа тоже несколько раз приходил, но он не слишком годится для таких посиделок. Папа не понимает, для чего все это нужно. Конечно, встречи всякий раз посвящены конкретным планам, но есть еще один, может быть, самый важный аспект: мы выслушиваем Хизер, стараемся понять, что ее сейчас волнует и о чем она думает. У папы нет никакого терпения все это «обмусоливать». Хизер нужна работа? Не вопрос, он снабдит ее работой. Ей требуется социальная активность? Никаких проблем, будет ей активность. Но за долгие годы я железно усвоила — важен далеко не только результат, важен процесс, в котором Хизер является полноправной участницей. Я хочу ее понимать, хочу знать, что она чувствует, хочу разбираться в ее мотивах. Например, она мечтала получить работу упаковщицы на кассе в местном супермаркете и вдруг заявила, что уходит оттуда. Почему? Выяснилось, что менеджер зала, дама тупая и вредная, ее постоянно гнобит. Подгоняет, делает замечания, дает понять, что Хизер тормозит. Важно было во всем этом разобраться, а папу настолько бесил сам факт, что Хизер там работает, что все эти привходящие его не волновали абсолютно. Он мечтал, чтобы она этот супермаркет бросила ко всем чертям.

Сегодня мы условились встретиться в два, а сейчас около часа, но Хизер почему-то пришла пораньше. Трудно описать словами, что творится у меня в голове, но все же попробую. Если вкратце, то, с одной стороны, я тронута тем, как ты по-доброму ко мне отнесся, у меня на душе полегчало после твоих слов. А с другой, я по привычке готова к бою, готова защищать свою Хизер.

Делаю пару шагов ей навстречу, не подпуская ее к тебе, тем самым даю понять, что мы с ней вдвоем против тебя. Чмокаю в щеку и заботливо обнимаю за плечи. Не могу себя заставить посмотреть тебе в глаза и прочитать там нечто вроде «так вот оно что». Я смотрю только на Хизер, на мою милую, чудесную сестру, которую люблю больше всего на свете и которой чрезвычайно горжусь. Я надеюсь, что сейчас до тебя наконец дойдет, ты вспомнишь ту отвратительную передачу, которая была посвящена людям с синдромом Дауна. И тебе станет стыдно — за все, что там было сказано, вообще за твое поганое шоу и гнусное поведение по жизни. Уверена, Хизер с ее волшебным даром видеть человека насквозь моментально разберется, кто перед ней.

И все твои слова насчет свободы и права высказаться — чушь и вранье. Ты ведущий, от тебя зависит очень многое. И ты несешь ответственность за то, как пойдет разговор в студии. Я жду, что ты протянешь ей руку и она ее не примет, как это было с Тедом Клиффордом. Интересно поглядеть, как ты из этого выкрутишься, знаток человеческих реакций.

— Привет, — говоришь ты.

— Привет, — отвечает Хизер.

И смотрит на меня, дескать, ну что же ты, Джесмин, представь нас друг другу.

— Моя сестра Хизер. Самый лучший в мире человек.

Хизер смущенно хихикает.

— Хизер, это Мэтт. Мой сосед.

Ты приветливо машешь ей рукой. Странно, откуда тебе известно, что это правильный жест для людей из Оранжевого круга. И тут Хизер протягивает тебе руку. Я с удивлением поднимаю бровь, но она приветливо тебе улыбается. Нет, я не могу допустить этого рукопожатия с дьяволом, но просто не знаю, как воспрепятствовать. Особенно памятуя о недавнем скандале дома у папы. Кстати, от него с тех пор ни слуху ни духу.

— Рад познакомиться, Хизер. — Ты пожимаешь ей руку. — О, какая интересная у вас сумка.

Я подарила ее Хизер на день рождения пять лет назад, и она с ней не расстается. Выглядит она при этом как новая, потому что моя сестра ее очень бережет. Это большая диджейская сумка для портативного проигрывателя и виниловых пластинок. Зная, что Хизер предпочитает именно их, я подумала, что это то, что нужно.

Пусть носит их с собой, если захочет. Но Хизер носит там не только пластинки, а вообще весь свой «походный набор»: кошелек, зонтик и ланч. Больше ничего, мне никак не удается уговорить ее брать с собой мобильный телефон.

— Спасибо. Это мне Джесмин подарила. Туда входят пятьдесят пластинок и маленький проигрыватель.

— У вас есть портативный проигрыватель?

— Да, «Аудио-Техника AT-LP60», полный автомат, ременный привод. — Она расстегивает молнию, чтобы показать его тебе.

Ты подходишь чуть поближе, но по-прежнему соблюдаешь дистанцию.

— О, я вижу, у вас и пластинки тут есть.

Ты на самом деле удивлен, и тебе на самом деле интересно, какие у нее есть записи.

— Ну да. Стиви Уандер, Майкл Джексон… — Она достает свои сокровища, а я наблюдаю за выражением твоего лица.

— Грэндмастер Флэш![1] — восторженно смеешься ты. — Можно? — протягиваешь руку к сумке, и я предвкушаю, как она тебе откажет.

— Да, — лучезарно улыбается Хизер.

Ты вынимаешь пластинку и рассматриваешь ее.

— Поразительно. Поверить не могу, что у вас есть Грэндмастер Флэш!

---

[1] Грэндмастер Флэш — псевдоним Джозефа Сэддлера, американского рэпера, вместе со своей командой «Грэндмастер Флэш и Яростная пятерка» стоявшего у истоков хип-хопа.

— И «Яростная пятерка», — добавляет она. — Тут композиция «Послание»[1], запись на Sweet Mountain Studios. Семь минут одиннадцать секунд.

Ты изумленно смотришь на меня, потом опять на нее. Я невольно сияю от гордости.

— Вы меня поражаете, Хизер! Вы что, про все эти пластинки все знаете?

И Хизер принимается тебе рассказывать про пластинку Стива Уандера: когда была записана, про каждую песню из альбома — вплоть до имен сессионных музыкантов. Ты в высшей степени потрясен, очарован и восхищен, о чем ей и сообщаешь. А затем говоришь, что ты диджей, работаешь на радио. Поначалу это ее очень заинтересовывает, но лишь до тех пор, пока не выясняется, что ты ведешь ток-шоу. Этот жанр Хизер не слишком вдохновляет. Она любит слушать музыку, а не пустопорожнюю болтовню. Ты спрашиваешь, бывала ли она когда-нибудь в студии звукозаписи, Хизер отвечает, что нет, не бывала, и ты говоришь, что можно это устроить, если ей хочется.

Хизер в абсолютном экстазе, и пора мне вмешаться, но я не могу, я как-то совсем ошарашена. Не так я себе это представляла, совершенно не так. Я потихоньку отступаю к дому и тяну ее за собой, приборматывая, дескать, нам пора, всего наилучшего. Но вы двое — уже закадычные друзья, и вы договариваетесь, что

---

[1] «Послание» (The Message, 1982) — первая нашумевшая хип-хоп песня с остросоциальным подтекстом.

будете держать связь через меня. Через меня! Рехнуться можно.

Дома Хизер говорит только о том, как пойдет на студию, и я начинаю закипать от ярости при одной мысли, что ты сболтнул от нечего делать и, возможно, вовсе не собираешься исполнять свое обещание. Пытаюсь как-то спустить это на тормозах, обернуть шуткой и объяснить, что не стоит принимать твои слова всерьез. Дескать, вряд ли это вообще исполнимо. И мысленно добавляю, что вряд ли я это допущу.

Сегодня помимо меня на встрече присутствует ассистентка Хизер Джейми, чей зимний наряд отличается от летнего только тем, что сандалии она надевает не на босу ногу, а на толстые шерстяные носки. Еще пришла Джули — хозяйка ресторана, где работает Хизер, и Лейла — в первый раз. Что мне в ней искренне импонирует, это тактичность. Она не стала извиняться за то, что произошло у них дома, вообще не упомянула об этом. Мне нравится, что Лейла не позволяет себя втягивать в неприятные ситуации. Как бы то ни было, с ее стороны очень любезно было прийти, и я подозреваю, что ей хочется разобраться в том, что именно пошло не так на том обеде. И получше узнать Хизер.

Пока остальные обустраиваются в гостиной, мы с Хизер идем на кухню приготовить чай и сварить кофе.

— Хизер, — небрежно спрашиваю я, — почему ты пожала руку тому человеку на улице?

— Мэтту?

— Да. Что ты всполошилась, в этом нет ничего плохого. Но просто ты его не знаешь, и меня это несколько удивило. Скажи, почему ты это сделала, а?

Она задумывается.

— Потому что я видела, как ты с ним разговаривала. У тебя было очень счастливое лицо. И я подумала, что он хороший, раз тебе с ним так хорошо.

Она не перестает меня удивлять.

Я переключаюсь на поднос с чашками, а сама прикидываю, как бы мне тебя отвадить от Хизер. Но сейчас в первую очередь мне надо выкинуть тебя из головы. Эти встречи очень важны для Хизер, а равным образом и для меня.

— Ну что же, можете подавать, миз Батлер, — говорю я тоном светской дамы.

Она хихикает и берет подносик с печеньем. Мы идем в комнату, и все рассаживаются.

— Джесмин, — смущенно произносит Хизер, но быстро берет себя в руки, — я бы хотела заняться одним новым делом. — И так на меня смотрит, что сразу понятно: речь пойдет о Джонатане.

Я все время о нем от нее слышу. Сердце тут же начинает стучать как безумное. Они с Джонатаном в последнее время очень дружат. У него тоже синдром Дауна, и я знаю, что она очень им увлечена, что меня пугает, потому что я знаю, что и он питает к ней нежные чувства. Это заметно по тому, как он на нее смотрит. Я это чувствую, когда они находятся в одной комнате. И это одновременно прекрасно и опасно.

— Джонатан работает помощником преподавателя в классе тхеквондо, — поясняет она остальным. Я уже это знаю, потому что была на его занятии неделю назад в группе малышей, и Хизер не дала мне даже шепотом что-нибудь прокомментировать, так она боялась пропустить малейшее его движение. — Я хочу заниматься тхеквондо.

Джейми и Лейла очень искренне этим заинтересованы и задают Хизер множество вопросов. А я тем временем молча переживаю. Хизер тридцать четыре, она, безусловно, не самая гибкая и хорошо координированная, как, впрочем, и я уже далеко не такая, как раньше, и эти занятия меня тревожат. Однако выясняется, что, кроме меня, они ни у кого не вызывают опасений, и я соглашаюсь, что в ближайшую субботу Хизер пойдет на тхеквондо вместо уроков по лепке и рисованию, которые ей уже поднадоели за два года.

— У меня идея, — предлагает Лейла. — Если тебе не понравится тхеквондо, ну мало ли почему, то приходи ко мне на йогу. И Джонатан может заниматься вместе с тобой.

Хизер расплывается в улыбке, я тоже. Вот это мне нравится куда больше, и Хизер с Джонатаном будут под присмотром. Хизер прикидывает, куда ей воткнуть в свое и без того сверхзагруженное расписание еще и йогу с тхеквондо. Я тоже делаю пометки у себя в ежедневнике. Отлично, его пустые страницы заполняются делами... не моими, но все же.

— Переходим к следующему пункту, — весело объявляю я, и Хизер смеется.

— Мы с Джонатаном хотели бы вместе съездить в отпуск.

Воцаряется изумленная тишина, даже Джейми не находит, что сказать. Все смотрят на меня. Первая моя реакция — «нет, категорически, нет!». Но я не могу этого произнести.

— Ух ты... вот, значит, как... Ну понятно... — Отпиваю глоток чая. — А куда вы хотели бы поехать?

— В Испанию, в папин дом.

Лейла округляет глаза.

— А папа разрешил?

— Я его еще не спрашивала. Думала, сегодня, но он не смог прийти.

— Понимаешь, дом может быть занят. То есть там, возможно, сейчас кто-то живет. Лейла, дом сейчас свободен... или нет?

— Не знаю, — осторожно отвечает Лейла, которой не нравится, что я делаю ее крайней в таком важном вопросе. Либо она не уловила, что я хочу, чтобы она мягко отказала Хизер, либо уловила, но не намерена врать.

— Погодите, Хизер ведь даже еще не назвала вам даты. — Джейми не скрывает, что ей не по душе, как мы все это обсуждаем.

— Мы хотим поехать весной, — заявляет Хизер. — Джонатан говорит, что летом там слишком жарко.

— И он абсолютно прав, — подхватываю я. Господи, что же ей сказать? Я хорошо помню, как реагировал папа, когда я объявила, что хочу провести университетские каникулы с тогдашним своим бойфрендом. Н-да... — Хизер, послушай, вы ведь с Джонатаном никогда вместе никуда не ездили, верно? Понимаешь, Испания слишком далеко для первого путешествия. — Я подчеркиваю эти слова, чтобы она не подумала, будто я вообще против этой затеи. — Почему бы вам для начала не съездить куда-нибудь на выходные, дня на два, на три? Есть куча замечательных мест в самой Ирландии, где вы еще не бывали, так ведь? Сядете на поезд или на автобус и отправитесь. И путешествие, и от дома все же не очень далеко, а?

Она колеблется. Они с Джонатаном уже накопили денег на билеты и вообще сжились с идеей Испании. Нелегко отговорить ее от этого решения, действовать нужно очень мягко, не давить, но она умница, она внимательно всех нас выслушивает, как, впрочем, делает всегда.

Последние полтора месяца я вынашивала план свозить ее на остров Фота, что в заливе Корк. Там уникальный заповедник дикой природы, единственный такой в стране. И сейчас я предлагаю им съездить именно туда — ничего другого с ходу в голову не приходит. Она тут же с готовностью соглашается. Испания забыта. Джонатан любит животных. Джонатан любит ездить на поезде. Все отлично. Мне, правда, немножко грустно, ведь я хотела сама оказаться там вместе с ней и разделить ее удовольствие.

— Так, — я делаю глубокий вздох, — теперь о размещении.

Вижу, что Хизер смущает этот пункт, и беру дело в свои руки.

— Варианты следующие: или две спальни, или одна с двумя отдельными кроватями, или... — Мне нелегко это выговорить, черт подери. Джонатан с Хизер — молодые люди со своими страстями и желаниями, такими же как у всех нас, но я веду себя, как сверхзаботливая мамаша, которая вдруг узнала, что ее дочери нравятся мальчики. Перевожу дух и заставляю себя это произнести: — ...Или с одной двуспальной кроватью. Правда, мы не знаем, вдруг Джонатан из тех, кто спит по диагонали, — наигранно-весело добавляю я. — Займет всю кровать, а ты в итоге свалишься посреди ночи на пол.

Хизер смеется.

— Да, а может, он храпит, — кивает Джейми. — Вот так. — Она громко, протяжно хрюкает, и все хохочут.

— Ой, а может, у него ноги воняют. — Лейла зажимает нос в комическом ужасе.

— Ничего у Джонатана не воняет, — подбоченившись заявляет Хизер.

— Ну конечно, Джонатан та-а-кой душка! — подтруниваю я.

— Джесмин! — негодующе вопит Хизер, и мы снова хохочем.

Потом умолкаем и молча ждем ее решения.

— Раздельные спальни, — объявляет Хизер, и мы спешно переходим к другим пунктам.

Пока Джейми выстраивает маршрут, я улучаю момент и подмигиваю Хизер. Она застенчиво улыбается.

Вообще говоря, Хизер уже уезжала из дома, но это были групповые экскурсии, и с ней обычно ездила Джейми либо еще кто-нибудь из взрослых, кого я хорошо знала. А сейчас она впервые хочет поехать сама, да еще с мужчиной, и у меня трясутся поджилки, сводит кишки, в горле комок стоит, а на глаза слезы наворачиваются.

Мы обсуждаем новую проблему. Хизер говорит, что ей, конечно, очень нравятся все три ее работы, но больше всего на свете она любит музыку, а они к ней не имеют никакого отношения. И ей бы очень хотелось поработать, например, на радио или на студии звукозаписи. После чего рассказывает о сегодняшней встрече с Мэттом Маршаллом. И все восклицают «ах!» и говорят, какое это замечательное стечение обстоятельств, что она его встретила именно в тот день, когда решила вынести это на обсуждение.

— Джесмин, может быть, нам пригласить Мэтта Маршалла на нашу следующую встречу, чтобы посоветоваться с ним о возможных вариантах? — предлагает Джейми.

Хизер в восторге.

Я всегда помню, что главное на наших встречах — позитивный настрой. Поэтому говорю с максимально доступным мне воодушевлением:

— Конечно. Давайте иметь это в виду. Очень может быть. Да, разумеется. Я сначала сама поговорю с ним и постараюсь понять, что можно сделать. Надо подстроиться под него — сейчас он переживает непростой период... Так что... попробуем, почему нет.

Лейла бросает на меня недоуменный взгляд. Я рада, что мы переходим к следующему пункту нашей программы.

Встреча завершилась, они уходят. Я закрываю за ними дверь и тащусь наверх, в спальню. Как-то тяжело у меня на душе. Нет, я не завидую своей сестре, это неправильная формулировка. Понятно, мне очень хочется, чтобы у нее все было хорошо и стало еще лучше, но я знаю, что в принципе Хизер всем довольна. Сегодня я вдруг впервые осознала, что она всегда твердо понимает, чего ждет от жизни, в каком направлении движется, и к тому же у нее есть надежная команда, всегда готовая ей помочь — и делом, и советом. У нее есть четкие ориентиры. А у меня их нет. Я неожиданно отдала себе отчет в том, что абсолютно не знаю, чего хочу и к чему стремлюсь. И это осознание придавило меня, как груда кирпичей. Спроси меня сейчас кто-нибудь, о чем я мечтаю и как я намерена действовать дальше, я не смогла бы ответить.

Я как-то совсем потерялась.

ВЕСНА

Сезон между зимой и летом, в Северном полушарии длится три месяца: март, апрель и май.

То, что скручено, свернуто и сжато, может вновь обрести свой первичный облик.

Глава четырнадцатая

Всю жизнь я честно следую знакам. Когда еду по улице и вижу знак, что рядом детская площадка, сбрасываю скорость и удваиваю внимание. В Феникс-парке я ползу как черепаха, заметив знак «Олени», потому что в любой момент животное и вправду может выйти на дорогу. Знак «Стоп» — я останавливаюсь. Сигналю, если нужно сигналить. Я уважаю знаки и доверяю им. Не подвергаю их сомнению, хотя, увы, бывает, что дорожные вандалы переворачивают их в прямо противоположном направлении. Я считаю, что знаки меня охраняют, они на моей стороне. И люди, которые говорят, что верят в знаки, меня удивляют... как можно верить, например, в молоко? Молоко, оно молоко и есть. Не во что тут верить. Полагаю, что на самом деле эти люди верят все же не в знаки, а в символы.

Символ — это нечто видимое, изображающее нечто невидимое. Символ — абстракция. Голубь — птица, но это еще и символ мира. Рукопожатие — вполне себе ощутимая вещь, а при этом символ дружелюбия. Символы пробуждают ассоциации. Помогают осознать то, что не вполне очевидно. Возвращаясь после пробежки вдоль залива 1 марта, то есть в первый день весны, я вижу на редкость красивую радугу, которая упирается прямо в крышу моего дома. Это не знак. Не указание — делай то-то и то-то. Это символ. Наподобие подснежников, которые пробивались сквозь мерзлую землю уже в январе и стояли плечом к плечу, прелестные, застенчивые. Они, казалось, ничуть не гордились собой, а просто делали то, что должно. Как будто это само собой разумеется.

Или Санди О'Хара. Он пришел в мою жизнь сам, разыскал меня, потратив на это немалое количество усилий, потому что считает, что я того стою. Это тоже сродни символу. Я часто о нем думаю, и не только потому, что он красавец, а потому, что его появление символично. После нашей встречи мы еще дважды говорили по телефону, и оба раза мне не хотелось заканчивать разговор. И либо он безумно ответственно исполняет свою работу, либо ему тоже этого не хотелось. Месяц, который он дал мне на размышление, уже истек. Я очень жду нашей следующей встречи.

Радуга, подснежники, пурпурные крокусы в саду у Мэлони, Санди О'Хара — для меня все это символы. Реальные воплощения абстрактного чувства. Надежды.

День начинается с уборки. Я уже давно не наводила порядок, и дом превратился в черт-те что. У меня скопилось столько ненужного барахла, что, пожалуй, не помешала бы тачка или контейнер, чтобы его туда сгрузить. Положим, он у меня есть. Но там лежат драгоценные булыжники, привлекающие внимание всяких подозрительных личностей, которые спрашивают, не хочу ли я от них избавиться. Так что прежде чем забить контейнер ненужным барахлом из дома, мне для начала требуется освободить его от камней. Значит, камни нужно куда-то деть. И я вспоминаю твой совет насчет альпийской горки. Мне, конечно, не хочется следовать твоему совету, тем более что ты это увидишь, но в целом идея мне нравится. Обращаться за помощью к ландшафтному дизайнеру уже поздно. Когда он приехал после той кошмарной ночной бури, ожидая увидеть картину хаоса и разора, а наткнулся на вполне приличный пейзаж, я сообщила, что все доделаю сама. Сама доведу начатое до конца. Ларри, разумеется, об этом ничего не узнает, но именно его злой упрек побуждает меня это сделать.

Оставляю дом в еще большем беспорядке, чем до начала уборки, и отправляюсь в садовый центр. Я намерена обустроить свой сад. Я хочу сосредоточиться именно на нем. По дороге мне приходят две эсэмэски с предложением попить кофе. Первый импульс — согласиться. Посреди недели человек сумел выкроить для меня время, я почти автоматически готова сказать «да». Но нет, я не могу ни с кем встречаться. Я ЗАНЯТА. У меня есть дела. Целая прорва неотложных дел. И на вторую эсэмэску я отвечаю уже без промедлений: «К сожалению, не могу. Очень много дел». Приятное чувство.

День сегодня идеальный для работы в саду. Сухо, тепло.

Однако мне понадобится большой красивый валун, я положу его в центре своей альпийской горки. Заказываю его, и через некоторое время любезный молодой человек из садового центра подъезжает к дому с небольшим прицепом. Выгружает его и потом разглядывает мои собственные камни.

— Да, было бы глупо не воспользоваться ими, — кивает он.

Мы стоим как два полководца, уперев руки в боки, и изучаем поле будущего сражения.

— Можно выложить их наподобие ступенек. — Он кивает на сад Мэлони. — Вот как у ваших соседей.

Да, у них все очень красиво сделано. Аккуратно и со вкусом. Мои булыжники Эдди раздолбал без всякого пиетета, но, пожалуй, это и к лучшему. Получится даже естественнее. Водрузив валун куда следует, любезный сотрудник садового центра уезжает, а я принимаюсь за работу. Для начала все тщательно промериваю. Намечаю, где будет тропинка. Вырезаю ненужную траву и выкладываю булыжником получившуюся канавку. Каждый камень тщательно вбиваю в землю твердым резиновым молотком. Это небыстрое, всепоглощающее занятие.

В шесть часов уже темно, я вся потная, голодная, уставшая — и довольная, как никогда в жизни. Я так увлеклась, что совсем потеряла счет времени, только несколько раз прерывалась, чтобы переброситься парой слов с мистером Мэлони — он подрезал розовые кусты и сетовал, что надо было бы сделать это в январе или в феврале, но куда там, Эльза совсем была слаба.

Рухнув вечером в кровать на свежепостеленные чистые простыни (с запахом «летнего бриза»), я понимаю, что за целый день ни разу не вспомнила о своих текущих проблемах. Мой ум был нацелен на решение иных задач. Может, это генетическая память, навык, унаследованный от дедушки или от совсем далеких ирландских предков, живших на земле, которая их кормила? И эта потребность, так долго дремавшая где-то в глубине, наконец проснулась? Как бы то ни было, я чувствую себя обновленной. Я вышла в сад напряженная и раздерганная, а, едва начав работать, успокоилась и ощутила умиротворение.

Когда мне было семь лет, мама подарила мне первый в моей жизни велосипед. Он был цвета пурпурного вереска, с плетеной красной корзинкой и звоночком, с которым я играла, даже когда сидела на траве, а велик лежал рядом. Мне нравился его голос, нравилось с ним болтать. Я о чем-нибудь его спрашивала, а он тренькал «бзи-и-инь» мне в ответ. Целыми днями я колесила по окрестным улицам, съезжала с тротуара на мостовую и обратно, то быстрее, то медленнее, выписывая сложные замысловатые па, как фигуристка на соревнованиях, и все на меня смотрели, и судьи поднимали оценки, и все восторгались. Я гуляла до позднего вечера, проглатывала обед так быстро, что мама только изумленно поднимала брови, и мчалась обратно на улицу к своему ненаглядному товарищу. Ночью я плакала, оставляя его во дворе. Смотрела, как он стоит, один-одинешенек, и ждет меня, готовый к новым приключениям. Сейчас я снова ощутила себя ребенком — когда смотрела из окна в сад и продумывала, как все там сделаю, до мельчайших подробностей, до последней травиночки.

Мне снится чудесный сон про Санди О'Хару. Он с благоговением составляет список моих достижений в саду. Только это уже не мой сад, а Пауэрскорт-гарденз в Уиклоу. Я небрежно пожимаю плечами на его восторги, говорю ему, что я подснежник, а подснежникам это раз плюнуть, обычное дело, мы крепкие, мы крушим преграды, как сжатая в кулак рука, добывая себе победу. Постепенно мы переходим к более пикантным темам, но тут в мой сон врывается «Город-рай», орет на всю мощь из громкоговорителя, установленного на крыше вагончика, где живет смотритель парка — таким образом он оповещает посетителей, что парк закрывается. И Санди понимает, что я не та, за кого себя выдаю, и сады, которые я ему показывала, вовсе не мои, а я врунья и обманщица. Тут смотритель высовывается из окна — это ты. Смотришь на меня и улыбаешься, все шире, шире, потом начинаешь хохотать, очень громко, нестерпимо. Я резко просыпаюсь — играет «Город-рай». Закрываю глаза в надежде снова вернуться в свой сон, к Санди, к тому, что между нами было еще до того, как заорал громкоговоритель. Но, заснув, я попадаю в другой сон, где Кевин сидит на траве и плетет венок из маргариток. Все вокруг одеты в черное, он разговаривает и ведет себя так, словно ему опять десять лет, хотя выглядит, как когда мы встречались в «Старбаксе», и, когда он надевает мне на руку венок, оказывается, что он из роз, и шипы царапают мне запястье.

Просыпаюсь и слышу голоса с улицы. Вылезаю, путаясь в простынях, из кровати и подхожу к окну. Ты сидишь у себя в саду вместе с доктором Джеймсоном. Стол совсем покосился и сильно потрескался. Его надо чинить — почему-то это первое, что приходит мне в голову в десять минут четвертого утра. Доктор сидит лицом к моему дому, а ты во главе стола, как обычно. На столе батарея пивных банок, ты пьешь, высоко запрокинув голову и вытряхивая в себя все до последней капли. Покончив с банкой, запускаешь ее в дерево. Промахиваешься. Немедленно хватаешь другую и швыряешь в бедное дерево. Цель поражена, а банка трескается и оттуда бьет пена.

Доктор Джеймсон умолкает, смотрит, куда она приземлилась, и продолжает разговор. Я в растерянности. Может, он потерял свой ключ от твоего дома и вы двое стесняетесь меня будить, чтобы попросить мой дубликат? Нет, это крайне маловероятно. Ты рыгаешь так громко, что звук эхом отдается от стены. Мне не слышно, что говорит доктор Джеймсон, а жаль. Возвращаюсь в кровать и засыпаю под его негромкое умиротворяющее бормотание.

На сей раз мне снится дедушка Адальберт. Я знаю, что я взрослая, но в то же время чувствую себя маленькой девочкой. Мы у него на заднем дворе, он показывает мне, как сажать семена. Под его заботливым взглядом я сажаю подсолнухи, присыпаю лунки землей и поливаю их из лейки. Он говорит со мной как с ребенком. Показывает, что подрезал зимний жасмин, объясняет, что это надо делать, когда тот совсем засох. Потому что тогда на этом месте вырастут новые побеги, множество молодых, сильных веточек. «Будет многопремного цветов, вот так-то, Джесмин», — говорит он, деловито удобряя почву. «Это не знак, дедушка, — говорю я детским голосом, потому что мне не хочется, чтобы он знал, что я уже выросла, ведь тогда он поймет, что уже давным-давно умер. И ему станет грустно. — И он не покажет мне, в какую сторону надо идти». Но дедушка ничего не отвечает и молча продолжает трудиться. Потом распрямляется и спрашивает: «Так ли это?» Будто я болтаю ерунду, будто это детский бессмысленный лепет. «Так, дедушка. Сухие ветки срезаны, но жасмин готов распуститься вновь. На этом месте будут новые цветы. Это не знак. Это символ». Он оборачивается ко мне, и, хотя я знаю, что это сон, я вижу, что дедушка настоящий, это именно он. Дедушка прищуривается, и все его морщинистое лицо озаряет сердечная улыбка. «Узнаю свою Джесмин», — говорит он.

Просыпаюсь и чувствую, как по щеке бежит слезинка.

Глава пятнадцатая

Сегодня суббота, и, едва я открываю глаза — спальня залита теплым солнечным светом, — мне хочется выпрыгнуть из кровати и немедленно бежать в сад, как ребенку, который жаждет поскорее выйти гулять на улицу, где его ждут друзья. В моем случае друзья — это тяжелые булыжники и квадратики садовой плитки.

Пока я изучаю свои камни, подъезжает Эми. Дети неохотно выходят из машины и медленно идут к дому. Открывается входная дверь, но прежде, чем ты успеваешь дойти до дороги, чтобы поздороваться с ней, машина трогается с места. Ты смотришь ей вслед. Плохо дело. Младшие обнимают тебя, а Финн молча проходит мимо, нарочито шаркая и еле передвигая худыми ногами в приспущенных портках.

Тишина. Это приятно, но длится недолго. Мистер Мэлони выходит в свой сад и принимается мести дорожки.

— Их нельзя мыть из шланга, — говорит он, заметив, что я за ним наблюдаю. Наклоняется и что-то скребет щеткой. — Они от этого портятся. Мне нужно все прибрать к приезду Эльзы. Она завтра возвращается домой.

— Как замечательно, Джимми.

— Все не то, — бормочет он, распрямляется и идет ко мне. Мы встречаемся на границе, там, где кончаются его кусты и трава и стоит моя машина.

— Без нее?

— И с ней, и без нее. Она уже не та. Инсульт, знаете, это… — Он кивает, как будто слушает сам себя и соглашается с тем, как мысленно закончил фразу. — Она уже не та. Но Марджори все равно будет очень рада. Я там в доме тоже прибрался, только не знаю, заметит ли она.

С тех пор как доктор Джеймсон вернулся с отдыха, Марджори уже не на моем попечении, но, сколько я успела заметить, мистер Мэлони не очень хорошо справлялся без жены. В кухонной раковине громоздилась гора грязной посуды, из холодильника попахивало. Мне не хотелось вторгаться в чужой быт, но посуду я все же помыла и выбросила из холодильника протухшие овощи. Он так привык, что о нем заботятся, что не обратил на это внимания, ну или, во всяком случае, ничего не стал говорить. Честно говоря, я сомневаюсь, что доктор Джеймсон, несмотря на свою вовлеченность в жизнь соседей, станет мыть грязные тарелки. Так далеко, надо полагать, его обязательность не простирается. Хотя… если вспомнить, что он сидел с тобой в саду до половины четвертого утра… И о чем вы только беседовали — ты, пьяный в стельку, и он, в пуховике и с летним загаром, — ума не приложу.

Я почтительно молчу, понимая, что мистер Мэлони и не ждет ответа. Потом спрашиваю:

— Джимми, а когда лучше сажать деревья?

Он мгновенно оживляется.

— Когда сажать, говорите?

Я киваю и тут же начинаю жалеть, что спросила. Теперь придется выслушать подробную лекцию.

— Вчера, — говорит он и хмыкает, но глаза по-прежнему грустные. — Надо было это делать вчера, как и все остальное. Но если не вышло, то сейчас. — И возвращается к своим дорожкам.

У тебя в доме открывается входная дверь, и выходит Финн. Он весь в черном, капюшон закрывает бóльшую часть лица, однако смешные детские веснушки оживляют общее мрачное впечатление. Идет прямиком ко мне.

— Папа сказал, чтоб я вам помог.

— О-о. — Не могу сообразить, что сказать. — Я, мм, мне не нужно помогать. Я сама справляюсь. Но все равно спасибо.

Мне нравится работать одной, в тишине и покое. Не хочу отвлекаться, что-то обсуждать и объяснять свои замыслы. Я уж лучше сама все сделаю.

Он с тоской смотрит на мои булыжники.

— Они, похоже, тяжелые.

Да, они тяжелые. Напоминаю себе, что мне не нужна ничья помощь, я вообще никогда не прошу мне помочь никого. Предпочитаю обходиться своими силами.

— Я не хочу идти обратно. — Он произносит это так тихо, что я не уверена, не почудилось ли мне.

Ну и как я могу ему отказать после этого?

— Давай начнем вот с этих камней. Я хочу положить их сюда.

Заполучив в помощники Финна, я все делаю быстрее: и шевелюсь, и принимаю решения. Поначалу не могу найти верный тон и стараюсь говорить шутливо, остроумно, «по-молодежному». Но постепенно понимаю по его коротким односложным ответам, что он еще меньше моего расположен болтать. И мы работаем молча, начав с подножия склона, лишь изредка переговариваясь по делу: это направо, это лучше перевернуть другим боком, и тому подобное. Через некоторое время он уже сам предлагает, что где положить.

Наконец мы отступаем в сторонку, взмокшие и запыхавшиеся, и озираем свое творение. Нам все нравится, даже очень нравится. Укрепляем камни, поглубже загоняя некоторые в землю. Смешиваем компост с крупным песком и прокладываем щели, чтобы было еще надежнее. Начинаем следующий уровень, оставляя места, куда можно будет посадить цветы. Периодически отходим назад и смотрим, что получается, с разных углов зрения.

— А когда там вырастут всякие кустики-цветочки, совсем хорошо будет, — с надеждой заявляю я.

— Угу, — нейтрально мычит он. Не поймешь, то ли одобряет, то ли ему вообще плевать.

— Еще думаю, не сделать ли фонтанчик.

Я проверила в Интернете и очень обрадовалась, убедившись, что в этом нет ничего невозможного. Судя по видеоинструкции, за восемь часов можно справиться. И что особенно радует, моя садовая плитка как раз для этого сгодится.

Молча озираем сад в поисках подходящего места.

— Вон там можно.

— Нет, по-моему, лучше здесь.

Он задумывается, потом спрашивает:

— А где у вас электрический щит? Понимаете, ведь надо будет куда-то подключить насос.

Я показываю, где щит, и Финн решительно констатирует:

— Тогда делаем здесь. Так будет удобнее всего.

— Угу, — говорю я, точь-в-точь как он. Я не дразнюсь, так правда куда проще общаться. — Знаешь, я хочу обложить трубу камнями, вот так, смотри. — Кладу плиточки одну на другую. — А вода будет стекать из центрального отверстия.

— Типа как взрываться?

— Типа как... журчать.

Он кивает, но это его явно не впечатлило.

— Сейчас будем делать?

— Завтра.

Финн, похоже, разочарован, хотя трудно судить наверняка, он слишком скуп на эмоции, и в основном это нечто среднее между безразличием и печалью. Я не приглашаю его прийти завтра. Ничего не имею против его компании, но все же одной мне приятнее, в особенности когда я сама толком не знаю, что надо делать. В такой ситуации меня не радует необходимость что-то объяснять и обсуждать. Впрочем, с Финном можно не опасаться долгих обсуждений.

— Вы всю плитку используете?

— Половину.

— Можно мне взять остальное?

— Для чего?

Он пожимает плечами, но явно что-то замыслил. Я молчу.

— Чтобы разбить.

— О!

— Можно я это тоже возьму? — Он показывает на резиновый молоток.

В глазах у него светится надежда.

— Ну ладно, — неуверенно соглашаюсь я.

Он укладывает плитки в садовую тачку и катит ее через дорогу, к твоему столу. Возвращается за следующей порцией, снова тащит к столу. В этот момент ты выходишь посмотреть, что он делает. На самом деле ты даже его об этом спрашиваешь, но он ничего не отвечает, а направляется ко мне в очередной рейс. Ты наблюдаешь за ним, потом идешь следом.

— Привет, — здороваешься ты, не вынимая руки из задних карманов джинсов. Изучаешь нашу горку. — Здорово.

— Спасибо. О черт! — Я вдруг вижу, как из-за угла на нашу улицу выходит Кевин. — Меня здесь нет! — Я бросаю инструменты и мчусь в дом.

— Что?

— Меня здесь нет, — повторяю я, указывая на Кевина, и захлопываю дверь. Но оставляю щелочку, чтобы услышать, зачем он приперся.

Кевин неторопливо идет по улице.

— Привет, — говорит он вам с Финном, который очень аккуратно кладет в тачку садовую плитку вопреки своему намерению ее расколотить.

— Привет, — отвечаешь ты, и я слышу знакомые диджейские интонации, как будто ты включил «студийный голос», общаясь с незнакомым человеком. Я подхожу к боковому окну и тихонько выглядываю на улицу. Кевин выглядит очень благообразно, спина прямая, темные джинсы, плащ. Чистенький, аккуратненький, скромненький.

— А Джесмин нет дома, — сообщаешь ты.

— Вот как. — Кевин смотрит на дом, и я резко отшатываюсь от окна. — Как досадно. Но вы уверены? А то вон… дверь у нее открыта.

На секунду я пугаюсь, что он собирается войти и поискать меня, как раньше, когда мы играли в прятки, и мне абсолютно не хотелось, чтобы он меня находил. По правилам, тот, кто тебя нашел, присоединяется к тебе, вы уже вдвоем ждете следующего, пока все не соберутся в одном месте. Кевин почти всегда умудрялся находить меня первым и старался прижаться как можно теснее, так что я слышала, как бьется его сердце и чувствовала на затылке горячее дыхание. Он нервировал меня с самого детства.

Ты молчишь. Удивительно, тебе что, трудно соврать? Никаких доказательств, что ты лгун, у меня нет, но я так привыкла плохо о тебе думать, что была уверена — уж что-что, а врать ты мастер. Меня выручает Финн.

— Она для нас оставила. Мы ее садовники. — Он говорит равнодушно, без тени интереса, и поэтому получается очень правдоподобно. Ты смотришь на сына с восхищением.

— Обидно. Ну что ж, попробую еще раз позвонить ей на мобильный, — с этими словами Кевин разворачивается и собирается уйти. — На всякий случай, если я не дозвонюсь до нее, передайте, что Кевин заходил. Кевин, — повторяет он.

— Хорошо, я запомню. Кевин. — Ты явно смущен всем происходящим.

— Конечно, Кейран, — подтверждает Финн, выкатывая тачку на дорогу.

— Нет, Кевин, — хмыкает он вполне юмористично, но слегка озабоченно.

— Я запомнил, — говоришь ты, и Кевин медленно бредет туда, откуда пришел. Пару раз он оглядывается, как будто хочет убедиться, что я вдруг не выпрыгну из окна. Но даже когда он окончательно скрывается из виду, я все равно не чувствую себя в безопасности.

— Он ушел, — говоришь ты и стучишь в дверь.

Я потихоньку выскальзываю наружу, но стараюсь держаться так, чтобы твоя широкая спина в случае чего меня прикрывала.

— Спасибо.

— Бойфренд?

— О боги, нет. Но хотел бы этого.

— А вы нет.

— Нет.

— Похоже, славный парень.

Только дружеского трепа по душам нам еще не хватало. Меньше всего на свете я хочу обсуждать с тобой свою личную жизнь. Или ее отсутствие.

— Он мой двоюродный брат, — выпаливаю я в надежде, что это положит конец теме Кевина.

Ты делаешь круглые глаза.

— Ничего себе.

— Он приемный.

— А-а.

— И все равно.

Молчим.

— У меня есть кузина, Эйлин, — неожиданно сообщаешь ты. — Сиськи у нее огромные и всегда такие были, сколько я помню. Стоит мне о ней подумать, сразу только их и вижу… — Ты вытаскиваешь руки из карманов и делаешь вид, будто держишь у груди два здоровенных арбуза. — Я всегда был от нее без ума. Мы ее звали Крошки Сиськи, потому что, когда она ела, туда вечно все падало. И лежало, как на полке.

Мы болтаем, стоя спиной к дому, и смотрим не друг на друга, а на Финна.

— Сейчас у нее уже четверо детей. И они переместились пониже, примерно вот так, — ты опускаешь руки с воображаемыми арбузами чуть не до пояса. — Но скажи она мне завтра, что ее удочерили... я бы, знаете ли...

— Мэтт, — фыркаю я.

Ты делаешь невинное лицо. Я качаю головой. Уж не знаю, правда все это или нет, но ясно, что ты нарочно меня подкалываешь. Нет, я на это не поведусь.

— У вашей сестры...

— Синдром Дауна, — предвосхищаю я твой вопрос. И скрещиваю руки на груди, готовая к бою. Я всегда наготове: что ты сказал насчет моей сестры? Почти все мои драки случались по этому поводу, когда я была маленькая. Есть вещи, которые не меняются.

Тебя ошеломляет моя реакция, и я опускаю руки.

— Я хотел сказать, что у вашей сестры потрясающие познания в музыке.

Подозрительно прищуриваюсь и внимательно на тебя смотрю. Нет, ты искренен.

— Э... да. Это правда.

— Она, кажется, знает даже побольше моего.

— Ну, это несложно.

Ты улыбаешься.

— Я договорился насчет экскурсии, на следующей неделе. Ее всюду проведут, все покажут. Как думаете, ей это будет интересно? Мне кажется, что да, — я уже приводил к нам на станцию разных людей, но именно ей, по-моему, это должно быть очень любопытно. Вы как считаете?

Я так изумлена, что способна только торопливо кивнуть.

— Ну и хорошо. Надеюсь, вы не обидитесь, но я хочу спросить: как нам лучше это организовать? Мне за ней заехать или вы ее привезете? Или она сама доберется?

Я продолжаю глупо на тебя таращиться в немом изумлении. Я не узнаю тебя. У меня в голове не укладывается, что ты все это устроил и еще беспокоишься обо всяких мелочах. Уму непостижимо.

— Вы договорились, что ей проведут экскурсию?

Ты растерян.

— Но я же обещал. А что? Что-то не так? Мне отменить ее?

— Нет-нет, — быстро отвечаю я. — Она будет в восторге. — С трудом подыскиваю нужные слова. И по привычке занимаю оборону: — А приехать она может сама, на автобусе. Она прекрасно с этим справляется.

— Хорошо. — Ты внимательно на меня смотришь, и это меня раздражает.

— Но могу и я ее привезти. Если это нормально.

— Конечно. — Ты улыбаешься. — Вы заботливая старшая сестра.

— Младшая.

Ты удивленно сдвигаешь брови.

— Она меня старше.

Ты саркастически хмыкаешь:

— Да, это же очевидно. Она и ведет себя как взрослый человек.

Я чувствую, что губы сами растягиваются в улыбке, но стараюсь сдержаться. Отворачиваюсь поглядеть, как там Финн. Ты тоже.

Он как раз взял в руки молоток.

— Вы на самом деле не против, что он это делает? — спрашиваешь ты.

— А вы?

— Это не моя плитка.

— Ему в глаз может залететь осколок.

Молчим.

— Может порезать ему руку. Перебить артерию.

Ты идешь через дорогу.

Не знаю, что ты ему говоришь, но толку от этого мало. Ты не успеваешь закончить и первую фразу, как Финн со всего размаху обрушивает молоток на мою драгоценную плитку. Ты отскакиваешь в сторонку, чтобы увернуться от осколков.

Двадцать минут кряду Финн с остервенением крошит все, что свалил на твой стол. Он весь красный, лицо перекошено от гнева. Твоя дочка, светловолосый ангелочек, которая всегда пританцовывает на ходу, наблюдает за братом из джипа, куда ты разрешил ей забраться. И обзор хороший, и безопасно. Сам ты стоишь на крыльце, скрестив руки, и вид у тебя не столько встревоженный, сколько заинтересованный. Наконец дело сделано, Финн изучает результат и медленно, расслабленно опускает руки. Потом оглядывается и впервые замечает, что вокруг собралось некоторое количество зрителей.

Встряхивает головой, точно понемногу приходит в себя. Снова напрягается, натягивает капюшон — черепаха спряталась в свой панцирь. Бросает молоток в тачку и катит ее ко мне.

— Спасибо, — бурчит он, разворачивается и шаркает к дому, опустив голову, проходит мимо тебя и исчезает внутри. Мне слышно, как хлопает дверь.

И я думаю о том, что надо позвонить папе.

Надо. Но я не позвоню. За время своего «садового отпуска» я поняла, что моя дверь захлопнулась много лет назад, даже не помню уже, когда именно. И когда захлопнулась, не помню, и когда я это осознала, тоже, — но сейчас мне ясно, что я еще не готова выйти из своей комнаты.

Глава шестнадцатая

Просыпаюсь посреди ночи. Слышу знакомые голоса. Ветер, как посыльный, доносит до меня негромкий разговор, который ты ведешь в саду с доктором Джеймсоном. Понимаю, что больше не усну. А ведь я так вымоталась за день, до полного изнеможения. У меня все тело ноет и отдает болью при каждом движении. Но это приятная боль. Вот если целый день просидеть за компом, то потом голова трещит, глаза красные и будто песком присыпанные, и дико тянет правое плечо — от неправильной, кривой позы. И даже после тренировок, особенно если был долгий перерыв, тоже болит по-другому. А сейчас ощущения совершенно новые, я получаю от них удовольствие, чтобы не сказать — ловлю кайф. Да, я устала, но голова абсолютно ясная. Я исполнена воодушевления, меня как будто накачали свежими силами, и душа ожила, подпитанная энергией земли. Но вот чего я никак не могу понять, это почему доктор Джеймсон снова сидит с тобой на улице в час ночи.

Что за неотложные проблемы, которые нельзя обсудить при свете дня? Мне также непонятно, что вообще может быть общего между вами? На нашей улице вы с ним наименее подходящие кандидатуры для таких посиделок. Даже менее чем мы с тобой, а это о чем-то говорит. Впрочем, ты ведь типичный «нарушитель спокойствия» — бьешь уличные фонари, крушишь свой гараж, а доктор, наоборот, местный «страж порядка», может быть, он, видя в тебе потенциальную угрозу для соседей, пытается как-то тебя урезонить.

Откидываю одеяло и вылезаю из кровати. Ты меня достал.

Надеваю угги и короткую дубленку, наливаю в термос горячего чаю. Иду к вам, захватив с собой пару кружек.

— О, а вот и она, — провозглашает доктор Джеймсон, как будто вы как раз обо мне говорили.

Окидываешь меня мутным взглядом. Ты, как обычно, пьян.

— Ну а я что говорил: она жить без меня не может, — холодно, но вяло замечаешь ты.

— Здрасте, доктор Джеймсон. Чаю?

— Да, спасибо. — Глаза у него усталые, вторую ночь подряд ведь сидит допоздна.

Тебе я даже не предлагаю. Ты держишь стакан с виски, бутылка на столе наполовину пуста. Не знаю, сколько ты уже выпил. Из этой, во всяком случае, не меньше трех стаканов. В воздухе отчетливо пахнет виски, хотя, может, это не от тебя, а из открытой бутылки. Как-то ты сегодня пораженчески настроен, подрастерял свой боевой

дух. Даже язвишь на мой счет без энтузиазма, скорее по привычке.

— Симпатичная душевзгрейка, — хмыкаешь ты.

— Это не душевзгрейка, а дубленка.

Прежде чем сесть, смахиваю со стула осколки битой плитки. Они валяются повсюду, хотя Финн вчера вечером здесь подмел. Но, судя по тому, как они скрипят под ногами, он не особо утруждался.

Устраиваюсь напротив тебя по другую сторону стола. Наливаю себе чай и обхватываю кружку ладонями, чтобы согреться.

— Ну вот, теперь все участники безумного чаепития в сборе, — говоришь ты. — Будем вместе убивать время? Или пусть живет?

— Боюсь, наш друг, как обычно, пытается завести публику, — с заговорщицкой улыбкой отмечает доктор Джеймсон. — Не стоит обращать внимание, хоть он и мастер в этом деле.

— За это мне и платят, — изрекаешь ты.

— Уже нет, — бросаю на тебя взгляд поверх своей кружки.

Похоже, я нарываюсь на скандал. На самом деле я просто стараюсь говорить в том же тоне, что и ты, но получается не очень хорошо. Лицо у тебя каменеет, и я понимаю, что крепко тебя задела. Вот и отлично.

Улыбаюсь. Получи, голубчик.

— Что такое, Мэтт? Боб не собирается вас возвращать? А вы ведь всегда были вот так, — сплетаю пальцы, как это делал ты.

— У Боба случился сердечный приступ, — мрачно отвечаешь ты. — Он в больнице, на аппарате искусственного дыхания. Мы не думаем, что он выкарабкается.

Я в ужасе. Улыбка сползает с губ.

— О! Господи, Мэтт... Мне очень жаль, — заикаясь, бормочу извинения. Чувствую себя последней свиньей.

— Боба уволили, — говорит доктор Джеймсон. — Мэтт, прошу вас.

Ты издаешь хриплый смешок, но видно, что тебе не весело. Скотина, как же ты меня бесишь.

— Опять настроение скакнуло? Доктор Джей, эту женщину мотает, как стриптизершу у шеста.

— Все-все, — предостерегает доктор.

Да, настроение у меня скачет то вверх, то вниз, не поспоришь. И сейчас оно опять на подъеме.

— Значит, вашего приятеля уволили, — насмешливо говорю я, прихлебывая чай. — И теперь рассмотрение вашего дела уже не такая «сугубая формальность»?

— Да, не такая. — Ты мрачно на меня смотришь.

— Если, конечно, они не возьмут на его место другого вашего закадычного друга. Который тоже будет потакать вашим экстремальным выходкам.

Ты угрожающе прищуриваешься и залпом допиваешь свой виски. Я игнорирую знаки, мне на них сейчас наплевать. Я чувствую, что ты на грани, и мне хочется тебя подтолкнуть. Если ты сорвешься, я буду очень довольна.

— Ой-ой, — саркастически продолжаю я, догадавшись, что произошло. — Они взяли кого-то, кто вас не любит. Кошмар. Интересно, где они его нашли.

— Точнее, не его, а ее, — поправляет доктор Джеймсон. — Это Оливия Фрай. Она из Англии. Работала на очень популярной радиостанции, как я понимаю.

— Жуткой радиостанции. — Ты трешь лицо ладонями. Стресс, ясное дело.

— Не поклонница?

— Нет. — Еще один мрачный взгляд.

Глоточек чая. Молчание.

— Не стоит так огорчаться, Джесмин.

Я поднимаю руки:

— Знаешь, Мэтт, я странным образом понимаю, почему ты думаешь, что твоя передача была полезна...

Ты пытаешься меня перебить.

— Погоди-погоди. — Мне приходится повысить голос, чтобы тебя перекричать.

Доктор Джеймсон шикает на нас обоих:

— Соседи спят!

Я продолжаю уже тише, но с напором:

— А как насчет Нового года? И той бабы в студии? Эта хрень зачем понадобилась?

Наступает тишина. Доктор переводит взгляд с меня на тебя и обратно. Я вижу, ему любопытно, скажешь ли ты правду.

— Я был вконец измотан, — наконец отвечаешь ты, не оправдываясь, а просто констатируя факт. — Перед шоу принял успокоительное и запил его виски. Это была ошибка.

— Вне всяких сомнений, — сердито качает головой доктор, который уже знает эту историю. — Это сильное лекарство, Мэтт. Какой виски?! Их нельзя смешивать. И откровенно говоря, лучше бы тебе не принимать эти таблетки вовсе.

— Раньше я уже так делал, и все было отлично, беда в том, что накануне я пил снотворное, и в целом коктейль вышел неудачный.

Доктор Джеймсон в ужасе всплескивает руками.

— Значит, ты признаешь, что предновогоднее шоу было ошибкой? — Я упрямо гну свою линию.

Ты наклоняешь голову набок, задираешь бровь и молча на меня смотришь. Поняв, что ты не готов произнести это вслух, поворачиваюсь к доктору:

— Как вы съездили отдохнуть?

— О, хорошо... Было приятно повидать детей и...

— Все две недели шел дождь, и доктора Джея припахали в качестве няньки. Он сидел с детьми, а эти двое ходили по гостям.

— Ну не так уж все было печально.

— Док, вы посоветовали мне честно взглянуть на факты и называть вещи своими именами. Вот и называйте. Они вас использовали.

Доктор Джеймсон грустно усмехается.

А меня зацепило другое. Ты сказал: вы посоветовали мне честно взглянуть на факты. Это объясняет ваши ночные бдения с добрым доктором. Не думала я, что вы этим занимаетесь в саду среди ночи.

— Жаль слышать это, — говорю я доктору Джеймсону.

— Я думал, что проведу с ними Рождество… надеялся, что мы все вместе… но, видите, не вышло. И теперь уж вряд ли когда получится.

— Последние пятнадцать лет доктор встречает Рождество один.

– Чуть меньше, — поправляет доктор Джеймсон. — Впрочем, не важно.

Мы умолкаем, и каждый погружается в свои мысли.

— Вы замечательно обустроили свой сад, — улыбается доктор Джеймсон.

— Спасибо, — с гордостью отвечаю я.

— У нее «садовый отпуск», — вставляешь ты. Смеешься, закашливаешься, и слово «уволена» запиваешь глотком виски.

Меня охватывает злость.

— Финн помог мне с альпийской горкой. Хотел смыться из дома от своего папочки.

Доктора Джеймсона забавляет наша пикировка. Меня нет.

— Ему пятнадцать. В этом возрасте никому неохота сидеть с родителями, — парируешь ты.

Согласна.

— И потом им здесь совсем нечем заняться. Сидят целыми днями все трое, уткнувшись в свои айпады.

— Ну так займись чем-нибудь с ними вместе, — советую я. — Придумай что-то. Финну нравится работать руками. — Тыкаю пальцем в стол. — Вот, например, его можно отдраить и отполировать. Полезное дело, между прочим. Ты мог бы тоже поучаствовать. Глядишь, и пообщались бы. — Язвительно фыркаю.

Снова молчим.

— Этот отпуск, — спрашивает доктор Джеймсон, — он у вас надолго?

— На год.

— А чем вы занимались?

— Была соучредителем компании «Фабрика идей». Мы приходили со своими идеями и внедряли их по разработанной нами стратегии в другие компании.

— Консалтинг? — спрашиваешь ты.

— Нет. — Я отрицательно качаю головой.

— Значит, реклама?

— Нет-нет, — возражаю я.

— Ну, тогда непонятно, что же именно…

— Непонятно, Мэтт, зачем орать об этом на всю улицу, — обрываю его на полуслове.

— Ой-ой-ой, — насмешливо поешь ты, понимая, что сумел наступить мне на больную мозоль. И я как дура тебе подставилась. — Понимаете, доктор Джей, я ее чем-то вывел из себя. Когда-то… — поясняешь ты.

— Почему же когда-то? А может, все, что ты говоришь, меня выводит из себя.

Нет, теперь это уже не так. Ты меня утешал и поддерживал. Зря я это сказала.

Смотрю через дорогу на свой сад, он — единственное, что способно заставить меня забыть вообще обо всем, единственное, что может отвлечь меня от этого разговора и не дать мне сказать слова, о которых я потом буду жалеть. Пока что тебе удается сохранять юмористический тон, но я знаю, что, если и дальше буду тебя дергать за больное, ты можешь не удержаться и ответить мне тем же.

— И что вы будете делать? — спрашивает доктор Джеймсон. Приходится приложить усилие, чтобы вернуться к разговору и ответить ему:

— Думаю, надо сделать небольшой фонтанчик.

— Я имел в виду не…

— Она знает, что вы имели в виду. — Ты задумчиво меня разглядываешь.

— Доктор Джей, а та пара, что живет по соседству… — Я вдруг понимаю, что обращаюсь к нему, как ты.

— Ленноны, — напоминает он.

— Да, Ленноны. Вчера я видела, как они ходили из дома в дом. Зачем?

— Звали соседей вступить в тайное общество по обмену секс-партнерами, — встреваешь ты. — Прямо у нас под носом, бесстыдники.

Я демонстративно тебя игнорирую.

— По-моему, я ей нравлюсь, а, док?

— Детский сад.

— Ты заводишься с полоборота, невозможно удержаться.

— Нет. Это только с тобой.

— Ленноны заходили попрощаться, — спокойно поясняет доктор Джеймсон, как будто не слышит нашу перепалку. — Они решили сдать дом и поехать в круиз на несколько месяцев. После того что случилось с Эльзой Мэлони, они сочли, что надо жить, пока есть возможность.

— И кто его снял?

— Твой двоюродный братец, — хмыкаешь ты.

— Правда? А я слышала, что твоя жена.

— Какой-то топ-менеджер. Холостяк. Компании сейчас платят своим управляющим баснословные деньги, как мы знаем. Он переедет сюда на следующей неделе. Я видел его, он приезжал посмотреть дом. Молодой парень.

Ты издаешь идиотское причмокивание, как будто тебе лет пятнадцать.

— Лови момент, Джесмин, — нахально подмигиваешь. — Время-то бежит. И ты не молодеешь. Тик-так, тик-так, пора заняться изготовлением деток.

Тебе опять удалось меня разозлить. Да, в умении нащупывать у людей слабые места тебе не откажешь.

— Я не хочу детей. — Знаю, что не надо на тебя реагировать, но не могу доставить тебе удовольствие считать себя победителем. — И никогда не хотела.

— Вот как? — с интересом спрашиваешь ты.

— Это в высшей степени неправильно, — заявляет доктор Джеймсон, и мне хочется встать и немедленно уйти от этих двух мужчин, которые вдруг с чего-то взяли, будто это их дело — решать, как мне распоряжаться собой. — Я видел, что взрослые женщины потом жалели о таком решении. Вам стоит как следует об этом подумать. — Он так на меня смотрит, точно я в запальчивости сболтнула невесть что.

Но я действительно всегда знала, что не хочу иметь детей. С тех пор как сама была ребенком.

— В любом случае нет смысла сейчас жалеть о том, о чем я, возможно, не пожалею позже. — Я всегда так отвечаю тем, кто использует аргумент доктора Джеймсона. — Поэтому не буду менять свое решение, покуда оно представляется мне верным.

Ты пристально на меня смотришь, но я избегаю твоего взгляда.

— А с тобой Ленноны попрощались?

Ты отрицательно мотаешь головой.

— Почему же они не попрощались с нами? — говорю я, ни к кому конкретно не обращаясь. — Мы с тобой были у меня в саду, когда они заходили ко всем подряд. И прошли мимо нас.

Ты фыркаешь и вертишь в стакане виски. С тех пор как я к вам присоединилась, ты почти ничего не выпил, и это хорошо, учитывая, что дома у тебя трое детей. Которые раз в неделю приезжают пообщаться с отцом, а он ночью пьянствует на улице.

— С чего бы им с тобой прощаться? Тебя трудно назвать прекрасной соседкой. Два месяца ковыряться в земле, чтобы избавиться от психоза...

Во мне поднимается волна ярости, и, хоть я знаю, что не надо поддаваться на твои провокации, потому что именно этого ты и добиваешься — довести человека до белого каления, чтобы он наконец взорвался, — ничего не могу с собой поделать. Ты меня допек.

— Ну а что же в этом случае делают уволенные диджеи? Или, может, у тебя перед дверью очередь продюсеров выстроилась?

— Меня не уволили.

— Пока нет. Но уволят.

— Они продлили мой отпуск на неопределенное время, — твои глаза насмешливо блестят, — так что мы, похоже, оба здесь увязли. Ты и я.

И тут до меня доходит. Что-то в мозгу щелкает, и я осознаю одну вещь, от которой меня буквально трясет. Я едва не задыхаюсь от ярости.

— Но ты ведь сможешь попасть на радиостанцию на следующей неделе?

— Нет, — не спеша говоришь ты, глядя на меня поверх стакана с виски. — Они планируют реорганизацию. И мне запрещено там появляться, пока не будет принято окончательное решение насчет моей работы.

— Но ты обещал моей сестре, что сводишь ее на экскурсию.

Ты в недоумении смотришь на меня, прикидывая, не шучу ли я. Поняв, что нет, вдруг так грохаешь стаканом об стол, что мы с доктором аж подпрыгиваем.

— Ты о чем, а? Думаешь, мне сейчас заняться нечем, кроме как твоей сестрой?

Гнев выплескивается и растекается, как яд, по всему телу. Ненавижу. Ты омерзителен. Ненавижу.

— Нет, не думаю.

Я вижу, доктор понимает, что я на пределе. Но ты, кажется, этого не понимаешь.

— У меня трое детей. И жена, которая, очень надеюсь, скоро вернется домой. Меня сейчас волнуют только они.

— Сильно волнуют? Интересно. А то сейчас четверть третьего ночи, и ты, как мы видим, пьешь виски в саду вместо того, чтобы быть дома с детьми. Но ответственность не самая твоя сильная черта, так ведь?

Наверное, мне следует остановиться, но я не могу. Всю неделю я только и слышу от Хизер про эту чертову экскурсию. Каждый день. Без конца. Она раскопала кучу информации и теперь знает про радиостанцию все: когда какая передача выходит, кто продюсер, кто ведущий. Она звонит мне каждый день, чтобы поведать очередные подробности. Последний раз позвонила, чтобы сказать, что с удовольствием перешла бы из адвокатской конторы на радио, ей так этого бы хотелось, конечно, если мистер Маршалл немножко поможет. Она, похоже, чувствовала мое молчаливое неодобрение, потому что пыталась его сломить, демонстрируя свое воодушевление. А я не то чтобы не одобряла, я просто была сдержанна, старалась ее оградить заранее, если что-то пойдет не так. Не зря я опасалась, эх не зря. Во мне клокочет глухая злоба, подступает к горлу и сейчас выплеснется наружу.

— Жена тебя бросила, с работы уволили, дети тебя терпеть не могут...

— Заткнись, — цедишь ты сквозь зубы, трясешь головой и вперяешься взглядом в стол.

Но я продолжаю, потому что хочется сделать тебе больно. Так же больно, как сделал мне ты много лет назад.

— Да-да, им противно находиться рядом с тобой...

— ЗАТКНИСЬ! — вдруг орешь ты. Хватаешь стакан и запускаешь через стол. Я вижу ненависть в твоих глазах, но на самом деле ты все же метил не в меня, и мне даже не пришлось уклоняться в сторону. Стакан пролетает мимо и грохает об землю где-то у меня за спиной. Не знаю, что за этим последует. Возможно, нечто покрупнее, например стул. Или в ход пойдут уже кулаки? Только сыну ты тогда заехал по лицу случайно, а сейчас это может быть намеренно.

— Ну хватит, хватит, — громко шепчет доктор Джеймсон. Он встает и широко разводит руки, чтобы мы не могли достать друг друга, как рефери на боксерском ринге. Хотя нас и так разделяет стол.

— Ты, сука ненормальная, как ты смеешь говорить такие вещи, — шипишь ты.

— А ты пьянь...

Злоба отступает, меня охватывают горечь и стыд.

— Простите, доктор Джей, но он обещал моей сестре. Он должен сдержать слово.

Разворачиваюсь и ухожу от них, меня трясет с ног до головы от злобы и унижения. Термос с чашками остается на столе, я иду к дому и думаю — вот сейчас ты схватишь что-нибудь и со всего маху пустишь мне в затылок.

Глава семнадцатая

Когда мы изучали в школе греческую мифологию, нам задали написать сочинение на тему «Ахиллесова пята». А потом каждый зачитывал его вслух перед всем классом. Вскоре мне стало ясно, что все написали о реальных исторических личностях и слабостях, которые в итоге привели их к краху. Получалось, что я не до конца уловила задачу, но суть ее тем не менее поняла правильно. Я написала рассказ про ведьму, которая ненавидела детей — они были жестоки и говорили обидные гадости про ее любимую кошку. Она намеревалась изловить их, убить и съесть, но была одна проблема — ведьма боялась леденцов на палочке, и вот беда, только она подберется к очередному ребенку, глядь, а у него во рту леденец. Этакая сладкая защитная сила. Слух о том, что ведьма боится леденцов, быстро разошелся по округе, и дети всегда таскали конфеты в карманах, мало того, направляли свое липкое оружие на ведьму и тыкали им чуть ли не ей в нос. Пришлось ей признать свое поражение и бежать куда подальше, чтобы спрятаться от маленьких мучителей.

Мне поставили три с плюсом, что само по себе было обидно, но еще хуже было то, что, пока я читала, все смеялись: одни думали, будто я нарочно решила придуриться, чтобы позлить учителя, а другие — что я просто дура. Учитель счел, что я «не раскрыла тему». Он сказал мне, что леденцы не были ведьминой ахиллесовой пятой, она просто их боялась, но не они лежали в основе ее жизненной неудачи. Он не дал мне возможности возразить — в школе это не принято, тебя либо поняли, либо нет. Но на самом деле ошибся учитель, потому что не леденцы, в этом он прав, а любимая кошка была ахиллесовой пятой ведьмы. Она пыталась ее защитить, за что и была изгнана прочь, чтобы влачить свои дни в одиночестве.

Это сочинение я написала в десять лет. Уже тогда я бессознательно ощущала то, что сейчас осознаю в полной мере. Хизер — вот моя слабость. Любое слово, жест, малейшее недоумение, намек на конфликт — и я бросаюсь на ее защиту. Не разбираясь в причинах и поводах, мне нет до них дела. Если кто-нибудь хоть чем-то обидит мою сестру, больше этот человек для меня не существует. Я его вычеркиваю из своей жизни. Мне некогда и незачем вступать в объяснения, у меня жесткая позиция — один косой взгляд на Хизер, и все, до свидания. Мои бойфренды. Папа. Друзья. Я не делаю исключений. Вычеркиваю всех без разбора. Не знаю, было ли так всегда или началось после смерти мамы, но я веду себя, как она, мне кажется, от меня ожидала бы. По моим воспоминаниям, мама защищала Хизер, как теперь защищаю ее я, хотя я не могу привести ни одного конкретного примера, который бы это подтверждал. И сейчас мне впервые пришло в голову, что мои поступки лишены какого бы то ни было реального основания, они вообще абсолютно беспочвенны. Это приводит меня в смятение.

После всего, что я тебе наговорила сегодня ночью, я все же умудряюсь заснуть. Выкинуть все из головы и отключиться. Надо сказать, это удается мне без особого труда, потому что мне не хочется ничего анализировать. Последнее, о чем я думаю, засыпая: может, ведьминой кошке легче бы жилось, если бы хозяйка защищала ее не так рьяно? В конечном счете много ли они обе от этого выиграли?

Паркуюсь за углом, не доезжая до дома тети Дженнифер.

Я решила, что приеду сюда, а дальше как получится. Колеблюсь: идти, не идти. Знаю ли я, что мне делать с Хизер и вообще что мне делать? Или не знаю? Сижу в машине, в голове пусто, и мечутся в этой пустоте хаотические мысли. Ладно, выйду из машины, а там как получится.

К тете можно смело приходить без звонка, у нее всегда полно народу и рады каждому гостю. Помимо ее четверых детей там обретаются их мужья и жены, а также их дети и многочисленные друзья-знакомые. Кроме того, она берет на воспитание сирот, так что далеко не всех нынешних обитателей дома я знаю хотя бы в лицо. У нее всегда был открытый дом, и меня там всегда привечали — слава богу, ведь когда мама болела, больше мне пойти было некуда. Само собой разумелось, что после смерти мамы я переберусь к тетке, но потом произошла та история с Кевином, наши с ним отношения разладились, я стала заходить все реже, и постепенно охладела не только к семье Дженнифер, но и вообще к этому дому.

Теперь я понимаю, как тяжело было тетке потерять сначала сестру, затем сына, а потом и племянницу, о которой она обещала заботиться. Правда, Кевин уехал далеко не сразу, да и я была поблизости, но жила в университетском кампусе, начав все с чистого листа. С Хизер мы виделись каждые вторые выходные. У меня появились новые друзья, мы жили фактически как одна большая семья, и даже на каникулы я обычно уезжала к кому-нибудь из них в гости. Хизер прекрасно обустроилась в пансионе, куда мама определила ее еще во время своей болезни. Праздники и уик-энды она проводила у тети, туда заглядывал и папа, которого такое необременительное общение вполне устраивало. Впрочем, это устраивало всех, включая и меня. И тогда, как мне кажется, у меня и сложился тот образ заботливой мамы, которая вряд ли существовала в действительности. Сомневаюсь, что она была привержена тем идеалам, которые я со временем выдумала.

Медленно иду к дому. Постою у двери, а там как получится.

— Джесмин! — Тетя открывает дверь и от удивления всплескивает руками.

Сколько я себя помню, она всегда красит волосы в рыжий цвет и носит короткую стрижку пикси. В одежде тетя предпочитает мягкие, пастельные тона: что-нибудь зеленовато-болотное или бежевое. Обычно это длинные хипповские балахоны, под них она надевает легинсы. Туфли на танкетке, а на шее крупные тяжелые бусы. Губы тетя красит в тон волосам, но если мой рыжий — ярко-красный, как пожарная машина, то у нее это цвет красного дерева.

— Милая, какой чудесный сюрприз! Входи-входи. Ох, если бы я знала, что ты придешь, сказала бы Фионе, чтобы тебя дождалась. Она пошла на службу вместе с Эндой. Ну да, не смотри на меня так, пожалуйста. Мы последний раз были в церкви, когда Майкл венчался, но у Энды скоро конфирмация, а перед этим надо бы походить на службы. Фиона решила составить ему компанию, а то он будет глазеть по сторонам, как турист.

Тетя тащит меня на кухню, и я боюсь, что там, в знакомой обстановке, на меня нахлынут всякие воспоминания. Но нет, здесь все поменялось.

— Подарочек на мое шестидесятилетие, — объясняет Дженнифер, заметив, что я с интересом озираюсь вокруг. — Они хотели меня в круиз отправить, а я хотела новую кухню. Представляешь, до чего я докатилась?! — весело хмыкает она.

Мне нравится, что здесь все по-другому. Я попала в незнакомое, новое место, и ничто не напоминает о прошлом. Можно спокойно смотреть по сторонам, не страшась неожиданных уколов памяти.

— Я ненадолго, — предупреждаю я, видя, что тетя уже поставила чайник и явно приготовилась к основательным посиделкам. Вот уже и свой любимый травяной чай заваривает. — Мы с Хизер встречаемся через час. Хотим сделать фонтан у меня в саду.

— Что ты говоришь! Как замечательно, вы молодцы. — Похоже, она приятно удивлена такими планами.

Ну что же, расскажу ей, какие мысли бродят у меня в голове, а там как получится.

— Ты знаешь, я пришла... потому что стала о многом задумываться в последнее время. Благо его у меня в избытке.

— Тебе это на пользу. — Никакого сюсюканья и показного сочувствия. Это радует.

— Я думала о маме. Ну, то есть я вообще много о чем думала. Но в первую очередь о том, как она вела себя с Хизер.

Отмечаю, что тетя удивлена, но не подает виду. Уверена, она ожидала, что разговор пойдет о Кевине.

— Имеются кое-какие пробелы.

— Постараюсь помочь, чем смогу.

— Понимаешь, я довольно смутно себе представляю, какой мама была с Хизер. То есть я знаю, конечно, что она очень о ней заботилась. Знаю, что она хотела, чтобы Хизер была как можно более самостоятельной, ни от чего не зависела. Чтобы была хорошо устроена. Но я не знаю, что она *чувствовала*. Чего боялась? Она когда-нибудь говорила с тобой о Хизер? Делилась своими переживаниями? Ну, например, от чего ей бы хотелось ее уберечь? Хизер сейчас, что называется, расправляет крылья... впрочем, она всегда была молодец. М-да. У нее появился бойфренд.

— Джонатан, — улыбается тетя. — Мы очень много о нем слышим. И он приходил на чай.

— Неужели?

— А потом показывал разные приемы тхеквондо. Использовал для этого моего Билли. И тот расколотил половину фарфоровых кукол — упал на сервант.

Я невольно хихикаю. Нас неизменно забавляли тетины русские куклы, сделанные из китайского фарфора.

— Но это ничего, — смеется она. — Оно того стоило: поглядеть на Билли, когда он так высоко задирал ногу!

Мы улыбаемся и некоторое время молчим. Потом она говорит уже серьезно:

— Джесмин, ты делаешь огромное дело. Хизер благодаря тебе очень счастлива. Бог ты мой, да она загружена делами настолько, что постоянно сверяется со своим расписанием в ежедневнике! Я просто поражаюсь ее деловитости.

— Да. Верно. И все же... иногда мне очень не хватает маминого совета.

Она тяжело задумывается.

— Как-то раз одна женщина сказала кое-что про Хизер. Что-то ужасное. Не со зла, а по неведению и простоте душевной.

— Такие вот простые хуже всех, — мрачно откликаюсь я и слушаю с удвоенным вниманием. Кажется, это ровно то, зачем я пришла.

— Ну да. Твоя мама всесторонне это обдумала и пригласила ее поиграть в бридж, помнишь, мы всегда собирались по вторникам.

— Она ее пригласила к нам?

— Именно так. Но позвала ее на семь, а мы никогда не начинали раньше восьми. Мама сделала вид, что случайно ошиблась, и усадила ее в гостиной, а сама пошла укладывать вас спать.

Я недоуменно сдвигаю брови.

— Мама решила ее проучить? Заставила сидеть и ждать целый час?

Дженнифер улыбается, и я понимаю, что чего-то не уловила.

— Она хотела, чтобы та увидела Хизер в привычной ей обстановке. Спокойную, веселую, настоящую Хизер. И вообще увидела вас троих, занятых обычными домашними делами, которыми занята вечером любая семья. Мама постаралась, чтобы ни одна деталь не ускользнула от внимания ее гостьи. И эти детали сложились в картину абсолютно нормальной жизни. А знаешь, кто была эта женщина?

Я мотаю головой.

— Кэрол Мерфи.

— Но ведь они с мамой были лучшими подругами.

— Точно. После этого они и подружились.

Стараюсь переварить эту информацию. Кэрол была самым преданным, самым надежным маминым другом. Сколько я себя помню, они были не разлей вода. И я не могу себе представить, чтобы Кэрол когда-то могла иметь превратное представление о Хизер. Наверное, это возможно, но все во мне протестует против такой мысли. И мое доброе отношение к Кэрол вмиг испаряется. Да, буквально в одну секунду. Как оно всегда и происходит, если кто-то допускает малейшую ошибку и ведет себя, или говорит, или думает о Хизер не так, как должно.

Дженнифер, вероятно почувствовав мое смятение, продолжает:

— Твоя мама никогда никого не вычеркивала из своей жизни, Джесмин, потому что именно этого она и боялась. Она боялась, что люди могут поступить так по отношению к Хизер.

Вот оно, то, что я искала. Мне нужно хорошенько все обдумать и постараться применить новые знания на практике. А там уж как получится.

Скачиваю инструкцию по установке фонтанов. Несколько раз внимательно смотрю видео: аристократического вида мужчина в стеганой куртке и резиновых сапогах бутылочного цвета объясняет мне, что и как нужно делать. Позади него роскошный дом, а говорит он так, точно я юный несмышленыш, старательно растолковывая каждое следующее действие. Впрочем, когда речь идет о работах в саду, такая манера изложения меня устраивает, поскольку мои познания в этой области именно что как у ребенка. Он уверяет, что управится с задачей за восемь часов, и правда укладывается в этот срок. Ну а на видео весь процесс занимает восемь минут. Я полагаю, что у меня на это уйдет не меньше недели, даже несмотря на то, что Хизер обещала помочь. И пускай неделя, никаких других дел у меня все равно нет.

— О Джесмин, — восторженно произносит Хизер, оглядывая плоды моих усилий. — Я поверить не могу! Неужели это твой сад?

— Да, это он. Нравится?

— Восхитительно!

Она молча на меня смотрит, и мне становится неловко.

— Ты чего? — Я смущенно отворачиваюсь и делаю вид, что копаюсь в ящике с инструментами.

— Мне странно, что это сделала Джесмин, — говорит она так, точно меня здесь нет. Но при этом глаз с меня не сводит. И голос какой-то странный. — Занятая, занятая Джесмин.

— Вот уж кто бы говорил! — отшучиваюсь я. — Ты у нас сейчас занята побольше моего.

Она отводит прядь волос, упавшую мне на глаза, и заправляет мне за ухо. Для этого ей приходится встать на цыпочки.

— Я горжусь тобой, Джесмин.

У меня слезы наворачиваются на глаза. Не помню, чтобы она когда-нибудь так говорила, и не знаю, почему меня это сейчас так растрогало, до самой глубины души.

— Ну, я все-таки в «садовом отпуске». Надо соответствовать. Ладно, — я деловито хлопаю в ладоши, — давай-ка я тебе выдам спецодежду.

Вручаю ей вещи, которые заказала через Интернет. Зеленые резиновые сапоги с розовыми цветочками, комбинезон, теплую шапку и сиреневые рабочие перчатки.

Мы сосредоточенно роем яму, куда можно будет поместить чашу для воды, когда у тебя открывается входная дверь. Я не поднимаю головы, вообще не смотрю в твою сторону, а сердце стучит как барабан — вдруг начнется очередная перепалка. Но потом слышу приближающиеся шаги, неторопливые, шаркающие, и понимаю, что это Финн. Ну, на него я смотреть не боюсь. На шее у него висят рэперские наушники Beats by Dre, руки глубоко засунуты в карманы. Феномен волшебной сумки Мэри Поппинс: по идее ничего крупнее монеты в пятьдесят центов в его карманы запихнуть невозможно, но Финн все же умудрился это сделать, отчего его плечи задрались до ушей. Он ничего не говорит, просто стоит и ждет, что я его представлю.

— Привет, Финн. — С трудом распрямляюсь, спина уже основательно побаливает.

Он бурчит нечто нечленораздельное.

— Знакомься, моя сестра Хизер.

Пройдет ли он тест «А ты хороший человек?»? Тут же напоминаю себе, что нельзя делать выводы по первым секундам знакомства. Как бы то ни было, Финн справляется успешно: бормочет что-то маловразумительное и избегает смотреть нам обеим в глаза. Хизер машет ему рукой.

— Папа спрашивает, не нужно ли вам помочь. — Он равнодушно осматривает нашу яму и набор инструментов. — Делаете фонтан?

— Да.

Мне очень мерзко, но, как бы сильно я ни была неправа вчера ночью, все равно не собираюсь снова целый день присматривать за твоим сыном. И потом, сегодня я хочу побыть вдвоем с Хизер. Но как же я его прогоню? Ты небось еще валяешься в кровати, маешься с похмелья. Я представляю себе твою спальню: темные шторы наглухо задернуты, чтобы не проникал ни один луч солнца. Дети внизу, на кухне. Они в пижамах, может быть, босиком. Готовят себе на завтрак хлопья. Миска опрокидывается, содержимое летит на ковер. Бардак, короче.

В тот момент, когда я протягиваю Финну лопату, раздается взрыв хохота и из-за дома выходят двое светловолосых малышей, а следом появляешься ты. Отпускаешь веселую, бодрую шутку, и они снова смеются. Ты в прекрасной форме, особенно для человека, который швырялся в меня стаканом из-под виски не далее как двенадцать часов тому назад.

Громко свистишь. Это призыв.

Понятно, что ты зовешь Финна. Он, однако же, не оборачивается. И я тоже.

— Финн, иди сюда, дружище.

— Я тут помогаю, — хрипло бурчит он.

— Уже нет, — весело откликаешься ты и что-то раскладываешь на столе.

Мне интересно, что это, но я не могу посмотреть в открытую.

— Привет, Хизер! — жизнерадостно кричишь ты.

— Привет, Мэтт. — Хизер машет тебе и улыбается.

Однако какое обоюдное дружелюбие…

Меня ты игнорируешь. А я боюсь встретиться с тобой взглядом.

Финн испускает глубокий вздох, бросает лопату и, ни слова не сказав нам с Хизер, молча волочится через дорогу, опять глубоко запихнув руки в свои волшебные карманы. Штаны сползают до середины тощей задницы, являя всеобщему обозрению полосатые боксеры.

Ты очень оживленно принимаешься объяснять детям, что вы будете сейчас делать. Я старательно прислушиваюсь, но Хизер что-то мне говорит, и я не могу ей сказать, чтобы немножко помолчала. Потом ты включаешь музыку в машине. Твоя дочка, которая и так всегда пританцовывает, радостно порхает вокруг стола, а мальчишка слушает тебя, сосредоточенно сдвинув брови. Наблюдаю за вами исподтишка, всячески делая вид, что поглощена копанием ямы. Что же вы все там сгрудились, у стола? Боже мой, да вы его драите и скоблите! Я застываю в полном изумлении: ты последовал моему совету!

Хизер меж тем продолжает что-то мне говорить.

И я наконец понимаю, о чем она. Она хочет подойти к тебе и обсудить экскурсию по радиостанции. Она уже навела справки и наметила те студии, куда ей интересно было бы пойти. Возражаю: это неудобно, сегодня воскресенье, ты хочешь провести его с детьми.

— Я не буду настырничать, Джесмин. Только вежливо спрошу, и все. — Она умоляюще на меня смотрит, и у меня сердце разрывается — я же не в ее манерах сомневаюсь, и мне грустно думать, что она решила, будто я в ней не уверена. Вот тебе и поработали в саду.

Надо сказать, что у Хизер есть одна черта: коль скоро она что-то решила, то непременно должна это сделать. Непременно. Если ей это не удастся, она усомнится в разумности мироздания и своих силах. Возможно, здесь будет уместно порассуждать о препятствиях, которые мы преодолеваем и которые нас закаляют, вынуждают прикладывать больше усилий и не принимать слова «нет» в качестве ответа. Люди, которым сложнее дается то, что у обычного человека получается само собой, приучены побеждать — свои страхи, неуверенность, сомнения. Они не могут позволить им взять над собой верх. Когда я, сделав уроки, шла смотреть телик, Хизер занималась развитием речи. Когда я шла гулять с друзьями, у нее был урок дополнительного чтения. Ей пришлось очень долго осваивать велосипед, а я просто села и поехала. Она всего добивалась упорным трудом. В частности потому так важны наши ежемесячные встречи — она что-то предлагает, и, если это не лучшая идея, у нас есть шанс переубедить ее совместными усилиями, пока она не приняла окончательного решения. Но мы обсудили ее поход на радиостанцию и все согласились, что это отличная мысль, — все, кроме меня, я свое мнение оставила при себе. И, промолчав, я ее подвела.

Я как-то общалась с одной мамашей, и она, описывая характер своего сына, заявила: «типичный синдром Дауна». Мне захотелось ей врезать. Нельзя делать таких обобщений на основании отдельных проявлений в какой-то конкретный период. Мы все уникальны, и настойчивость, порой переходящая в упрямство, — индивидуальная черта Хизер, никак не связанная с синдромом Дауна. А иначе и у меня, и у папы тоже этот синдром, потому что и мы ни за что не отступимся, если уж вбили себе что-то в голову.

Может, соврать ей? Я уже почти к этому готова, утешительная ложь так и вертится на языке. С одной стороны, я всегда думала, что, пока от меня зависит ее безмятежное спокойствие, все будет хорошо. Но с другой, я положила себе за правило всегда говорить Хизер правду, максимум, что я себе позволяю, это слегка подсластить пилюлю, не более того. И я ни разу не сказала ей заведомой лжи. Поняв, что едва не нарушила свою главную этическую заповедь, в последний момент останавливаю себя. Один из моих ухажеров как-то сказал мне, что я стараюсь всем угодить, всем сделать приятное, но я-то знала, что это не так, и уж ему я точно угодить не хотела, даже близко. А теперь мне ясно, что я хочу угодить Хизер. И еще нескольким людям, причем все они из ее окружения. И еще мне ясно, что это не столько проявление заботы, сколько типичный эгоизм, потому что в конечном счете я таким образом стараюсь обезопасить не ее, а себя.

Долгие годы я говорила себе: Хизер ждет, что я все устрою, во всем ей помогу. Но так ли это? Или я сама себя в этом убедила? До меня вдруг доходит, что Хизер никогда не просила меня ничего улаживать, ни единым намеком не давала понять, будто ждет от меня чего-то подобного. Я сама возложила на себя это бремя. Вот так на меня снисходит озарение. В саду. По колено в яме, которую я вырыла.

Первое, что я подумала, когда меня уволили: «Нельзя говорить об этом Хизер». Я испугалась, что это ее огорчит, что я должна ее оберегать от печальных реалий нашей жизни, а то она начнет бояться, ну, например, что ее тоже могут уволить. И о чем я только думала? Чему хотела ее научить? Да Хизер в десять раз больше моего знает о том, как жесток мир. Она слышит оскорбительные замечания в свой адрес, уничижительные слова, которые невзначай бросают «простые» люди и у нее за спиной, и прямо ей в глаза, и слышит она их регулярно, по самым обыденным поводам.

И сейчас, когда я слышу, как ты хохочешь с детьми в этот солнечный, сияющий весенний день, а из машины доносится музыка, меня озаряет. Нельзя строить свою жизнь исходя из того, что все вокруг должно радовать меня и Хизер. И мне не нужно стараться уберечь ее тотально от всего, а нужно просто быть рядом, чтобы помочь, когда ей плохо.

— Ладно. — Голос предательски дрожит. Что я делаю? Отправляю к тебе, чтобы ты разбил ее мечту. Я это делаю самолично. Я позволяю этому свершиться. Мне так паршиво, что приходится присесть на скамеечку: ноги дрожат и дышать трудно. Сижу и смотрю, как она идет к вам через дорогу.

Малыши перестают скрести стол и с опаской на нее смотрят.

— Привет, — радостно говорит Хизер.

Ты и Хизер разговариваете, но слов я не слышу, и это меня убивает. Мне необходимо знать. Чтобы иметь возможность вмешаться, если это больно и тяжело для нее. Я чувствую себя беспомощной, но в то же время жестокой. Это я ее отправила к тебе, чтобы ты убил ее веру в людей, а значит, и в меня.

Вижу, как ты мягко что-то ей объясняешь, сопровождая свои слова успокаивающими, дружелюбными жестами. Потом замолкаешь и смотришь на нее. Ждешь, что она ответит тебе, но Хизер молчит. Ты медленно опускаешь руки. Неуверенно глядишь на нее. Обдумываешь, можно ли до нее дотронуться, протягиваешь руку, но, не видя отклика, убираешь. Потом смотришь на меня. Ты встревожен. Не знаешь, что делать с этой девушкой, которая смотрит на тебя и не говорит ни слова. Ты тоже не знаешь, что ей еще сказать. Тебе нужна моя помощь.

Мне нестерпимо плохо, что я так поступаю с Хизер, но я не приду к тебе на помощь.

Ты снова пытаешься что-то объяснить, но Хизер разворачивается и медленно идет обратно. У нее такое лицо, будто ей дали пощечину. Глаза печальные, затуманенные, нос покраснел. Я не шевелюсь, сижу где сидела, смотрю, как она приближается, а потом проходит мимо.

Вот что бывает, Мэтт Маршалл, когда обижаешь человека. Ты запомнишь этот урок, ты не забудешь ее потерянное, безмерно огорченное лицо.

Хизер сидит в доме и слушает музыку на портативном проигрывателе, молча переживая крах своей мечты побывать на радиостанции. Она не хочет этого обсуждать, и меня это вполне устраивает — я тоже не хочу. Продолжаю копать яму, а заодно копаться в себе. Чем глубже я ухожу в землю, тем глубже погружаюсь в размышления. Наконец я осознаю, что зарылась на достаточную глубину — и основательно взмокла при этом, так что пора затягивать края раны. Кладу в яму гравий, на два дюйма, и сверху ставлю чашу для воды. Промеряю расстояние до электрощита и отрезаю нужный кусок изоляционной трубки. Потом вожусь с насосом, сверяясь со схемой, которую распечатала из Интернета. На все это уходит немало времени. Теперь по идее надо бы соединить насос с трубой, но я не могу. Это слишком сложно, и я боюсь чего-нибудь напортачить. С другой стороны, раз уж взялась все делать сама, так нечего трусить, — приборматываю я себе под нос, ругая себя ничтожеством и жалкой неумехой. В этот момент сзади раздается чей-то голос:

— Привет, Садовая Девушка.

Это не ты. Понимаю это сразу же, с первого звука. Подскакиваю и роняю ножницы в чашу для воды.

— Черт. Санди. Привет. Извините. Вы меня напугали. Я сейчас. Блин. Мои ножницы. Сейчас я... достать надо. — Перевожу дух и вытираю пот со лба. — Я тут фонтан делаю.

Стою в яме и смотрю на него снизу вверх — отсюда он смотрится грандиозно, даже круче чем обычно. На нем темно-синий костюм, а вместо галстука он нацепил самое юмористическое выражение лица. Украдкой бросаю быстрый взгляд в твою сторону. Ты моментально отворачиваешься, делая вид, что полностью поглощен своими работами по благоустройству. Что-то бодро говоришь тоном бойскаутского вожатого, который усвоил себе за последний час.

— Я вам звонил несколько раз, но вы живете в своем мире, — улыбаясь, говорит он. Присаживается на корточки. — Что это вы тут сотворили?

— Полный трэш.

— Вы позволите?

— Пожалуйста.

Он протягивает мне руку, я хватаюсь за нее, и он вытаскивает меня из ямы, которую я вырыла. Это не знак. И не символ. Это простое конкретное действие. Как только я до него дотрагиваюсь, меня точно молния ударяет. Не знаю, может, только меня шибануло? Он не отступает назад, а стоит по-прежнему на краю ямы, и мы тесно прижаты друг к другу, его рубашка щекочет мой нос, и я вижу голую грудь там, где расстегнута пуговица. Я готова стоять так целую вечность, но вместо этого смущенно отодвигаюсь в сторону, избегая смотреть ему в глаза — вдруг он почувствовал, как я на него реагирую? Он снимает пиджак, и я уношу его в дом, чтобы заодно привести себя в божеский вид. Умываюсь, причесываюсь, подкрашиваю глаза и стараюсь успокоиться. Когда я возвращаюсь, он стоит на коленях, рукава закатаны, а брови сосредоточенно нахмурены — присоединяет насос к трубе. Пытаюсь завести необременительную беседу, но он так занят, что я не хочу ему досаждать, поэтому молча наблюдаю, мысленно осуждая себя за то, как он меня восхищает. Исподтишка поглядываю на тебя и детей. Все, кроме Финна, который уклонился от работы и, примостившись на стуле, играет во что-то на айпаде, увлеченно драят стол. Ты оживлен, весел и энергичен. Болтаешь, отпускаешь смешные шуточки. Ты все же хороший отец, зря я тебя осуждала. Циничная часть меня сомневается, а не показуха ли все это, не для того ли все затеяно, чтобы опровергнуть мои вчерашние нападки. Но нет, ты искренне счастлив, это очевидно.

Мне становится стыдно, я говорю себе, что дело-то, пожалуй, во мне, а не в тебе. Напоминаю себе — той, которая устыдилась, — что поводов осуждать тебя у меня предостаточно. И то, как ты поступал раньше, и то, как подвел Хизер, и не забудем про стакан, не далее как вчера вечером пущенный мне в голову. Я выхожу победителем в этом споре: сам виноват, что я тебе не доверяю.

Санди смотрит на меня, и я выхожу из задумчивости. Он, кажется, о чем-то спросил, а я прослушала. Я жду, что он повторит, но вместо этого, проследив за моим взглядом, он переключает внимание на тебя. Только этого еще не хватало!

— Знакомый голос. Это Мэтт Маршалл?

— Да.

Нельзя сказать, что это его сильно впечатлило, но и полностью равнодушным не оставило.

Ну а я-то чего так переживаю? Мне бы не хотелось, чтобы он запрыгал от радости с криками, что он твой фанат, и побежал через дорогу просить автограф, но, если бы он дал понять, что ты ему неприятен, я бы, наверное, встала на твою защиту. Трудно объяснимая реакция, учитывая, что сама я тебя глубоко презираю, в особенности после того, как ты обошелся с Хизер. Если бы нас что-то связывало, я бы от тебя ушла, причем как можно дальше. Впрочем, именно так и поступила твоя жена. Видимо, ты так действуешь на людей.

— Мне тут еще минут десять придется повозиться, — улыбаясь, говорит он, снова глядя на меня.

— Вы вовсе не должны этого делать.

— Понятно. Но, может быть, таким образом я высвобожу для вас время подумать о работе. Судя по всему, пока его оказалось недостаточно.

Вот так, Джесмин.

— Простите. Но вы сказали, что у меня есть месяц.

— Максимум. Давайте поговорим, когда я закончу, хорошо?

Недоверчиво смотрю на провода у него в руках.

— А вы точно знаете, как это делать?

— Я купил старый дом в Скеррисе и сам привел его в порядок. Все переделал — крышу, канализацию, проводку. У меня на это ушло несколько лет, зато теперь там можно жить. Не волнуйтесь, ничего не протекло и не взорвалось. Пока что.

Я пытаюсь себе его представить в уютном коттедже в сонном городке Скеррисе. Он ходит в толстом свитере домашней вязки и каждое утро покупает рыбу у местного торговца. Нет, ничего у меня не получается, я все время сбиваюсь на другую картинку: Санди, голый по пояс, циклюет полы и клеит обои.

— Мы ведь сможем поговорить? — Отметив мой удивленный взгляд, он добавляет: — Мы договаривались на сегодня...

Ну, все понятно теперь.

— Ой, я думала, мы по телефону пообщаемся, поэтому и... мы не назначили конкретного времени для встречи, но прекрасно, сегодня я могу.

Он выглядит смущенным, потому что явился незванно-нежданно в воскресенье, но, по-моему, это не единственная причина, по которой он расстроен. Впрочем, если и так, он быстро с собой справляется. И вообще, я воображаю всякую чушь, мне просто было бы приятно, если бы ему захотелось меня увидеть. Та искра, которая пробежала между нами, это подтверждает, но сейчас он уже совершенно овладел собой и передо мной исключительно уверенный в себе деловой человек. Вот только непонятно, почему он копается в грязной яме у меня в саду и, похоже, ничуть не боится испортить свой великолепный костюм.

Спустя полчаса я разливаю чай — для нас с Хизер, а Санди пьет кофе. Мы расположились на кухне, и Хизер увлеченно рассказывает ему о своих работах. Она, как я уже говорила, очень ими гордится и с удовольствием готова поведать о них даже незнакомому человеку. Это меня радует, и рассказывает она хорошо, но обычно я беспокоюсь, потому что не хочу, чтобы кто попало узнал, где и когда она бывает. Разумеется, к Санди это не относится. Рассказав о себе, Хизер спрашивает, где он сам работает.

— Я хедхантер, — говорит он. — Моя задача — искать подходящих кандидатов, которые работают в самых разных местах, и предлагать им новое поприще.

— Но ведь нечестно, что вы их переманиваете?

— Не совсем так, — улыбается он. — Идея «переманивать» мне не симпатична. Я бы сказал, что помогаю людям решать их проблемы. Чем-то похоже на пазл. Я ищу наилучшего человека на место, где ему будет лучше всего. А то ведь иногда люди занимают совсем не то место, которое должны.

Когда он это произносит, мы на секунду встречаемся глазами. Он говорит спокойно, но не нарочито медленно, как если бы опасался, что она не способна его понять, и не орет, точно она глухая, хотя Хизер и носит слуховой аппарат. Правильно он говорит, внятно и по делу.

Затем Хизер начинает ему рассказывать обо мне, о том, чем я занимаюсь. Это немного упрощенная версия, та, которую я ей всегда излагала. Поначалу это меня смущает, я думаю, что она не поняла, в чем заключается его деятельность, но постепенно до меня доходит, что Хизер пытается представить меня в самом выгодном свете, и это так трогательно, что я замираю, боясь совершить неловкое движение. Поразительно, что она это делает для меня, что она *догадалась*, как мне можно помочь. Он подыскивает людям работу, а мне нужна работа, и она старается мне ее добыть. Перечисляет мои достоинства и подтверждает их примерами из жизни. Я знаю, она научилась этому, когда проходила собеседования при приеме на работу, и теперь применяет свой навык, описывая меня.

Каждый заход она начинает словами «Джесмин очень...». Первая фраза заканчивается словом «добрая». И пример моей доброты. Она рассказывает ему, что я купила ей квартиру.

— Джесмин умная, — говорит она. — Однажды мы с ней нашли у супермаркета двадцать евро. Рядом с автоматом для оплаты парковки. И еще талончик на прием к врачу, с адресом. Так вот Джесмин отправила деньги и талончик по почте этому врачу и еще написала ему: кто должен был к вам прийти в это время, тот их и потерял. — Она сияет от гордости. — Здорово придумано, да?

— Просто замечательно, — улыбаясь, кивает он.

Надеюсь, на этом она остановится, приятно, конечно, когда тебя хвалят, но в то же время очень неловко. Однако она продолжает:

— Джесмин очень благородная.

Тут я не выдерживаю и, покачав головой, иду к раковине с посудой.

Один быстрый взгляд на Санди убеждает меня, что он тронут. Должно быть, он чувствует, что я за ним наблюдаю, и, на секунду оторвав глаза от Хизер, тихонько мне улыбается. Я отворачиваюсь и занимаюсь домашними делами.

Санди не всегда понимает ее, просит повторить какие-то фразы, ведь, несмотря на долгие годы упражнений по развитию речи, Хизер говорит не очень четко. И, хотя я понимаю абсолютно все, но удерживаюсь от того чтобы вмешаться. Она не ребенок. И ей не нужен переводчик.

— Да, по всему выходит, Джесмин — прекрасный человек, — говорит он, снова глядя на меня. — И я с этим полностью согласен. Думаю, многие были бы рады ее заполучить.

Я не оборачиваюсь, но краем глаза вижу его четкий безупречный профиль, и все во мне поет и трепещет. Пакет молока едва не выскальзывает из рук, оно проливается на стол, но мне все же удается перелить его в кувшин.

— Так и есть, — соглашается Хизер.

— А вы прекрасная сестра, потому что так о ней говорите.

После чего Хизер произносит слова, от которых у меня все в душе переворачивается, и я пулей выскакиваю из комнаты, а у Санди хватает такта встать и уйти, но позже он присылает мне сообщение на мобильный — он надеется, что я позвоню и мы договоримся о встрече в ближайшее время.

— Я же ее старшая сестра. Когда мама умирала, она сказала, что я старшая и должна заботиться о Джесмин. Я еще много всего делаю, но главное мое дело — защищать Джесмин.

Глава восемнадцатая

Утром в понедельник просыпаюсь от звука газонокосилки прямо у себя за окном. Это мучительно, во-первых, потому что сейчас всего восемь и в это время ее мерзкий назойливый вой особенно непереносим, а во-вторых, потому что вчера я выпила на ночь бутылку красного вина. Ну, может, я привираю и бутылка была не одна, а может, это было вовсе и не вино, главное, что сейчас в голове у меня глухо бухает тяжелый молот — бух-бух-бух, — проникая сквозь черепную коробку и разрушая мои мозговые клетки, а изнутри удары эхом долбят в затылок. Кто ты, бездумный газонокосильщик? У меня соседи с четырех сторон, и теоретически любой из этих пенсионеров мог бы наплевать на мой покой, тем более что, как всем известно, я временно не работаю. Но нет, я знаю точно — это ты. Я понимаю это даже до того, как отрываю голову от подушки, ибо осознание приходит мгновенно, а голова поднимается медленно. Ни у кого нету столько нескошенной травы, только нерадивый садовод мог так запустить свой газон. Когда я выглядываю из окна, ты немедленно останавливаешься, как будто только того и ждал, и приветствуешь меня широким взмахом руки. Вся твоя поза исполнена величайшего сарказма. Выключаешь орудие пытки, подтверждая тем самым, для чего все было затеяно, и направляешься через дорогу к моему дому.

Я не могу пошевелить ни рукой, ни ногой, голова трещит, и мне нужно срочно лечь обратно в кровать, но ты уже у двери, жмешь на звонок, очень громко и очень долго, как будто давишь на больное место пальцем, посылая сообщение азбукой Морзе. Валюсь на кровать в надежде, что, если я не отвечу, ты уйдешь, но, очевидно, как и любая другая проблема, ты не исчезнешь лишь потому, что тебя игнорируют, а, наоборот, станешь еще хуже. В конце концов я вскакиваю — торопливо, как улитка, — но дело не в тебе, а в бутылке водки, которую я увидела рядом с кроватью. Спазм, перекрутивший меня, вот что меня подняло.

Распахиваю входную дверь, и солнце немилосердно бьет по глазам. Зажмуриваюсь, съеживаюсь и ретируюсь в спасительный полумрак гостиной. Ты заходишь следом.

— Боже правый, — увидав, на что я похожа, произносишь ты, точь-в-точь как доктор Джеймсон. — Доброе утро.

Ты чрезмерно весел, громогласен и жизнерадостен. Раздражающе активен. Если б я не знала точно, что это не так, то подумала бы, что ночью ты наблюдал, как я напиваюсь до бесчувствия, а потом нарочно встал в несусветную по твоим меркам рань, чтобы устроить весь этот шум у меня под окнами.

Да еще и демонстрируешь совершенно неестественное для тебя радостное оживление.

Я намереваюсь сказать «привет», но получается хриплое карканье.

— О как, — хмыкаешь ты. — Бурная ночь? В третьем доме вечером в воскресенье — отрыв по полной, не упусти свой шанс.

Вяло икаю в ответ.

Ты решительно раздвигаешь шторы и открываешь окно, я зябко передергиваюсь и спешу залечь на диван, укутавшись в кашемировый плед. Идешь на кухню, и я с опаской наблюдаю за твоими действиями — у меня открытая планировка на первом этаже, никаких перегородок, — так что я вижу, как ты шаришь в буфете.

— В вазе с лимонами, — слабо сообщаю я.

Ты оборачиваешься.

— Что там?

— Твои ключи. В вазе с лимонами.

— Я не ключи ищу, у меня открыто.

— Аллилуйя.

— А почему они там?

— Хороший вопрос. — Мне удается улыбнуться. — Ты у меня ассоциируешься с лимоном.

— Странно, а кислый вид у тебя, — саркастически замечаешь ты, и моя улыбка угасает.

Ты продолжаешь возиться на кухне. Я слышу, как звякают тарелки, шуршит бумага, шумит чайник, и чувствую запах тостов. Закрываю глаза и клюю носом.

Просыпаюсь — ты протягиваешь мне кружку чая и тост с маслом. Желудок протестует, но я голодная.

— Давай, это помогает, — говоришь ты.

— Рекомендация эксперта, — сонно киваю и сажусь.

Ты устраиваешься напротив меня в кресле, рядом с окном, откуда так ярко светит солнце, что я прищуриваюсь. Вид у тебя прямо ангельский, еще свет так падает, что кажется, будто правая сторона лица размыта и ты похож на мерцающую голограмму. Утомленно вздыхаешь, и ничего ангельского в тебе опять нет. Я так понимаю, вздыхаешь ты не потому, что устал. Выглядишь прекрасно, помолодевший, на щеках легкий румянец от прохладного утреннего воздуха, и пахнет от тебя свежескошенной травой. Ты вздыхаешь из-за меня.

— Спасибо, — благодарю я, вспомнив о хороших манерах.

— Насчет той ночи…

Я протестующе мычу и машу рукой, прихлебывая чай. Он сладкий, я такой сладкий обычно не пью, но он мне нравится. То, что надо сейчас. Главное, что не водка, признательно соглашается мой организм. Я не хочу говорить о той ночи и обо всем, что произошло между нами.

— Прости, что бросил в тебя стакан.

Ты исключительно серьезен. Возможно, даже взволнован, но я не уверена.

Жую тост и медленно глотаю.

— Мы оба были неправы, — наконец изрекаю я. — Давай уже сменим тему.

Это не то, что тебе бы хотелось услышать. Ты надеялся, что я попрошу прощения.

— Ну, Джесмин, я сделал это в ответ на *твои* слова.

— Да, я принимаю твои извинения. — Почему я не могу себя заставить извиниться перед тобой, ведь знаю же, что следовало бы?

— Ты наговорила кучу всякого дерьма.

— Ты пришел сюда, чтобы я извинилась?

— Нет. Извиниться сам.

Обдумываю все еще раз.

— Как я уже сказала, мы оба были неправы.

Ты внимательно на меня смотришь и, как видно, усиленно мыслишь. Решение принято — ты не станешь заводиться, за что я тебе искренне признательна, хотя, возможно, я и заслужила головомойку. Ведь я была кошмарна.

— Я расстроилась из-за Хизер. Ты подвел ее.

— Очень сожалею. Не думал, что она примет это так близко к сердцу.

— Она не привыкла нарушать обещания. И склонна верить людям. В отличие от меня. Я вообще никому не верю.

Ты киваешь, стараясь это переварить.

— И потом, я же не сказал, что это *вообще* отменяется, просто объяснил, что в ближайшее время не получится.

— И каковы шансы?

— В данный момент очень хилые, — мрачно говоришь ты.

Мне бы следовало подумать о том, как отразится потеря работы на тебе и твоей семье, а не о Хизер и ее отмененной экскурсии на радиостанцию. Можно говорить о моей повышенной чувствительности в отношении Хизер, но, когда дело касается всех остальных, я совершенно бесчувственна.

— Но из-за того, что ты сказала, я бросил пить.

Изумленно таращусь на тебя. Изумляет меня, что мои слова могли хоть как-то на тебя повлиять, а вовсе не то, что ты бросил пить. Я тебе не верю. Не верю, что ты этого хочешь, и не верю, что сделаешь. Классика жанра, ты — муж, который привычно клянется, что исправится, а меня эти заявления уже не трогают. Странным образом нам с тобой уютно друг с другом.

— Я правда бросил. — Ты верно толкуешь мой взгляд. — Ты была права в том, что сказала насчет детей.

— Я тебя умоляю, Мэтт, — с тоской бормочу я. Ладно, сдаюсь. — Ни в чем я не была права. Я о тебе ничего не знаю. И о твоей жизни тоже.

— На самом деле… — ты умолкаешь, решая, говорить или не стоит, — …на самом деле знаешь. Ты видишь меня каждый день. И знаешь больше, чем кто бы то ни было.

Молчим.

— И меня ты знаешь. — Задумчиво на меня смотришь. — Я думаю, ты считаешь, будто отлично меня знаешь, что, наверное, не совсем так, кое в чем ты ошибаешься. Но тем больше поводов доказать обратное.

— Не надо мне ничего доказывать. — Чем активнее ты меня убеждаешь, тем меньше я тебе верю. Все-таки ты пропащий человек.

— Ну ладно, все равно возьми это, пожалуйста. — Ты протягиваешь мне мятый конверт.

— Мэтт, ты что, до сих пор его не прочел?

— Не могу, — тихо говоришь ты. — Не хочу знать, что там написано. Не могу я.

— А она с тобой по-прежнему не разговаривает?

Ты качаешь головой.

— Потому что все, что она хочет сказать, она написала в этом письме, а ты его даже не открыл! Не понимаю тебя.

— Ну прочти мне его тогда.

— Нет! Черт тебя побери, сам читай. — Швыряю письмо на журнальный столик.

— А вдруг там написано, что она никогда не вернется?

— Хотя бы будешь об этом знать. Вместо того чтобы... маяться в ожидании.

— Я не маюсь. Уже нет. Я хочу ей доказать.

— Что доказать?

— Что я — это я.

— Думаю, ты уже это сделал. Потому-то она и ушла. — Я отчасти шучу и жду, что ты улыбнешься, но ты серьезен.

Вздыхаешь. Смотришь на письмо, и я думаю, что наконец сумела до тебя достучаться. Ты берешь конверт и встаешь. Кладешь его в вазу.

— Пусть здесь будет, с лимонами.

Улыбаюсь, радуясь, что ты этого не видишь.

Возле твоего дома останавливается машина.

— У тебя гости. — Слава богу, наконец этот разговор закончится и ты уйдешь. У меня кружится голова, а в желудке тост бултыхается на волнах водки с клюквенным соком, и я сомневаюсь, что им хорошо вместе.

Ты разглядываешь машину, стоя у окна. Руки в карманах, лицо хмурое. А все же ты хорош собой. Не старый, немного за сорок, в этом возрасте многие мужчины отлично выглядят, но ты сохранился вопреки своему образу жизни, работе по ночам, алкоголю и адской смеси из транквилизаторов, снотворного и что ты там еще принимаешь. На твоей внешности они отразились куда меньше, чем могли бы.

— Не думаю, что это ко мне, — говоришь ты. — Он просто сидит в машине.

— Почему бы тебе не пойти работать на ТВ? — вдруг спрашиваю я. — Обычно успешные диджеи, с такой аудиторией, как у тебя, и таким количеством фанатов, переходят в телевизор, а сейчас я неожиданно поняла, что ты к тому же отменный красавец. В ящике это высоко ценится, не меньше чем мозги, а зачастую и больше.

— Я работал. — Ты оборачиваешься ко мне, удивленный не меньше моего, что я задала тебе вопрос о твоих планах, о работе. — Пять лет назад я вел ток-шоу в ночном эфире, тоже дискуссионное, как на радио. Оно выходило по средам, в полдвенадцатого.

Ты так смотришь, как будто мне это должно быть отлично известно, но я отрицательно качаю головой.

— Круглый стол, эксперты, приглашенные гости, темы, которые мне интересны... все вроде точно так же, но разговора не получалось. Я оттуда ушел. По ящику ничего сказать нельзя. Нет той свободы, что на радио.

— Мм, типа предновогодних оргазмов в прямом эфире.

Ты вздыхаешь и снова садишься в кресло.

— У меня есть друг. Назовем его Джои.

— Или назовем его Мэтт?

— Нет, это не я. — В данном случае я тебе верю. — Однажды Джои говорит мне, что у них с женой проблема. Восемь лет женаты, а детей нет. Мы с ним пьем пиво, и после очередной пинты он раскалывается. Признается, что изображает перед женой оргазм, когда они трахаются. Раньше я такого не слышал. В смысле про мужчин. Когда притворяется женщина, никакой беды нет, но совсем другое дело, если двое хотят иметь детей, а мужик боится признаться, что не кончает. Он загнал себя в ловушку, понимаешь? Она проверилась, сдала анализы, у нее все в порядке...

Ты так это рассказываешь, что прям заслушаешься.

— В общем, она говорит ему, иди теперь ты проверься. Он ни в какую, дескать, я знаю, у меня все прекрасно. Понятно, ему хочется в это верить. В итоге вместо того, чтобы признать, что он бóльшую часть времени притворялся, и, может быть, что-то поменять, попробовать что-то новое в койке, он ей заявляет, что вообще не хочет детей. Притом что он их очень хочет, но, видишь, запаниковал, не нашел другого аргумента. Кончилось тем, что они развелись. А все потому, что он ей не смог рассказать правду. — Ты качаешь головой. — О таких вещах стоит говорить в прямом эфире.

— Да, пожалуй.

Лично я не особенно жаждала бы услышать, как несколько человек орут и спорят об этом посреди ночи, а еще куча страждущих названивает в студию, чтобы, прорываясь сквозь помехи, поведать свою историю. Но идею я уловила.

— Короче говоря, у Тони возникла мысль насчет того, чтобы встретить Новый год таким образом. Я сказал о'кей, почему нет. Спокойно отреагировал, без восторга, но, с другой стороны, в этом было что-то забавное. Это подходило под тему передачи. Ничего ужасного.

— Кто такой Тони?

— Продюсер. Он это все устроил. Привел ту бабу на студию. Она начала стонать в микрофон. Да нет, это было не по-настоящему, — морщишься ты на мой невысказанный вопрос. — Что бы там ни писали таблоиды. Но она проститутка. Вот в чем проблема. Тони ей заплатил. Кретин, конечно. Но у него были какие-то проблемы с девушкой, он был замотан на работе... и сейчас ему совсем несладко. Хуже чем мне.

— Ну, похоже, тут большая доля его вины.

— Нет. Это мое шоу. Я должен был знать, что происходит. Честно говоря, я был совсем никакой в тот вечер и всю неделю до того. Короче, не проследил, сам виноват. Раньше мы тоже много чего творили, но всегда как-то сходило с рук, а тут…

Ты поднимаешься и снова подходишь к окну.

— Чего этот парень делает? Что он там высматривает?

Я наконец сползаю с дивана и тоже подхожу к окну. Машина стоит прямо рядом с домом, водитель действительно так и вперился в него глазами.

— У тебя ведь много фанатов?

— Угу, одна вообще тут свихнулась на мне, переехала в дом напротив. Рыжая. С большими сиськами. Жить без меня не может.

Я невольно смеюсь.

— Слушай, может, он ждет тебя, потому что знает, что тебя нет дома?

— И откуда ему об этом знать? Если только он не следит за мной. Так, пойду разберусь.

Я слышу, как ты зол, и понимаю, что добром это не кончится.

— Подожди, Мэтт, смотри, он выходит из машины.

Мы видим, он что-то держит в руках, что-то черное. Камеру. Поднимает ее и начинает быстро снимать твой дом.

— Ах ты…

Замедленная реакция. Фотограф успел сделать несколько снимков, прежде чем ты сообразил, что происходит. Он проверяет, хорошо ли получилось, потом идет вдоль дома, чтобы снять с другого ракурса.

— Не делай глупостей, Мэтт, — предупреждаю я. — Ты только еще больше проблем получишь, — кричу я тебе вслед, но совет не достигает цели, потому что ты уже пулей вылетел на улицу.

Скорее даже наоборот: ты делаешь ровно то, от чего я пыталась тебя отговорить, то есть собираешься избить фотографа. Он оборачивается, видит тебя, видит ярость на твоем лице и улыбается, предвкушая отличный снимок. Зря. Ты выхватываешь у него камеру, с размаху грохаешь ее об землю, а самого папарацци заталкиваешь в машину. Впрочем, я толком и не вижу, что происходит, потому что закрыла лицо руками. Что-то мне подсказывает — лишние свидетели ни к чему.

И вот час спустя я все еще в пижаме, у тебя перед домом теперь уже трое фотографов, и камеры их нацелены на мое жилище. А ты мечешься по комнате, мешая мне смотреть сериал, и громко орешь в телефон на своего агента. Новость о том, что ты уволен, просочилась в прессу еще до того, как тебя успели поставить в известность, тебе «присудили» полгода принудительного отпуска, чтобы ты не мог немедленно подписать контракт с конкурирующей станцией — именно это ты злобно обсуждаешь со своим собеседником.

Я отлично знаю, каково тебе сейчас, но в то же время мне очевидно: тобою движет желание отомстить бывшим работодателям, а не искренняя тяга к труду. И мне приходит в голову, что, пожалуй, полгода раздумий о том, чем заняться дальше, будут тебе очень кстати. Это интересное соображение, раньше оно не приходило мне в голову. Тебе кажется, что ты вроде как в тюрьме, а я вот вижу, что это твой шанс. Возможно, я на верном пути.

Выйти в сад я не могу из-за фотографов, хотя фонтан призывает меня завершить начатое, а похмельная голова просит проветрить ее на свежем воздухе. Я надеялась, что они уберутся на полуденный перекус, но вместо этого один смотался куда-то и вскоре вернулся с огромным бумажным пакетом, так что теперь все четверо дружно работают челюстями, примостившись рядом со своей машиной. Я было попыталась все же выйти, пока они отвлеклись на еду, но стоило открыть дверь, как они побросали свои бутерброды с ветчиной, овощные салаты и кофе и схватились за камеры. Защелкали как сумасшедшие, невзирая на мои протесты, что я частное лицо, одинокая женщина и вообще полноправный гражданин. И только поняв, что у фотиков заполнятся карты памяти, а я все так же буду ковыряться в земле, они наконец угомонились. Но все равно работать под их пристальными взглядами было слишком неуютно, тем более что я толком и не знала, что делаю, поэтому довольно быстро вернулась обратно в дом.

— Ну прости, — говоришь ты, когда я злобно хлопаю дверью и поворачиваю к тебе красное от злости лицо.

Однако вскоре небеса разверзаются и начинается ливень, поэтому фотографам приходится укрыться в фургоне, куда они спешно затаскивают свои огромные камеры. Я кричу им в окно:

— Ха-ха! Надеюсь, все ваше оборудование накрылось медным тазом!

Ты ненадолго выпадаешь из собственной ярости и с удовольствием на меня смотришь.

Приходит доктор Джеймсон, изображает, что недоволен возникшей неразберихой, однако ясно, что эта суета и общее возбуждение ему нравятся. Он хочет обсудить «проблему папарацци на нашей улице» и что с ней делать. Я иду наверх и ложусь на кровать.

Неожиданно звонит Каролина и спрашивает, можно ли ей заехать. Это очень странно. Во-первых, Каролина работает в банке, занимается недвижимостью и посреди дня обычно занята по горло. Во-вторых, даже если у нее выдается свободное время, она проводит его с новым любовником, который моложе ее на семь лет. Он появился после того, как Каролина узнала о многочисленных интрижках своего мужа. Я бы предпочла, чтоб она оставалась там, где есть, ради ее же блага.

Она приезжает исполненная такого воодушевления, что, кажется, сейчас взорвется. Единственное место, где мы можем спокойно поговорить, это моя спальня, потому что внизу мечешься ты, обсуждаешь со своим адвокатом утренний инцидент — фотограф, чью камеру ты грохнул об землю, грозится подать заявление за намеренную порчу имущества. Но этот номер не пройдет, потому что он уже успел заработать на снимках, которые сделал этой самой камерой. Они выложены в Интернете, на сайтах, где муссируют сплетни и слухи из жизни знаменитостей. Он все же поймал тебя в тот момент, когда ты тянешься к камере с видом законченного убийцы, да еще и снял под таким углом, что ты похож на Кинг-Конга: два могучих подбородка, грудь выпячена, сейчас всех сметешь на своем пути.

Мы с доктором подходим к лэптопу, чтобы получше разглядеть снимки.

— Бога в душу мать, — стонешь ты. — Хорошо, что детей сейчас нет дома.

— Моя альпийская горка неплохо получилась, — увеличивая кусок на заднем плане, с удовлетворением отмечаю я. — Жалко только, что фонтан еще не доделан.

И быстренько сматываюсь наверх, пока Кинг-Конг меня не пришиб. Доктор возвращается к телевизору смотреть «Дома на продажу».

— А квартира-то до ремонта выглядела лучше, — прицокивает он.

— У тебя сегодня какой-то дурдом, — хмыкает Каролина, забирая чашку кофе, который я ей принесла.

— Добро пожаловать в мой новый мир, — криво улыбаюсь я.

— Так на чем я остановилась?

— На том, как вы вместе сосали леденец.

— А, точно! — Ее глаза мечтательно затуманиваются, и она в подробностях описывает мне сексуальные игры, которые у них уже давно вышли за пределы спальни. — Но вообще-то, — Каролина наконец останавливается и переводит дух, — я пришла к тебе потому, что у меня появилась *потрясающая* бизнес-идея… и я хочу, чтобы мы с тобой над ней поработали! — Она чуть не визжит от восторга. — У меня есть только мега-идея, но я понятия не имею, куда ее приткнуть. А ты это сотни раз делала. Возьмешься? Пожалуйста!

— Ну и ну. — Я ужасно рада, но при этом осторожничаю. Работать с друзьями штука сложная, и я еще не слышала саму идею. Поэтому заранее готовлю план отступления. — Ладно, рассказывай, что ты придумала.

Каролина подготовилась лучше, чем я ожидала. Она достает папку с надписью GUNA NUA, что по-ирландски означает «новое платье». Идея в том, что ты размещаешь фото какой-то своей вещи на сайте — Каролина уже купила доменное имя — и выбираешь, на что хотела бы ее поменять. Твоя вещь переходит к другому владельцу, а у тебя взамен появляется что-то новенькое. Деньги в этом обмене никак не участвуют, единственное обязательство — шмотки должны быть после химчистки и в хорошем состоянии.

— Там будут разные коллекции: дизайнерские вещи, винтаж, уличная одежда — все что хочешь. Ты задаром получаешь новые вещи, а заодно избавляешься от того, что не носишь.

— И откуда прибыль?

— От подписки. Люди платят за членство на сайте. За пятьдесят евро в год можно получить сколько угодно новых шмоток. Честное слово, Джесмин, я знаю, что это хорошая рыночная ниша, я вижу ситуацию, и она сейчас удручающая. Так что одежда-на-обмен — классный вариант, я уверена.

Это не безупречная бизнес-идея, отнюдь, и по мне так пятьдесят евро слишком много, но если я вижу проблему, то я вижу и ее решение. Хм, может быть занятно.

— Я знаю, что тебе это тоже сейчас нужно, поэтому отнесись к моему предложению *всерьез.* — Каролина старается меня продавить. И добивается обратного эффекта.

Впечатление такое, что она делает мне одолжение, а все обстоит иначе: я нужна ей, чтобы разработать концепцию и продвинуть ее дальше. Пока что это неплохая, но очень сырая, непродуманная идея. И я ей нужна, чтобы воплотить ее в реальность. Мне не нравится ее подход, мол, она мне помогает. Чувствую, что закипаю от раздражения. Каролина этого не улавливает и продолжает давить.

— У тебя когда кончается принудительный отпуск? В ноябре, да? Ну и отлично, мы сможем спокойно довести идею до ума, все подготовим, а там и ты «выйдешь на свободу». Прощай, садоводство, тебе уже будет не до нарциссов. — Она хотела, чтобы это прозвучало лестно, но не вышло.

— В ноябре нарциссов не бывает, — хмуро говорю я.

Она обиженно поджимает губы:

— Тебе виднее.

Захлопывает свою папку.

— Если ты считаешь, что все это чушь, так и скажи: это чушь. — Прижимает папку к груди и скрещивает поверх нее руки.

— Нет, дело не в этом. Просто, понимаешь, я не то чтобы очень ищу работу. Спасибо тебе огромное, что подумала обо мне, и это могло бы подойти, но вообще-то мне уже предложили кое-что.

— Что?

— На меня вышел один хедхантер, потрясающий мужчина, кстати сказать... — Улыбаюсь, а потом говорю серьезно: — Это связано с изменением климата и правами человека.

— С изменением климата? Чего ты вдруг этим заинтересовалась? У тебя подснежники слишком поздно расцвели в этом году? — смеется она.

Ну да, очень смешно. Все друзья последнее время шутят над моим новым неожиданным увлечением. Я отказываюсь от приглашений выпить вместе кофе, в гостях обсуждаю свои садоводческие достижения и проблемы. И у них новая мода: давайте хохмить на тему «Джесмин и ее садик». Я их понимаю, правда, но... Каролина так на меня смотрит, что я спрашиваю себя, стоило ли вообще обсуждать с ней мою гипотетическую работу. Впрочем, наплевать, пусть думает, что мне *нужна именно она*.

— Ну и что, ты согласишься?

— Я об этом подумываю. — Сама удивляюсь, что так честно ответила.

Она пристально на меня смотрит, постепенно перестает хмуриться, и я с облегчением улыбаюсь.

— Джесмин, ты будешь со мной работать? Да или нет? Я не обижусь, говори.

Прикусив губу, некоторое время молчу, а потом понимаю, что не могу ответить прямо здесь и сейчас.

— Лучше расскажи мне, что вы там еще с леденцами делали.

Поняв, что мне нужно время, она с усмешкой говорит:

— Ладно, но передай всем, кто захочет этим заняться, что леденцы ужасно липнут к волосам. Так что пусть побреют, что только можно.

Пока она болтает, я думаю о Санди. Нет, не в связи с леденцовыми играми, а потому что мне совсем не хочется его подвести, ведь хоть мы и знакомы всего ничего, а он так в меня верит.

— Санди, — говорю я в трубку, и у меня слегка кружится голова от звука его голоса. Кроме того, я нервничаю от того, что мне предстоит ему сказать.

— Джесмин. Замечательно. Я как раз про вас думал. Что не редкость в последнее время.

Как трогательно и как необычно, учитывая характер наших отношений, но он быстро переключается на рабочий тон, как будто ничего «такого» и не имел в виду. Судя по всему, он на улице, до меня доносится шум машин, ветер, голоса. Деловой человек, хедхантер на охоте, а я здесь, в своем тихом саду, куда специально вышла, чтобы с ним поговорить, потому что с недавних пор только здесь мне хорошо и спокойно. Пошел третий день, как папарацци безотлучно караулят тебя возле дома. Они сидят в фургоне, укрываясь от холода, и ждут, что ты выйдешь, чтобы спровоцировать на новые агрессивно-бессмысленные поступки. А таблоиды меж тем все активнее раскручивают историю с проституткой, которой, как они пишут, Тони заплатил не только за студийные услуги. Мало того, она сама продала разным изданиям разные версии того, как все было, и понятно, что ни малейшей радости твои бывшие работодатели от всего этого не испытывают.

— Как поживает ваш фонтан?

— Почти доделала. Сейчас кладу настил вокруг него. Видели бы меня мои прежние сослуживцы — с молотком и ящиком гвоздей.

— О, тогда папарацци лучше поостеречься.

Замолкаю и оглядываюсь. Он что, где-то поблизости? Да нет, я слышу в телефоне совсем другой «задний фон».

В ответ на мое молчание он поясняет, что видел фотки в Интернете.

— Ваш сад отлично смотрится.

— Жалко только, что фонтан еще не готов.

— Ничего, я уверен, вы быстро справитесь. — Мне слышно, что он улыбается. — Итак, я вот почему о вас думал: прочитал сегодня, что колокольчикам придется очень плохо, если наступит глобальное потепление. Колокольчики и другие весенние цветы начинают цвести довольно рано, когда еще совсем холодно, потому что вся их сила в луковицах. Она там накапливается за лето и хранится всю зиму.

Я улыбаюсь и сажусь на свою новенькую садовую скамейку, чтобы внимательно слушать.

— Как только приходит ранняя весна, луковицы дают побеги. А если из-за изменения климата весна станет более теплой, колокольчики утратят свое преимущество перед менее морозоустойчивыми растениями, и те их вытеснят.

Даже и не знаю, что ему на это сказать.

— Ужас какой. Но у меня в саду колокольчиков нет. — На всякий случай оглядываюсь, чтобы в этом убедиться.

— Ужас будет, если мы не увидим в лесу поляны, покрытые голубыми цветами. Так ведь?

Да, голубые от колокольчиков поляны — это красиво. Но почему он решил, что именно этот аргумент заставит меня согласиться на работу, выше моего разумения.

— Санди, — произношу я максимально серьезно. — Мне нужно вам кое-что сказать.

Он на секунду замирает, почуяв неладное.

— Да?

— Мне следовало рассказать вам об этом раньше, но я... ммм... — нервно откашливаюсь и продолжаю: — У меня принудительный отпуск. На год. Он заканчивается в ноябре.

— В ноябре? — судя по тону, он отнюдь не рад. Но профессиональная выдержка удерживает его от проявления гнева, хотя есть на что гневаться. Он впустую потратил на меня время, теперь я это понимаю. В отличие от меня он не забавлялся дурацкими играми, а делал свою работу. — Мне полезно было бы узнать об этом месяц назад, Джесмин. — Он так произносит мое имя, что я вся сжимаюсь и от страха не знаю, что сказать. Чувствую себя, словно у меня штаны свалились, а папарацци скачут вокруг и снимают мою голую задницу. Утешает лишь то, что мы с Санди говорим по телефону, а не лицом к лицу.

— Простите, что не сказала вам раньше, я просто… — Не знаю, что выдумать себе в оправдание, но он молчит и ждет объяснений. — Я постеснялась.

Мне кажется, он остановился посреди улицы.

— Да чего же тут стесняться? — искренне удивляется он уже без всякого раздражения.

— Ой, я не знаю. Меня уволили. Я целый год не смогу работать.

— Джесмин, это нормально. Здесь абсолютно нечего стыдиться. На самом деле вам должно быть лестно, что они не хотят, чтобы вы ушли к конкурентам.

— Я как-то не думала об этом в таком ключе.

— И напрасно. Между нами говоря, я не возражал бы получить свободный оплаченный год. — Он смеется, и мне становится намного легче.

Мы надолго замолкаем. Я не знаю, как себя вести. Если эта работа отпадает, то нам больше незачем встречаться. Но я очень хочу его увидеть. Сказать об этом? Назначить встречу? Или попрощаться? И тут он спрашивает:

— Вы хотите получить эту работу, Джесмин?

Прокручиваю сценарий, при котором я говорю нет. Он вешает трубку, больше я его никогда не увижу, я возвращаюсь к своему отпуску, будущее неясно, настоящее уныло и тревожно. Нет, не хочу больше жить так, как последние полтора месяца.

— Да, я хочу получить работу. — Тут же исправляю свою ошибку. — Я хочу *эту* работу.

— Хорошо. Мне придется пойти и рассказать обо всем. Посмотрим, что они скажут. Ладно?

— Да, конечно. Конечно. — Беру себя в руки и добавляю с наигранной любезностью: — Еще раз прошу меня извинить.

А потом минут пять сижу, закрыв лицо ладонями, мысленно корчась от стыда. Наконец встаю и возвращаюсь к своему саду. Постепенно все лишние мысли улетучиваются, я думаю только о том, чтобы ровнее класть доски одну к другой, оставляя небольшие промежутки для стока воды.

Сосредоточенно колочу свой настил, как вдруг в голове что-то щелкает, молоток выпадает у меня из руки, и я бегом мчусь в дом. Там, на кухонной стене, висят над столом фотографии, и я точно знаю, какая мне нужна. Вот она! Невольно прижимаю руку к губам, чтобы не расплакаться. Нет, это не излишняя чувствительность, просто эта фотография для меня очень много значит. И Санди это понял.

Напротив того места, где он сидел, когда мы пили чай втроем с Хизер, висит старый снимок. Я, Хизер, мама и папа — единственный, где мы все вместе. Он сделан в Ботаническом саду, куда часто ходили гулять. Мы все широко улыбаемся, у меня не хватает переднего зуба, и мы лежим на поляне с голубыми колокольчиками.

Глава девятнадцатая

Фотография наводит меня на размышления, и я размышляю — старательно, долго, о самых разных вещах. Параллельно заканчиваю устанавливать фонтан, а также вкапываю шпалеру и крашу ее в честь дедушки Адальберта Мэри в красный цвет. И еще натягиваю вдоль стены бечевки, чтобы моему зимнему жасмину, который я совсем недавно посадила, было куда карабкаться. А потом, когда я думаю, что больше уже не могу думать и пусть кто-нибудь решит за меня, что делать с моей жизнью, я решаю, что надо настелить траву возле дома, а еще сделать цветочную лужайку. Мне вновь понадобился Эдди, но на сей раз я уже не позволяю ему валять дурака, и этот клочок асфальта он успевает раздолбать за день. Я подготавливаю почву и всю неделю высаживаю смесь семян: маки, садовые ромашки, маргаритки «бычий глаз» и васильки. Участочек небольшой, но я берегу место под парник, который мне вскоре должны доставить, он встанет у свободной стены. Чтобы птицы не склевали семена, в воскресенье мы с Хизер вбиваем колышки, протягиваем леску над всем участком и вешаем на нее компакт-диски. Отбор не случайный, тут тоже все продумано, и мы берем те песни, которые, как нам кажется, напугают птиц до ужаса.

Я возделываю свой сад, возделываю и возделываю. И, пока возделываю, размышляю. Правда, я не всегда отдаю себе в этом отчет, вроде бы просто бездумно ковыряюсь в земле, как вдруг — бац! — мне в голову приходит мысль. Настолько неожиданно, что я разгибаюсь, распрямляю уставшую спину и оглядываюсь, чтобы понять, кто или что натолкнуло меня на эту свежую мысль.

Март движется к апрелю, и я все размышляю. Выпалываю сорняки. Защищаю росточки. Днем уже тепло, но по ночам случаются заморозки, да и от сильных ветров они тоже могут погибнуть. Я помню о своих цветах, когда ужинаю с друзьями, особенно если льет дождь и, заходя в ресторан, люди отряхивают мокрые зонты и куртки, с которых вовсю течет вода. Первое, о чем я думаю, просыпаясь, — как там мой сад. Я думаю о нем, лежа в объятиях мужчины, с которым познакомилась в баре, слушая, как за окном его спальни воет ветер, и мне хочется домой, к саду, туда, где существование наполнено смыслом. Я все время в движении. Траву надо стричь, нельзя дать ей вырасти слишком высоко, не то она пожухнет. Нужно удобрять и пропалывать.

Обо всем заботиться и ничего не оставлять в небрежении. Я занимаюсь этим и все время размышляю.

Нарциссы, прежде гордо тянувшие свои головки вверх, первыми украсившие серый пейзаж, теперь, увы, завяли. Как ни грустно, а приходится их обрезать, разумеется, оставляя черенки нетронутыми. Если не сделать этого, то растения потратят силы на образование семян и тогда в следующем году будут плохо цвести. А так всю энергию они направляют в луковицу.

В саду все время что-то меняется. Вне зависимости от того, как течет мое время, а оно течет медленно, жизнь в саду идет полным ходом. Там, где вчера был лишь крошечный бутон, вдруг распустился цветок — и с гордостью поглядывает на меня, дескать, смотри, что я успел, пока вы все спали.

Санди договорился, что я приступаю к работе в ноябре, а пока что подыскивает других кандидатов, чтобы было кого предложить помимо меня. Мое собеседование назначено на девятое июня. Жду не дождусь, мечтаю снова ощутить себя прежней. Мечтаю, чтобы год отпуска уже остался позади, но при этом спрашиваю себя, что я буду делать, когда наступит это время? В ноябре холодно, темно и серо, снова начнутся бури. Конечно, и в ноябре есть своя прелесть, но для меня это будет время принятия решений и надежд, связанных с началом новой работы — если я ее получу. Мне вдруг хочется, чтобы время текло помедленнее. Я смотрю на свой сад, на струйки воды в фонтане, распускающиеся весенние цветы и понимаю, что нельзя остановить приближение того, что меня ждет. Садоводство напрямую связано с подготовкой к будущему — сменяют друг друга времена года, жара и морозы, и мне надо уже сейчас готовить свою будущую жизнь.

Вопреки моим опасениям мы с Санди периодически встречаемся, чтобы обсудить рабочие моменты, но в итоге разговор неизменно переходит на далекие от работы темы. Мне так с ним хорошо, так легко и комфортно, нет нужды притворяться и врать. Конечно, сад доставляет мне массу радости, но все же нередко я чувствую себя одинокой и ненужной, у меня ни на йоту не прибавилось уверенности в завтрашнем дне, разве что я стала меньше на этом зацикливаться. А с Санди мое одиночество отступает. Его готовность встретиться и поговорить меня исключительно приободряет. По правде говоря — знаю, это противоречит тому, что я утверждала раньше, — я бы хотела, чтобы не было никакой работы, чтобы мы с Санди могли бы встречаться просто так и болтать обо всем на свете.

Что до работы, то пока это все лишь на уровне собеседования, поэтому я не отвергаю окончательно предложение Каролины. Мы с ней несколько раз встречались по поводу «Guna Nua», и я ей помогаю, но твердой договоренности насчет долгосрочного сотрудничества между нами нет. Таким образом, если потребуется, я всегда могу выйти из игры. Но с деловой точки зрения это, конечно, не слишком хорошо ни для нее, ни для меня. Я прекрасно знаю, что дружбы для бизнеса недостаточно. Ларри мне это доказал, отправив в годичный принудительный отпуск, и пусть в каком-то смысле он сделал мне подарок, я все же предпочла бы без таких подарков обойтись. Итак, часы тикают, иногда они отсчитывают приятные минуты, иногда тяжелые, но будущее мое туманно.

Прошло уже больше двух месяцев с того скандального происшествия у папы дома. Хизер по своей замечательной способности все прощать и забывать давно так и поступила, и они с папой общаются как прежде. А я нет. Какое-то время мне было удобно, что мы не видимся и соответственно не разговариваем, но потом все стало еще хуже. Теперь я веду с ним мысленные споры, и он сводит меня с ума своими аргументами. Кроме того, раз я не общаюсь с папой, я не общаюсь и с Зарой, а это никуда не годится. Вот ради общения с ней, в первую очередь, я и решаю ему позвонить.

Мы договариваемся встретиться возле пирса на полуострове Хоут. Там изумительно красиво, день сегодня солнечный, но с моря дует прохладный ветер, и я поплотнее запахиваю плащ. И все же весна ощущается во всем: люди сбросили тяжелую зимнюю одежду и выбрались в пригород, чтобы поваляться на травке. Неподалеку от меня веселая семейная компания перекусывает жареной рыбой с картошкой, запах еды смешивается с соленым морским воздухом, и у меня текут слюнки.

— Джесмин! — доносится до меня Зарин крик еще до того, как я успеваю ее увидеть.

Она мчится ко мне и падает в мои объятия. Я подхватываю ее и только тут понимаю, как соскучилась. Это была непростительная ошибка, идиотизм, которому нет оправдания. Как она выросла за те два с половиной месяца, что мы не виделись! В ее возрасте это большой срок.

Между мной и папой должна бы возникнуть неловкость, но он легко находит выход и прибегает к своему излюбленному маневру: общаться через Зару.

— Расскажи Джесмин, как мы кормили тюленей рыбой.

Рассказывает.

— Расскажи Джесмин, как рыбак дал тебе подержать удочку.

Рассказывает.

Зара из тех детей, которые привлекают всеобщее внимание. Фокусник просит ее выйти на сцену и помочь ему, ей разрешают войти в кабину, чтобы познакомиться с пилотом, шеф-повар в ресторане зовет ее на кухню. Она излучает интерес к жизни, к людям, и в ответ они стремятся ее порадовать, сделать для нее что-нибудь хорошее.

Наконец, когда мы больше не можем общаться через нее, нам ничего не остается, кроме как молча стоять бок о бок и любоваться, как Зара носится по детской площадке с новым лучшим другом, с которым она познакомилась две секунды назад.

Он ни за что не заговорит первый, я точно знаю. Ему лучше вот так стоять в неловком молчании, чем завести неловкий разговор. В тех редких случаях, когда папе не удается уклониться от неприятного разговора, он старается свести свои проявления к минимуму. И это очень мешает, если я все же бываю вынуждена обсуждать с ним нечто важное. Я унаследовала от него эту черту. А когда из двоих ни один не хочет поговорить, ситуация более взрывоопасная, чем если оба к этому готовы.

— С Тедом Клиффордом все вышло плохо и неправильно, — вдруг заявляю я.

— У него должно освободиться место финансового директора. Сорок штук в год. Тед хотел поговорить с тобой лично, — со злостью отвечает он. И дело не в том, что я сейчас сказала, он был заранее рассержен. — Вы могли бы все обсудить между собой. Не за столом, а отдельно. Прекрасная должность. Знаешь, сколько народу о такой мечтает?

Я совсем не это имела в виду. Я говорила о том, как он повел себя с Хизер, а не о работе — хотя и эту тему я собиралась затронуть, но чуть позже.

— Я вообще-то о Хизер.

Первый раз за сегодняшний день смотрю ему в лицо и вижу, что он никак не может уловить, о чем я толкую. Наконец до него доходит.

— Я поговорил с Хизер на следующий же день. Мы все прояснили.

— И?

— Что и? И теперь я знаю про систему кругов.

— *Теперь* знаешь.

— Да. Теперь.

— Ей тридцать четыре года, и мы пользуемся системой кругов уже изрядное время.

Мне бы следовало сказать это громко, но я почему-то тихо мямлю. Не уверена, что он вообще меня расслышал. Надеюсь, что да. В любом случае я на это не способна: спорить, конфликтовать. Тогда я лучше отступлю и сделаю вид, что ничего не произошло. Мое детское «я» боится разгневанного отца, а вот мое «я-подросток», наоборот, бунтует.

— Ты относишься к ней, как будто она не такая, как все. *Особенная.*

— Нет. Я к ней отношусь ровно так же, как ко всем остальным, и ты бесишься именно из-за этого. А вот ты как раз ведешь себя так, будто она чем-то отличается. Подумай об этом. И уж извини меня, но ты говоришь одно, а делаешь совсем другое. Ты играешь не по тем правилам, которые навязываешь всем остальным. Хотя бы эта система кругов — похоже, для тебя там установлены отдельные правила, не такие, как для всех остальных, потому что все и всякий, кто к тебе приближается, — оранжевые. Нет, Зара, детка, не надо туда залезать.

Он резко обрывает разговор и бежит ей на помощь.

— Это твой дедушка? — спрашивает ее новый дружок, и Зара смеется, точно ничего забавнее в жизни не слыхала.

— Это мой папа!

Зара с папой идут на качели. Она садится на свой конец доски, он — на противоположный, с трудом втискиваясь в маленькое креслице. Когда его конец доски опускается, я вижу пролысину на затылке. Он и впрямь смахивает на ее дедушку.

Меня порядком ошарашило то, что он сказал. Так легко, беззлобно, что можно было бы и вовсе пропустить его слова мимо ушей. Но нет, напротив, обыденность, с которой он это произнес, заставляет меня крепко призадуматься.

Оранжевый круг — самый дальний от Пурпурного личного круга человека, в данном случае меня. За ним только Красный, там посторонние. В Оранжевом — малознакомые люди, с которыми невозможен ни физический, ни эмоциональный контакт.

Все и всякий, кто к тебе приближается, — оранжевые.

Мне хочется крикнуть ему, что это неправда. Беда в том, что я в этом не уверена. Единственный человек, которого я на самом деле готова подпустить близко, — это Хизер. А папу я, безусловно, поместила в Оранжевый круг. Итак, я приехала сюда, чтобы объяснить ему, в чем он неправ… нет, я приехала повидать Зару, но плюс к тому хотела, чтобы он понял — так больше нельзя себя вести, и меньше всего я ожидала, что все обернется подобным образом и мне еще и оправдываться придется.

Круги, круги. Самый широкий — Красный. *Некоторые люди навсегда остаются чужими.*

Расстроенная, обескураженная, еду обратно домой, к своему саду. Обратно к своим размышлениям. Надо срезать засохшие верхушки. И подготовиться к лету.

ЛЕТО

Сезон между весной и осенью. В Северном полушарии длится
три месяца, самых теплых в году:
июнь, июль и август.

Период наивысшего развития, завершенности и расцвета,
предшествующего дальнейшему упадку: лето жизни.

Глава двадцатая

Я люблю июнь, и того, кто с любовью возделывает свой сад, июнь щедро награждает за труды. У каждого сезона и месяца своя красота, но лето — самый богатый и яркий период. Весна полна надежд, лето горделиво в своем великолепии, осень смиренна, а зима готова противостоять унынию. Весна у меня ассоциируется с распахнутыми, огромными и нежными, как у олененка, глазами. Лето — с широко расправленной, гордо выпяченной грудью. Осень — это склоненная голова и легкая ностальгическая улыбка. Зима — покрытые шрамами шишковатые колени и сжатые кулаки, готовые нанести удар.

Июнь принес новые заботы: нужно постоянно все поливать, удобрять и пропалывать не реже чем раз в неделю. А еще цветы в подвесных корзинках, розовые пионы, кремовые розы, многолетники всех цветов радуги и обширный огород, который я разбила под кухонным окном. Это начинание вызвало неподдельный интерес у тебя и детей, вы последовали моему примеру и посадили огненно-красную фасоль, простую фасоль, морковь, брюссельскую капусту и кабачки. Мы соревнуемся, у кого раньше откроются занавески и кто раньше выйдет «в поле». Так и работаем, я у себя на участке, ты у себя, а Мэлони сидят на своей террасе, и он читает ей вслух — после инсульта миссис Мэлони не может не только двигаться и говорить, но и читать. Его донегольский акцент прекрасно подходит к стихам Патрика Каваны, и ветерок доносит до меня отдельные строки, пробираясь сквозь кусты жимолости. Мы с тобой можем часами трудиться, не перебросившись ни словом, но это не мешает ощущению общности. Может, только мне так кажется. Но все равно, приятное чувство. Когда я вижу, что ты пьешь воду из запотевшей бутылки, которую принес из холодильника, то вспоминаю, что и мне неплохо бы промочить горло. Когда распрямляю затекшую спину и вслух сообщаю, что пора бы сделать перерыв на ланч, ты соглашаешься, что да, самое время. Мы едим порознь, но у нас общий распорядок дня. Бывает, я сажусь на скамейку и ем на улице, например летний салат, а ты закусываешь, сидя у себя за столом, который так и стоит перед домом, и мы вроде как вместе, но в то же время не совсем. Утром и вечером мы оба приветственно машем соседу, топ-менеджеру, который арендует дом номер шесть, но он проезжает мимо нас на своей БМВ, игнорируя эти знаки внимания. Поначалу меня его пренебрежение раздражало. Теперь к раздражению примешивается жалость, потому что я точно знаю, что у него в голове. У него нет времени на нас с нашими приземленными мелкими заботами. Он слишком занят. У него в голове *важные вещи*. Реальные. Отвлеченные.

И момент, когда я стану такой же, все ближе и ближе. Скоро у меня собеседование. Как только Санди назвал точную дату, я стала мечтать, чтобы этот день наступил побыстрее, но вот он уже совсем близко, и мне хочется, чтобы неделя тянулась как можно дольше. Девятое июня, девятое июня, я так нервничаю, что стараюсь вовсе о нем не думать, хотя Санди не дает мне об этом забыть. Я нервничаю не потому, что не соответствую требованиям, наоборот, я уверена, что идеально им соответствую, и чем дальше, тем больше мне хочется получить эту работу. Если она мне не достанется, то я из полубезработной — востребованной, но в принудительном отпуске — перехожу в разряд классических безработных. Невостребованных и не управляющих своим будущим. Не хочу, не хочу... В каком-то смысле сейчас у меня период затишья перед бурей, но если это *затишье*...

— Хорошо, расскажите мне все еще раз с самого начала, миз Батлер.

— Санди, — удрученно ною я. Мы сидим у меня на кухне, и он собирается в десятый раз отрепетировать собеседование. — Вы со всеми своими протеже так делаете?

— Нет, — резко отвечает он и отводит взгляд.

— Ну и чем я заслужила подобное обращение?

Скажи мне, скажи, мне так нужно это услышать.

— Я хочу, чтобы вы получили эту работу.

— Почему? — Многозначительная пауза.

Молчит.

— У всех остальных претендентов есть работа. — Ответ наконец найден. — И вы подходите как никто.

Вздыхаю. Не этих слов я жду.

— Спасибо. А кстати, кто они, другие претенденты? Лучше, чем я?

— Вы же знаете, я не могу сказать, — улыбается он. — Да и что это меняет?

— Ну, чисто теоретически... Я могла бы им навредить. Шины проколоть, чтобы опоздали на собеседование. Подлить в шампунь синей краски, мало ли что...

Он смеется и смотрит на меня так, что у меня внутри все тает. Смотрит, будто я его одновременно и притягиваю, и сбиваю с толку.

— Да, кстати, — добавляет он, глядя, как я счищаю с тарелок остатки еды в мусорку. — Собеседование перенесли на десятое.

Я замираю и встревоженно смотрю на него. В горле спазм, в желудке паника.

— И вы только сейчас мне об этом говорите?

— Джесмин, ну подумаешь, на день позже — что вы так всполошились? — Он улыбается и трет подбородок, не сводя с меня глаз.

— Нет, я не всполошилась, я... — Не знаю, сказать ему или не стоит.

Не буду говорить. Иначе он поймет, что я до сих пор не приняла окончательного решения, и это меня пугает. Мне нужна эта работа. Мне нужно снова занять место в привычной жизненной колее.

Десятого июня Хизер уезжает с Джонатаном на остров Фота. Они едут на четыре дня. Мне остается только сидеть дома и ждать — ждать, что зазвонит телефон, что соседи постучат в дверь и скажут: вы уже знаете? Как в кино, точь-в-точь. Приходят полицейские, снимают фуражки и горестно склоняют головы. Если я в этот день пойду на собеседование, то не смогу сосредоточиться на том, что происходит у Хизер. Кому-то может показаться, что оно и к лучшему — мне будет на что отвлечься, но нет, ведь придется выключить телефон, минимум на час, и, что гораздо хуже, выключить свои внутренние сенсоры, поэтому, если что-нибудь случится, я просто не узнаю. До меня не дойдет сигнал тревоги, я не почувствую, что надо сесть за руль и немедленно мчаться в Корк. Конечно, работа важна, но Хизер неизмеримо важнее. Это не обсуждается.

— Джесмин. — Санди идет ко мне на кухню. — Что-то не так?

— Нет. — Я вру, и он знает, что я вру.

Вскоре он уходит, а я стою у кухонного стола и нервно грызу ногти. До крови.

Санди звонит девятого. Я у Хизер, помогаю ей уложить вещи, чтобы быть уверенной — она ничего не забыла, все в порядке. Он что-то подозревает, и он прав, меня терзают сомнения, и, хотя мысленно я готовлюсь к собеседованию, сама себе я верю слабо. Мне нужна работа. Мне нужно вернуться к нормальной жизни. Но Хизер. У меня сердце надрывается, я так о ней тревожусь.

— До завтра, Джесмин, — говорит Санди.

— До завтра, — отвечаю я, едва не поперхнувшись.

На следующий день я провожаю Хизер на вокзале Хьюстон, как будто она солдат, отправляющийся на войну, и в одиннадцать утра, когда я должна быть на собеседовании, от которого зависит, вернусь ли я к нормальной жизни, я сижу в поезде на Корк. В соседнем купе Хизер с Джонатаном играют в подкидного дурака. Санди делает четыре попытки дозвониться до меня, но я не беру трубку. Он меня не поймет, во всяком случае, сейчас, но я знаю, что поступаю правильно.

Напротив садится мужчина и загораживает обзор. Нет, так не годится.

Раньше я думала, что цветы, и вообще растения, честны, правдивы и открыты. Но даже они способны на подлог и обман. С другой стороны, что ж поделаешь, жить-то хочется. Взять, например, английскую росянку или венерину мухоловку. Они приманивают насекомых, изображая разлагающуюся плоть. И те с готовностью ведутся на этот мерзкий обман, за что и платят головой. Чем я хуже? Громко сморкаюсь и делаю вид, что никак не могу откашляться. Мужчина реагирует адекватно — тут же пересаживается подальше. Мне снова хорошо видно Хизер. Обман в природе вещей.

Санди звонит пятый раз. На черешках и листьях страстоцвета, он же пассифлора, есть железки, которые выделяют специальную жидкость, привлекающую муравьев. Муравьи нужны им для защиты от гусениц бабочек-геликоний, их главных естественных врагов. У некоторых видов страстоцветов есть даже наросты, имитирующие яйца этих бабочек: дескать, место уже занято, ползи дальше. Они недавно этому научились, в процессе эволюции. У меня есть подруга, которая поступает сходным образом. В баре, если к ней клеится не самый приятный мужик, она будто невзначай упоминает о своем младенце — никаких детей на самом деле у нее нет, — и он тут же сваливает. Я не беру трубку. Обман в природе вещей.

На вокзале их встречает машина с водителем, мы заранее договорились об этом с администрацией отеля. Он стоит с табличкой в руках, и я замечаю его раньше, чем Хизер с Джонатаном. Они поначалу даже проходят мимо него, и мне хочется их окликнуть, но в последнюю секунду я успеваю прикусить язык. А они, точно услышав мой призыв, разворачиваются и подходят к водителю.

Некоторые виды орхидей, не производящие нектар, умудряются привлекать самцов орхидных пчел. Те их честно оплодотворяют, а по ходу дела изгваздываются в пыльце, которую переносят на другие орхидеи. Это взаимовыгодное сотрудничество, которое возникло, говорят, уже 20 миллионов лет назад. Другая моя подруга забеременела, чтобы женить на себе своего бойфренда. А потом еще раз забеременела, чтобы он не ушел, когда их отношения разладились. Обман в природе вещей. Ловлю такси и еду в отель вслед за машиной Хизер и Джонатана.

Они регистрируются у стойки и берут два отдельных номера, как мы и решили. Все это время я стою затаив дыхание и с облегчением перевожу дух, только когда формальности остаются позади. Свой номер я заказала, пока ехала в поезде. На том же этаже, что и у Хизер. Может быть, кому-то и кажется странным, что из вещей у меня только кожаная папка для бумаг, но меня это мало волнует.

Я не задерживаюсь у себя в номере. Спускаюсь вниз, занимаю удобную наблюдательную позицию и жду в надежде, что они за это время не успели уже уйти. Они выходят, держась за руки, и отправляются осматривать окрестности, я следую за ними, стараясь, разумеется, остаться незамеченной, но, с другой стороны, мне нужно видеть лицо Хизер, чтобы знать, все ли у нее хорошо. Расхрабрившись, подбираюсь поближе, укрываясь за деревьями. Они приходят на игровую площадку, рядом летние домики, место оживленное, здесь много детей. Хизер садится на качели, а Джонатан ее раскачивает. Сажусь на травку, подставляю лицо солнцу и закрываю глаза, слышу, как они смеются, и улыбаюсь. Хорошо, что я здесь, я все сделала правильно.

На площадке они проводят часа полтора, потом идут купаться. Я вижу желтую шапочку Хизер и Джонатана, который изображает акулу: он то ныряет, то шумно выскакивает из воды рядом с ней. Смотрю, как они играют в волейбол, весьма неуклюже, как он брызгает на нее, а она хохочет. Он внимателен и очень заботлив, сторожит каждый ее шаг, как будто она хрупкая драгоценность, как будто ухаживать за ней для него большая честь. Он открывает перед ней двери, пододвигает стул, все это немного застенчиво и неловко, но в целом он успешно справляется. Хизер обычно такая независимая, а сейчас она позволяет ему ухаживать за собой, и видно, что ей это очень приятно. Она столько лет отстаивала свое право все делать сама, без чьей-либо помощи, что мне немного странно это наблюдать.

Они переодеваются к ужину, и Хизер надевает новое платье, которое мы покупали с ней вместе. А еще красит губы. Обычно она вообще не красится, так что это говорит о многом. Помада красная и не подходит к ее розовому платью, но Хизер настаивала. Они идут рядом, и я замечаю, что она выглядит совсем взрослой, более того, волосы у корней немного поседели. Когда это случилось? Они заходят в лифт, и я выхожу в коридор. В воздухе еще не развеялся аромат ее духов, и я глубоко вдыхаю его, думая о маме. Перед поездкой Хизер долго не могла выбрать духи, а потом спросила, какие любила мама, и купила их.

Они ужинают внизу, в ресторане отеля, а я сажусь в баре, отсюда удобно наблюдать. На закуску Хизер берет козий сыр, и я огорчаюсь, потому что знаю, что она его не любит. Наверное, перепутала в меню с обычным сыром. Я заказываю себе то же самое, чтобы потом, когда она будет мне рассказывать, лучше себе представлять, о чем идет речь. Они оба заказывают по бокалу вина, и я настораживаюсь — Хизер не пьет алкоголь. Она делает маленький глоточек, смешно кривится и отставляет бокал как можно дальше. Они оба смеются, а я сижу и наблюдаю за ними, отчасти, пусть и не до конца, разделяя их компанию.

Она ест свеклу с яблоком, а сыр остается нетронутым. Я слышу, как она объясняет официанту, что заказала его по ошибке, но ничего страшного, никаких претензий к повару нет. Она нервничает, я понимаю это, потому что она постоянно поправляет волосы за ухом, хотя ни один завиток не выбился. Мне хочется ее успокоить, сказать, что все хорошо, я здесь, и на секунду я уж было совсем решаюсь раскрыть себя, но мгновенно передумываю. Нет, пусть лучше считает, что она здесь сама по себе.

Джонатан за обе щеки уписывает стейк, Хизер ест рыбу с картошкой. Они берут разные десерты и пробуют друг у друга. Джонатан зачерпывает ложкой свое шоколадное фондю, и Хизер открывает рот, но он промахивается и попадает ей в нос. Тоже нервничает, бедолага. Он едва не плачет, но она от души хохочет, и он смачивает салфетку в стакане воды, чтобы нежно вытереть ей нос. Хизер глаз с него не сводит, и в какой-то момент я понимаю, что, даже если бы села к ним за стол, они бы меня все равно не заметили. Обман в природе вещей.

Вернувшись вечером в номер, обнаруживаю на телефоне еще четыре пропущенных звонка от Санди и несколько сообщений — сначала рассерженных, потом встревоженных.

Яркие тропические цветы семейства каладиум притворяются, что больны. У них на листьях образуются такие следы, как будто их жрут вредные тамошние мошки, и поэтому никто другой уже не рискует откладывать на них яйца. Скажу Санди, что была ужасно больна. Обман в природе вещей.

Хизер звонит мне и подробно рассказывает обо всем, что сегодня происходило. Сижу в соседнем номере и с огромным удовольствием ее слушаю, мне так приятно, что она не упускает ни единой детали.

Открываю бутылку вина из мини-бара и прислушиваюсь к тому, что происходит в коридоре. Дверь негромко хлопнула — кто-то вышел. Всякий раз, как мне кажется, что это у них, я осторожно выглядываю, чтобы проверить. Они проводят ночь каждый у себя в номере.

На следующий день они едут на экскурсию на остров Фота. Там Хизер с восторгом наблюдает за обезьянами, в первую очередь гиббонами, которые орут как ненормальные и бешено скачут по деревьям. Хизер с Джонатаном их фотографируют, а потом решают сняться вместе и просят какого-то подростка их щелкнуть. Мне этот тинейджер не внушает ни малейшего доверия, я бы такому ни за что не дала свой телефон, и я не понимаю, чем вообще Джонатан думает. Подбираюсь поближе на всякий случай. Джонатан с Хизер прижимаются щечка к щечке, счастливо улыбаются, а подростки весело гогочут. Я подкрадываюсь ближе и ближе, чтобы броситься вдогонку за юными оболтусами, когда они попытаются убежать с мобильником Джонатана. Но нет, мальчишка снимает сладкую парочку и, улыбаясь, возвращает телефон владельцу. Я замираю, а потом тихонько отступаю за деревья. Они рассматривают свои фотки, а потом, к моему удивлению, глядят ровно туда, где я стою. И в этот момент у меня пищит мобильник: Хизер прислала фотографию. Мне становится не по себе, как-то грустно и неуютно. Я сдуваюсь, как воздушный шарик, который проткнули булавкой. Почему я ей не доверяю? А она между тем информирует меня о каждом своем шаге, причем с искренним удовольствием. Может, дело в том, я хотела сама приехать с ней сюда и теперь исподтишка пытаюсь присвоить себе частичку отнятой у меня радости? Так вот же, Хизер готова делить со мной все свои эмоции, она ничего от меня не утаивает. Расстроенная, я отступаю еще дальше от них, в глубь тенистых деревьев.

Хизер и Джонатан проводят в парке четыре часа. День сегодня жаркий, сюда приехало много народу. Я жалею, что не захватила переодеться во что полегче, мой темный костюм отлично подходит для собеседования, но не для таких прогулок. Держусь в тени, на разумном отдалении, но не выпускаю их из виду. Они садятся в кафе на открытой веранде, едят мороженое и болтают. Потом возвращаются в отель. Идут в бар, оба пьют севен-ап и продолжают что-то увлеченно обсуждать. Не помню, чтобы когда-нибудь с кем-то столько разговаривала без перерыва, но эти двое просто неутомимы, слова так и льются безудержным потоком, и они полностью поглощены друг другом. Я очень рада, но в то же время мне немножко грустно. Что за чушь, я здесь не для того, чтобы жалеть себя. Они ужинают в баре и рано идут спать, день был насыщенный, и оба очень устали.

Получаю сообщение от Санди.

Позвоните мне. Пожалуйста.

Я уже готова набрать его номер, как вдруг раздается звонок, и мы сорок минут болтаем с Хизер. Она рассказывает мне абсолютно обо всем, что я сегодня наблюдала, и радость от разделенного сопереживания постепенно улетучивается. Я веду себя как последняя предательница. Мне следовало бы доверять ей и не сомневаться в том, что она справится с этой поездкой. Не надо мне было приезжать.

Третий день. Завтра они уезжают домой, а сейчас сидят в саду возле отеля и снова о чем-то разговаривают. С утра погода была замечательная, но теперь неожиданно похолодало, с моря дует резкий ветер, и все нормальные люди перебрались под крышу, а эти продолжают свою бесконечную беседу. Впрочем, иногда они умолкают и просто сидят рядышком — видно, что им очень хорошо вместе, и я глаз от них не могу оторвать.

И что-то во мне перещелкивает. Я уже и так поняла, что зря приехала и не должна здесь находиться, но вдруг осознаю, что надо уехать *прямо сейчас*. Потому что если она узнает, что я была здесь, это поставит наши отношения под угрозу. Эта поездка для нее важна, и она расценит мое присутствие как неуважение к себе. Я это знаю, но в полной мере осознаю только сейчас. Черт бы меня побрал, я предала ее, заявившись сюда, и мне становится гадко. Заодно я предала еще и Санди. Надо немедленно уезжать.

Торопливо бегу в свой номер, чтобы проверить, не забыла ли я чего. Спускаюсь в вестибюль, охваченная одним желанием — поскорей отсюда убраться, и сталкиваюсь нос к носу с Хизер и Джонатаном.

— Джесмин! — изумленно восклицает Хизер. Первая ее реакция — радость оттого, что она меня видит, но довольно быстро она сменяется растерянностью. Но Хизер слишком вежлива, чтобы рассердиться, даже если и догадалась обо всем.

Я настолько ошарашена нашей встречей, что никак не могу подобрать подходящие слова. Знаю, у меня на лице все написано, они оба это видят и смотрят друг на друга, потрясенные не меньше моего.

— Мм, хотела убедиться, что у вас все в порядке, — мямлю я наконец. — Я… так беспокоилась. — Голос дрожит и срывается. — Простите.

Хизер в ужасе на меня смотрит.

— Ты что, следила за мной, Джесмин?

— Я сейчас же уеду, обещаю.

Неловко чмокаю ее в лоб и спешу к выходу, натыкаясь на постояльцев.

Ничего общего с тем, что заложено в природе вещей, взгляд, которым меня провожает Хизер, не имеет.

Потом я трясусь в поезде, закрыв лицо руками, и бормочу как заведенная: я предала Санди, я предала Хизер, я предала саму себя.

Такси довозит меня до дома, и я вылезаю из него совершенно измученная и разбитая, мне срочно нужно в душ и переодеться. Смотрю на свой сад в надежде, что он поможет мне вернуть утраченную веру в себя и хоть чуть-чуть приободриться. Но и в саду все не так.

Жизнь преподносит мне жестокий урок. Я уехала, бросив свой сад без присмотра на три жарких дня, и он зачах. Цветы поникли от жажды. Хуже того, туда пробрались слизни. Мои кремовые розы опали, пионы погибли. Целый день я кое-как держалась из последних сил, но сейчас я горько плачу.

Я предала Санди. Я предала Хизер, я предала себя.

Я упустила прекрасный шанс, пожертвовала своими интересами, чтобы быть рядом с Хизер. Но она не нуждалась во мне. Я твержу это снова и снова. Хизер во мне не нуждалась. Наверное, это я за нее цепляюсь, ищу поддержки и надеюсь таким образом убежать от своих проблем. Вместо того чтобы жить своей жизнью, я взяла на себя роль заботливой матери, которая шагу ей не дает ступить. Не знаю, как так вышло. И не думаю, что надо искать причины, главное — сам факт.

Утеряв контроль над своей жизнью, я попыталась наладить его в своем саду. Думала, что он подчинится моей воле. Но я ошиблась. И он мне это доказал. Я забросила его, предала и его тоже, и туда проникли слизни.

Ровно также я поступила и по отношению к себе самой.

Глава двадцать первая

Июнь, помимо предательств, приносит с собой еще крестины, на которых я исполняю роль крестной матери, и ночь с бывшим бойфрендом по имени Лоуренс. Наши отношения были настолько долгими, что все решили: за него-то я выйду. Я и сама так решила, но потом передумала. В итоге он меня бросил. Не надо было с ним спать после двухлетнего перерыва, это была ошибка, впрочем очень приятная. Но больше это не повторится. Не знаю, о чем я думала, когда согласилась. Одного дня, проведенного вместе, мне хватило сполна. День был пьяный, насыщенный воспоминаниями, сожалениями об упущенных возможностях и уверенностью в том, что прошедшего не вернуть. Водка в летнюю жару — плохой советчик. Мне, наверное, хотелось к кому-нибудь прильнуть, почувствовать, что меня кто-то любит и что я сама кого-то люблю. Но «никогда не возвращайся к прежнему». Не сработает.

И поэтому в два часа ночи я стою у тебя под окнами с бутылкой розового вина и двумя пустыми стаканами. Ты что, спишь, что ли? Вставай — слышишь, я тебе камешки в окно кидаю.

О, открыл шторы и выглянул. Чего такой заспанный? Аж волосы дыбом. Да-да, это я. Спускайся давай, я подожду.

Усаживаюсь на твое место во главе стола. Ну наконец-то выполз. Какой ты несветский в своем тренировочном костюмчике! Ну, что улыбаешься? Да, я нетрезва. Не надо, не надо щуриться и делать умное лицо. Что-то ты очень голубоглазый… и очень симпатичный. Улыбочка еще эта.

— Так-так-так. Это ли наша Джесмин? Хороша, нечего сказать.

— Надо срочно устроить собрание. Зови всех соседей. — Спокойно, сейчас я свалюсь со стула, но это не страшно. Протягиваю тебе стакан и жестом показываю — наливай.

— Я пас. — Накрываешь стакан рукой.

— Что, так и не пьешь?

— Я тебя будил среди ночи, чтобы открыла мне дверь?

— Нет. Нет, не будил.

— Заметь, уже целый месяц.

Верчу свой стакан и размышляю.

— Предатель.

— Пьяница.

— Отш… отщ… отступник.

— Типа того.

— Ты даже не алкоголик. Ты пьянь — есть разница.

— О как. Спорный тезис. Объясни, пожалуйста.

— Ты кретин, вот и все. Самодовольный. У тебя проблемы не с пьянкой, а с жизнью. Ты бы поговорил с кем-нибудь, что ли. А?

— Нет. Хотя доктор Джей подходит?

— Не, не считается. Он на пенсии.

— Доктор Джей — алкоголик. Не пьет уже двадцать лет. Ты мало чего о нем знаешь. — Я не могу скрыть удивления, и ты снисходительно улыбаешься. — Его жена сказала, что не будет рожать, пока он не протрезвится. Ну а он не просыхал до пятидесяти лет. Было слишком поздно. Она все равно не ушла, так и жила с ним.

— Ладно. Она уже умерла. — Опустошаю свой стакан.

Ты хмуришься.

— Да, Шерлок. Она уже умерла.

— В итоге ее здесь нет. — Трудно сказать, зачем я это говорю. Наверное, просто хочется сказать гадость. Тебе же часто этого хочется? Вот, я — как ты. Мне тоже в кайф.

Ты встаешь, выходишь из-за стола и уходишь в дом. Видимо, с концами. Нет, возвращаешься, приносишь тарелку с нарезанным сыром.

— А дети у тебя?

— Крис с Кайли попросились остаться еще на день. Им тут хорошо.

— А-а, Крис и Кайли. Ну, они похожи. Имена такие… как у близнецов.

— Они близнецы.

— Вот так.

Ты смеешься. У тебя за спиной, в темноте, просматривается огород.

— Завидуешь, Джесмин?

— Вот еще. Не надо пыжиться, Мэтт Маршалл. — Оба смотрим через дорогу: у меня самый лучший сад на всей улице. — Тебе до меня как до звезд, старичок.

— Да я и не мечтаю. — Ты иронично усмехаешься. — Это Финн все еще на что-то надеется.

— Ну и зря. — Я задумчиво провожу пальцем по ободку стакана. — Хоть ты пукни.

— Хороший совет.

— При чем здесь хороший? Я реалист. За добрым словом иди к доктору Джею. И все будет чики-пуки.

— Я так и делаю.

— Ему еще повезло. Как он не пригробил кого-нибудь из пациентов?

— Док из тех, кто отлично сочетает работу и алкоголь. Худший тип алкоголизма, не лечится.

— Повезло тебе — ты не из таких.

Как я тебя уела: ты и пьянь, и работать не можешь.

— Да. Он мне это объяснил.

Молча сидим за столом, я — попивая вино, ты — пощипывая сыр. Как обычно, я на тебя нападаю. Почему так?

— А меня все мужики, с которыми у меня что-то было, бросили. Я тебе говорила?

— Нет. — Опять эта ироничная усмешка. — Но не скажу, что ты меня удивила.

Кажется, ты мне даже сочувствуешь. Только все равно саркастически улыбаешься.

— Потому что со мной очень трудно, — поясняю я, и ты задираешь брови.

— Почему же с тобой трудно?

— Потому что я хочу, чтоб все было по-моему. И не люблю, когда люди ошибаются.

— Черт, со мной ты бы точно не смогла жить.

— Истинная правда.

Молчим.

— Ты чего сегодня такая?

— Переспала со своим бывшим.

Смотришь на часы. Два часа ночи.

— Я ушла, когда он заснул.

— Или, может, притворился, что спит.

— Не знаю. Не думала об этом.

— Я сам так делал много раз.

— Ну что же, сработало. Она ушла.

Тебе не кажется, что это смешная шутка. Может, потому, что это не очень-то и шутка.

— Ну и что, он тебе сказал, что с тобой трудно?

— Да нет. Я сама догадалась. Поняла, после того как... — Смотрю на свой чудесный, великолепный сад, из которого я черпаю житейскую мудрость. Чем глубже проникаю к корням, в почву, тем больше знаю о самой себе.

— А с чего ты вообще это взяла? Может, с тобой вовсе не так уж и трудно? Может, ты просто красивая, успешная, деловая женщина, которая хочет только самого лучшего — и почему бы и нет?

Я так тронута, что едва не плачу.

— Ну а может, конечно, ты в постели ужас что такое и жить с тобой невозможно.

Ты ржешь, и я бросаю в тебя кусок сыра.

— Он мне сказал сегодня ночью, что ему со мной было одиноко. Поэтому он ушел от меня.

Молчим.

— Одиноко было с тобой...

— Одиноко...

Ну представь, каково мне было — выслушивать такое. Одиноко ему со мной, черт бы его взял. Кошмар, да и только. Он меня любил, а ему со мной было одиноко. Не очень-то приятно такое слышать. Но и ему, наверное, не очень было легко.

— А он это сказал до того, как вы переспали, или после?

— До. Я поняла, о чем ты. Нет, дело не в этом.

– Именно в этом. Ну представь: он видит тебя после долгого перерыва, ты вся такая из себя, рыжая, с большими сиськами, да еще и безработная... Вокруг куча старых друзей, все при деле, а ты вроде как и часть компании, но при этом немного всем чужая. Он на тебя смотрит и вычисляет твое слабое место...

Я фыркаю и стараюсь не засмеяться.

— У тебя тушь размазалась.

Вытираю глаза салфеткой.

— У него два варианта: либо ты его пошлешь куда подальше, либо проникнешься чувством вины. Второе срабатывает в девяти случаях из десяти.

— Господи боже мой праведный — цитируя доктора Джея. А ты вот не воспользовался девятью из десяти.

— Я воспользовался, но попал в один к десяти.

Смеюсь.

— Слава богу, она наконец улыбнулась!

Ты смотришь на меня с ласковой усмешкой.

Закуриваю сигарету.

— Ты ж не куришь.

— Только когда пью.

— Дурында.

Закатываю глаза.

— Ну и что, расскажешь обо всем этом своему воздыхателю?

— Какому еще воздыхателю?

— Такой симпатичный, последнее время здесь ошивается. Но не кузен. — Ты смеешься. — Ну прости, не удержался, само вырвалось.

— Никакой он не воздыхатель. Это Санди. Хедхантер. Хотел меня на работу устроить.

— Санди?

— Он родился в воскресенье.

— Супер. И Санди, охотник за головами, охотится на тебя.

Мне не нравится, как ты улыбаешься.

— Охотился. Или ты думаешь, здесь тоже дело было не в этом? — Что ты меня все время подкалываешь, надоел уже.

— И куда он тебя хотел... устроить?

— Кретин. Это была работа для David Gordon White.

— Налоговым консультантом?

— У них новый проект, связанный с изменением климата.

Ты смотришь на меня в упор.

— Ты же стартапами занимаешься.

— Это новое начинание. Тоже, в общем, стартап.

— И ты мне говоришь, что он не пытается затащить тебя в койку?

— Увы, нет.

Ты смеешься, и я бросаю сигарету на землю. Затаптываю ее каблуком. У меня промелькнуло желание затушить ее об стол, но я вовремя остановилась, вспомнив, как его драили твои дети.

— Ну все равно, сейчас уже не о чем говорить. Я не пошла на собеседование.

— Почему? Испугалась? — Ты больше не иронизируешь.

— Нет.

Хотя да, испугалась, но не насчет работы. Сказать тебе правду? Объяснить, как я тряслась, потому что Хизер куда-то поехала сама, без меня? Я не хочу вдаваться в дискуссию о людях с синдромом Дауна. У тебя стандартная позиция, которую я не разделяю. Тем сложнее мне было бы объяснить, почему я сделала то, что сделала. Она вернулась неделю назад, и мы общаемся по телефону — Хизер, конечно, со мной разговаривает, иначе и быть не могло бы, но что-то неуловимо изменилось. Она отдалилась от меня. Что-то, что нас накрепко связывало, исчезло.

— Ты не пошла на собеседование, потому что напилась? — сочувственно спрашиваешь ты.

— Нет, — фыркаю я.

— Ну ладно, ладно. Просто эта тема, похоже, актуальна в последнее время, я подумал, что надо спросить. — Ты примирительно поднимаешь руки.

— Я в порядке. Ну просто… — беспомощно морщу нос и вздыхаю. Не могу я ничего толком объяснить.

— Да. Я понимаю.

И мне кажется, ты правда меня понимаешь. Мы молча сидим за столом, нам хорошо вместе, и я вспоминаю, как сидели рядышком Хизер с Джонатаном.

— Мужчина, который периодически приходит к тебе в гости с маленькой девочкой, — твой отец?

Киваю.

— Похоже, он хороший отец.

Сначала я думаю, что ты меня опять подкалываешь, но ты задумчиво водишь рукой по столу, и я понимаю — ты размышляешь о себе и своих детях.

— Теперь хороший. — Мне хочется добавить: «Но не для меня», однако я молчу.

Ты поднимаешь голову и внимательно на меня смотришь. Ненавижу этот твой взгляд, точно ты стремишься проникнуть в потаенные глубины моей души.

— Интересно.

— Очень, — вздыхаю я. — Чего ж тут интересного?

— Наконец стало ясно, почему ты говорила мне гадости.

— Я тебе говорила, что ты хреновый отец, потому что так оно и есть.

— Но ты это подметила. Тебе это важно.

Ничего не отвечаю. Делаю приличный глоток вина.

— И что, сейчас он пытается наладить отношения?

— Нет, он пытается влезть в мою жизнь. Это разные вещи. — Ты вопросительно поднимаешь бровь, и я поясняю: — Он хочет найти мне работу. В своей бывшей фирме. Воспользоваться прежними связями.

— Звучит неплохо. Он старается помочь.

— Нет, это кумовство.

— А работа-то хорошая?

— Вообще да. Финансовый директор, в подчинении восемь сотрудников. Сорок штук в год.

— На самом деле очень приличная работа.

— Просто супер. Я так и сказала.

— Он бы не стал предлагать ее кому ни попадя.

— Нет, конечно.

— Но тебе надо пройти собеседование.

— Конечно. Это же больше не отцовская фирма. Он просто может замолвить за меня словечко.

— Но при этом он в тебя верит. Считает, что ты справишься. Мне кажется, он дорожит своей репутацией и не стал бы рисковать, рекомендуя тебя, если бы ты того не заслуживала.

Не знаю, что тебе на это сказать, и молчу.

— На твоем месте я бы расценил это как комплимент.

— Мне все равно.

— Вы очень похожи с Финном. — Понятно, ты хочешь сказать, что я веду себя как ребенок, но я пользуюсь случаем, чтобы снова тебя поддеть.

— Тем, что у нас обоих дерьмовые отцы?

Ты устало вздыхаешь.

— А если б я тебе сказал, что знаю кого-то, у кого есть отличная идея для стартапа, и он ищет, кто бы мог ее разработать, тебя бы это заинтересовало?

— Этого кого-то случайно не Каролина зовут?

— Я чисто гипотетически.

— Да, я бы с ними встретилась.

— Но твой отец знает такого человека, и, однако, ты не хочешь с ним встретиться.

Мне нечего на это ответить, поэтому пожимаю плечами, точь-в-точь как Финн.

— Я бы на твоем месте не стал упускать такой шанс.

— Мне не нужна его помощь.

— Да нет, нужна.

Молчу.

— Есть хедхантер, который подыскал тебе работу, и, если бы ты хоть немного была в этом заинтересована, ты бы ее уже получила. Есть подруга, которая хочет, чтобы ты помогла ей разработать сайт для продажи одежды. Не смотри так, я был в доме, когда вы это обсуждали. Совершенно очевидно, что тебе нужна помощь.

Молчу.

— Я знаю, тебя не интересует чужое мнение. Ты считаешь, что оно неверно. И не правдиво. Да-да, ты сама мне об этом рассказывала. Иногда — не всякий раз, а именно иногда — мне кажется, что ты неправильно смотришь на вещи. Не знаю, от чего ты все время защищаешься, но, по-моему, ты зря так себя ведешь.

Повисает долгое молчание. Раньше, когда я тебя ненавидела, было гораздо проще. А теперь ты достаешь меня до кишок, и мне, черт возьми, нечего тебе возразить.

— А почему «Ганз н' Роузес»?

Ты сбит с толку.

— Не понял?

— Почему всегда «Город-рай»? Ты возвращался домой только под эту песню.

— Ни почему. Просто у меня в джипе плеер зажал этот диск. И играет только это.

Я в растерянности. Там, где мне чудился какой-то символичный подтекст, ничего не обнаружилось. Я опять попала пальцем в небо.

— Ладно, пойду спать, а то завтра дети рано встанут. Мы хотим собрать горох и посадить помидоры.

Делаю вид, что мне до лампочки. Но втайне завидую вам. У меня-то горох не уродился.

— Ты как, нормально?

— Угу.

— И просто чтоб ты знала, Джесмин: я бы о тебе никогда так не сказал. Наоборот, если бы не ты, мне было бы очень одиноко. А с тобой я ни секунды не чувствовал себя одиноким.

У меня перехватывает дыхание. Ты идешь в дом, и я медленно провожаю тебя взглядом. Хмель улетучивается, я абсолютно трезва. И хотя в голове шумит, мысли ясные, как стекло. Сижу во главе стола, там, где обычно сидишь ты. Вот как столы оборачиваются в этой жизни.

Глава двадцать вторая

На следующий день просыпаюсь от солнца — оно слепит глаза. Кто-то названивает в дверь. Голова раскалилась так, будто я лежала под огромной лупой. А все потому, что не потрудилась задернуть шторы, прежде чем лечь спать. Моментально вспоминаю все, что было вчера, и это похоже на удар пыльным мешком, набитым камнями. Крестины, Лоуренс. По сравнению с этим тот факт, что я вытащила тебя из постели посреди ночи, сущая ерунда. В дверь продолжают звонить.

— Ее нету, пап! — Голос детский, это, наверно, Кайли. А может, Крис, их трудно различить.

— Она там. Позвони еще! — кричишь ты через дорогу.

Со стоном разлепляю глаза, мне тяжело смотреть на белый свет. Язык, как наждачная бумага, шарю на тумбочке в поисках воды, а вместо нее нахожу бутылку водки. Пустую. Желудок мучительно сжимается. Это становится дурной привычкой, но я знаю, я точно знаю — это в последний раз. Я больше не могу. Попытка избавиться от дурных привычек становится дурной привычкой. Пора возвращаться к нормальной жизни. Будильник показывает, что сейчас полдень, и я ему верю, солнце уже высоко.

Совершаю путешествие вниз по лестнице, держась за перила. Сердце колотится, коленки дрожат, один раз чуть не падаю. Зато окончательно просыпаюсь. Открываю дверь и вижу двух мелких блондинов и Санди. Мелкие смотрят на меня с неодобрением, Санди с юмором. Тут же закрываю дверь обратно и слышу, как он смеется.

— Ладно, дети, дадим ей минутку привести себя в порядок.

Чуть-чуть приоткрываю дверь, чтобы он мог войти, а сама бегу наверх — принять душ и облагообразиться. Спускаюсь, освеженная, но трепетная. Все болит — башка, руки, ноги…

— Бурная ночь? — спрашивает Санди с легкой усмешкой. — Или вы еще нездоровы? — В голосе прорезается гнев, и я испуганно поеживаюсь.

От страха не решаюсь на него посмотреть, мне ужасно стыдно, что я не пришла на собеседование, а главное, не предупредила его об этом. Он варит кофе, закатав рукава рубашки. Сегодня он в джинсах, а не в костюме, и без этой строгой униформы кажется беззащитным: ему уже не спрятаться под личиной делового человека. Меня вдруг охватывает болезненное чувство вины из-за Лоуренса, как будто я предала Санди, хотя между нами ничего и не было. Он хедхантер, я безработная, ничего, кроме этого, нас не связывает, но ощущение, что я его обманула, с этим не стыкуется. Что-то, тайное и невысказанное, все-таки было. И конечно, понадобилось переспать с другим, чтобы это осознать.

— Санди. — Беру его за руку, и он вздрагивает от неожиданности. — Мне очень стыдно, что я не пришла на той неделе. Пожалуйста, не думайте, будто это от легкомыслия, поверьте, все не так. Я хочу прямо сейчас все вам объяснить и надеюсь, вы меня поймете.

— Значит, вы не были больны, — мрачно отмечает он.

— Нет, — признаю я.

— Не думаю, что у нас есть время на разговоры. — Он смотрит на часы, и у меня падает сердце.

— Пожалуйста, прошу вас, останьтесь, я все объясню...

— Да я не ухожу. — Он облокачивается на кухонную стойку, скрещивает руки на груди и смотрит на меня.

Несмотря на свое смущение, с трудом удерживаюсь от того, чтобы улыбнуться. Глядя на него, я млею, становлюсь мягкой как воск. Наконец он не выдерживает и улыбается, качает головой, как будто улыбка возникла сама, помимо его желания.

— Ты бестолочь, понимаешь? — нежно говорит он, как будто это комплимент.

— Я знаю. Прости меня.

Он неотрывно смотрит на мои губы, а я жду, когда же это наконец случится, а оно неизбежно должно случиться, или, может быть, мне нужно что-то сказать, или самой поцеловать его, но тут раздается звонок в дверь, и он подскакивает, точно нас застигли на месте преступления.

Подавив стон, иду открывать. Вы входите всей оравой: ты, малыши, папа, Зара, Лейла с крайне извиняющимся лицом, за ней Кевин, Хизер и ее помощница Джейми. У Хизер исключительно гордый вид. Ты, судя по всему, забавляешься от души. Санди встревожен.

— Эй, ты в порядке?

Меня начинает трясти с ног до головы. Не знаю, может, это алкогольная интоксикация, но на меня вдруг накатывает ужас. Ну да, похмелье, конечно, тоже в этом замешано. Мозг судорожно командует измученному организму: спасайся! Немедленно. Хоть бегом, хоть ползком, и второе, конечно, предпочтительнее. Я знаю, зачем они пришли, я понимаю это по горделивому выражению Хизер. Она, разумеется, уверена, что поступает мне во благо, что я буду чрезвычайно рада.

Кевин заключает меня в теплые объятия, я холодею, руки бессильно свисают по бокам.

Ты хмыкаешь, активно развлекаясь за мой счет.

Наконец Кевин отступает.

— Хизер просила меня позвать Дженнифер, но ее не было дома, и я решил прийти сам.

Открываю рот, но не нахожу, что сказать.

— Вы ведь садовник? — спрашивает у тебя Кевин, вспомнив свой прошлый визит.

Ты с насмешливым любопытством смотришь на меня.

— Мэтт мой сосед. Его сын пару раз помогал мне кое-что сделать в саду.

Кевин старается пригвоздить тебя взглядом к позорному столбу.

Ты улыбаешься, как Чеширский Кот:

— Да ладно вам. Мы пошутили — вы купились. С кем не бывает.

Все идут в гостиную, по дороге захватив с собой стулья, потому что там не хватит мест для такого количества народу. Ты оглядываешься, широко улыбаясь, исполненный радостного энтузиазма. Дети все вместе садятся за кухонный стол, раскладывают книжки-раскраски и пластилин. Я ускользаю на кухню, якобы приготовить чай и кофе, но на самом деле я вынашиваю план бегства, ищу подходящую причину, повод смыться.

Санди идет за мной, но я настолько не в себе, что почти не замечаю его.

— Ты как? — спрашивает он.

Я временно перестаю метаться и твердо заявляю:

— Я хочу сдохнуть. К чертям собачьим прямо сейчас.

Он кладет руку мне на плечо и, прикусив губу, оглядывает все сборище, как будто тоже ищет, как бы мне отсюда выбраться. У меня вспыхивает слабая надежда, что он что-нибудь придумает.

На кухню пришлепывает Джейми. Я слышу, как босые пятки с чмоканьем отлипают от подошв ее сабо и прилипают обратно. Шаг — и чмок… чмок. Лучше бы она ходила в своих толстых шерстяных носках.

— Я принесла печенье. — Она кладет пачку на стойку. — «Джаффа кейкс».

Ненавижу «Джаффа кейкс».

— Джейми, какого черта здесь творится? Что это такое?

— Хизер решила устроить тебе встречу поддержки.

— О, е-мое, — вылетает у меня. Слышу из гостиной твое гнусное хмыканье.

— Дорогая, мне кофе. Две ложки сахара и молочка плесни, пожалуйста.

Входит Каролина в черных очках, закрывающих пол-лица.

— Боже, у меня жу-уткое похмелье. Эти крестины меня убивают. Ой, слушай. — Она шутливо хлопает меня по руке и громко шепчет: — А ты правда переспала с Лоуренсом прошлой ночью?

Меня передергивает. Знаю, Санди прекрасно все слышал, он стоит прямо у меня за спиной. Чувствую, как он впивается взглядом мне в затылок. Оборачиваюсь к нему, но он отводит глаза и делает вид, что занят. Берет поднос с чашками и уходит в гостиную.

— Ой! — До нее доходит, что ляпнула что-то не то. — Прости-прости. Я же не знала, что вы, это…

— Забей. — Устало тру глаза. — А ты, значит, тоже была в курсе насчет сегодняшней встречи?

Она кивает, достает две таблетки от головной боли и одним махом запивает их водой.

— Велели тебе ничего не говорить. Хизер хотела устроить сюрприз.

Внутри нарастает паника. Мне реально хочется бежать отсюда куда глаза глядят, но я смотрю на Хизер — она сидит во главе стола в своей лучшей блузке, сияющая, гордая до невозможности, что ей удалось все так замечательно устроить, глаза сверкают — нет, не могу я послать все это к черту. Придется терпеть.

Сажусь в кресло, которое оставили свободным для меня. Все взгляды устремлены мне в лицо. В твоих глазах пляшут смешливые чертики, ты, разумеется, наслаждаешься моими мучениями. Санди уперся взглядом в ножку стола, от его недавнего сочувствия не осталось и следа, он хмур и холоден. У Каролины глаза красные, как у бладхаунда, и, когда Джейми протягивает ей тарелку с печеньем, она отшатывается, словно это лисий яд.

Кевин безотрывно пялится мне в лицо, он слегка подался вперед, сложив руки на коленях, и явно пытается влить в меня позитивный настрой. Это меня раздражает. Его волосатые большие пальцы, вытарчивающие из сандалий, меня раздражают. Он весь меня раздражает, и точка. Лейла боится на меня смотреть, я это чувствую. Она покусывает нижнюю губу и озирается по сторонам, как будто спрашивает себя, почему не вышла замуж за человека с нормальными родственниками. По одну руку от нее сидит папа и сосредоточенно набивает неуклюжими пальцами эсэмэску. По другую с трудом втиснулся Санди.

— Вы знакомы? — спрашиваю я, и они одновременно кивают. Санди при этом на меня не смотрит.

Слово берет Джейми.

— Спасибо всем, что пришли сюда сегодня. Хизер нашла время, чтобы пообщаться с каждым из вас, она вложила очень много сил, а также организаторского таланта, чтобы наша встреча состоялась. Мы рады вас приветствовать. Прошу, Хизер.

Я сижу, поджав ноги и обвив коленки руками, это защитная поза, я знаю. Уговариваю себя, что делаю это все ради Хизер, для нее это полезный опыт. Она молодец, держится уверенно, даже слегка покровительственно. Я так ею горжусь, что едва не плачу.

— Спасибо вам, что пришли. Уже больше пятнадцати лет моя сестра Джесмин ходит на встречи моей группы поддержки и так мне помогает, что теперь я решила сделать то же самое для нее. Вы — группа поддержки Джесмин, ее друзья. — Она слегка смущена, очень собой довольна.

Я смотрю на своих гостей и чувствую, что у меня комок к горлу подкатывает. В этот момент ты подмигиваешь мне и отправляешь в рот целое печенье. Как же мне хочется тебя пнуть! То есть я непременно это потом сделаю, даже не сомневайся.

— Мы хотим, чтобы ты знала — мы все тебя любим и поддерживаем, и мы с тобой, — говорит Хизер и начинает хлопать.

Остальные присоединяются, некоторые с искренним энтузиазмом, Каролина тихонько, с похмелья ей мучительны громкие звуки. Ты залихватски свистишь. Папа смотрит так, точно готов тебя треснуть. Санди ведет себя отстраненно, будто его здесь нет, но я всем своим существом чувствую его присутствие, мне хочется все время на него смотреть, хочется оказаться как можно ближе, мое тело жаждет прикоснуться к нему.

— Моя младшая сестра Джесмин всегда была очень занятым человеком. Занятым-презанятым. У нее куча дел, а когда она свободна, то заботится обо мне. Но сейчас она не занята, а обо мне можно не заботиться. И ей нужно позаботиться о себе.

Слезы уже на подступе, я прячу лицо в ладонях, зарываюсь в колени и тихо говорю: «Хватит».

Все смотрят на меня. Я. Хочу. Умереть. Прямо сейчас.

Откашливаюсь, поднимаю голову и опускаю ноги на пол. Кладу ногу на ногу.

— Спасибо, что пришли. Вы все знаете, для меня это явилось сюрпризом, так что я не успела подготовиться, но я очень тебе благодарна, Хизер. Я знаю, ты искренне хотела мне помочь, спасибо тебе.

Буду придерживаться этой линии. Наболтаю всякой позитивной чуши, всех поблагодарю за конструктивную критику, всем поулыбаюсь, и — спасибо, до свидания.

— Мне было на самом деле тяжело потерять свою работу. Я ее любила, и последние полгода дались мне нелегко, я с трудом привыкала к тому, что, просыпаясь утром, чувствовала себя... невостребованной. Но сейчас я понимаю, точнее, я уже поняла, что на самом деле все не так плохо, как я думала.

Рассказать им про неожиданные аспекты, которые принесла мне безработица? Или это лишнее? Ты с интересом меня слушаешь, Кевин воодушевлен сверх меры, Санди сверлит взглядом ножку стола. Нет, не буду я говорить про свою садовую терапию. Это бы означало, что я признаю — мне нужна помощь, а я не хочу затрагивать эту тему.

— Итак, план следующий. — Я обращаюсь к Хизер, поскольку именно она была инициатором встречи, так что, если мне удастся успокоить ее, проблема будет исчерпана и мы можем расходиться. — Спокойно дождаться окончания отпуска и потом найти себе работу. Спасибо огромное, что пришли и поддержали меня, спасибо, что помогали мне раньше и помогаете сейчас.

Очень мило, весело и позитивно, никаких признаков беспокойства. У Джесмин все лучше всех.

— Вот это да, — нарушаешь ты воцарившееся молчание. — Как трогательно, Джесмин.

И так проникновенно. Я реально ощутил, что ты испытываешь, разобрался в твоих переживаниях. — Голос переполнен сарказма. Ты запихиваешь в рот горстку чипсов, и я буквально ощущаю вкус сметаны с жареным луком. Сейчас меня вырвет.

— А ты что собираешься делать, когда закончится *твой* принудительный отпуск, а, Мэтт? Поделись с нами.

— Это *не моя* группа поддержки, — с приторной улыбочкой отвечаешь ты.

— И не моя, похоже, — выпаливаю я.

— Давайте сохранять позитивный настрой, — елейным голосом призывает Кевин, поднимая обе руки вверх. Он замирает в этой позе, а потом медленно опускает их, как будто гипнотизирует нас или работает на подтанцовке бойзбэнда где-то в девяностые годы.

— Я спокоен. — Ты отправляешь в рот очередную порцию чипсов.

Сколько же ты жрешь всякой дряни да еще курить бросил, по идее должен был растолстеть как бочка, но ты, наоборот, подтянулся, посвежел. А потому что не пьешь, зараза.

— Я думаю, никто не станет спорить, что, не считая, конечно, Хизер и Питера, я знаю Джесмин дольше всех присутствующих. — Кевин с улыбкой взирает на меня, и я передергиваюсь. — Я бы сказал, не только дольше, но и лучше всех.

— Вот как? — Ты оборачиваешься к нему. — Ну тогда поведайте нам, какая из трех работ ей лучше всего подходит.

Отлично ты приложил нас с Кевином, прямо мордой в грязь.

— *Трех* работ? — недовольно спрашивает Каролина.

Санди наконец оторвался от созерцания ножки стола и хмуро на меня смотрит, явно вычисляя, какие еще лживые идеи скрывает моя голова. Но какой мне был смысл обсуждать с ним другие работы, если я всерьез обдумывала только его предложение? Однако с твоей любезной подачи я теперь выгляжу как завзятая многостаночница.

По иронии судьбы из всех собравшихся лучше всего знаешь меня именно ты. И кому же как не тебе, о мастер вести дискуссии, понадобилось задать этот провокационный вопрос? Смешно, что все три человека, предложившие мне работу, находятся в этой комнате, но ничего толком не знают о двух других предложениях.

Все смотрят на меня и ждут ответа. Ты скучаешь без прямых эфиров и используешь мою жизнь для собственного развлечения.

Понимаю, что с ненавистью тебя разглядываю, меж тем как все молчат.

— И что это за три предложения? — спрашивает Кевин, глядя на меня с нежной, понимающей улыбкой, которая, видимо, призвана меня подбодрить. — Мм?

Мне не нравится, как он на меня смотрит. И, чтобы разрядить обстановку, я вдруг спрашиваю:

— Санди, а вы знакомы с моим кузеном?

Санди недоволен тем, что я привлекла к нему всеобщее внимание, да и все остальные несколько растеряны, и не последнюю роль здесь играет, конечно, его имя. Все же звучит странно: «Воскресенье, вы знакомы с моим двоюродным братом»?

— Ну, на самом деле... — вклинивается Кевин.

— Да, это мой *кузен*, — продолжаю я. — Кевин, это Санди.

Они пожимают друг другу руки, перегнувшись над журнальным столиком, и ты идиотически ухмыляешься, поскольку отлично понимаешь, что к чему.

Молчание.

— Итак, я не случайно заговорила о Санди. Он представляет DSI, международное агентство по подбору персонала, и предложил мне работать на David Gordon White.

Папа наклоняется вперед, впервые с интересом глядя на Санди.

— Но с работой не складывается, поэтому, Санди, если вы торопитесь, то идите, мы не обидимся. — Я нервозно улыбаюсь.

Хочу, чтобы он ушел, мне невыносимо, что человек, которого я обожаю, слушает, как я тут изворачиваюсь на этой встрече террора. К тому же я чувствую: в нем все кипит после того, что брякнула Каролина. Пусть идет.

— А почему эта работа отпадает? — интересуется папа.

Я смотрю на Санди. Вот ему и представилась возможность отплатить мне сполна, но он молчит.

— Ну, я не пошла на собеседование, — вместо него отвечаю я.

— Твою ж налево! — Это папа.

— Питер! — Лейла пихает его локтем в бок. А Хизер делает круглые глаза и удивленно на меня таращится.

— Так, и почему же ты на него не пошла? — яростно спрашивает папа.

— Она заболела, — говорит Санди довольно странным голосом, во всяком случае, мне не кажется, что он меня защищает. Голос по-прежнему чужой и далекий... от Санди. — Я думаю, имеет смысл послушать о других вариантах. Не знал, что они у вас есть.

Он так это произносит — «о других вариантах», что мне кажется, речь не столько о работе, сколько о Лоуренсе. Мне так много всего надо ему объяснить, когда мы наконец закончим, — но только ему одному. Мне без разницы, что думают остальные. Ну а что до тебя, ты единственный, кто и так полностью в курсе.

— Обоссаться. Заболела она! — бормочет папа и получает еще один тычок в бок.

— Ты болела, Джесмин? — в тревоге спрашивает Хизер. — Ты заболела в Корке?

— Погодите, ты что, была в Корке? — подается вперед Джейми. — Я думала, мы договорились, что Хизер поедет туда сама. Разве нет? — Она смотрит на Лейлу, которая присутствовала на том обсуждении.

Лейла бросает на меня встревоженный взгляд, ей неуютно и не хочется никого обижать. Я вижу, что в ней происходит внутренняя борьба.

— Ну? — спрашивает ее папа.

— Да, — наконец выдыхает Лейла, как будто ее хлопнули по спине. — Но я уверена, что у Джесмин были на то причины.

Джейми поясняет для всех:

— Хизер впервые в жизни сама поехала отдыхать. Со своим бойфрендом Джонатаном. На ее встрече поддержки мы решили, что она прекрасно может с этим справиться, и потому любые поступки, этому противоречащие, должны рассматриваться как неполезные для Хизер...

– Ладно, Джейми, спасибо, — обрываю я и устало тру лицо рукой.

— Ну так чего ты поехала? — уже не так резко спрашивает она.

— Она волновалась за нее, — вступается Кевин. — Это же очевидно.

— А сколько вы там были, Хизер? — мягко спрашивает Санди.

— С пятницы по понедельник, — улыбается ему Хизер.

Он кивает, обдумывая ее ответ.

— Хорошо съездили?

— Супер! — ухмыляется она.

Санди смотрит на меня с неожиданной нежностью. Вообще все смягчились, кроме папы. Он злобно тычет пальцем в клавиатуру на мобильнике и время от времени мотает головой, чтобы удержаться от язвительных замечаний. Это плохо. Я чувствую, что у меня щиплет глаза. Нет, не надо плакать.

— Я просто... она ведь никогда... понимаете, это первый раз, что она... да еще с... — Я мямлю, и все терпеливо меня слушают. Наконец поднимаю глаза на Хизер: — Я была не готова тебя отпустить.

И все, первая слезинка сползает по щеке. Смахиваю ее, пока не доползла до подбородка.

У Хизер на щеках проступает румянец, и она застенчиво произносит:

— Я никуда не ухожу, Джесмин. Я тебя не оставлю. Ты из-за меня пропустила собеседование?

Вторая слезинка. И еще одна. Я быстро утираю их, опустив глаза, не хочу ни на кого смотреть.

— Прошу прощения, вы не против, если я отлучусь?

Никто не отвечает. Никто не чувствует себя вправе решать.

— Знаете, Санди, а я про вас слышала, — вдруг говорит Каролина, поборов свое похмелье, чтобы прийти мне на помощь. — Я Каролина, подруга Джесмин.

— Очень приятно.

— Я придумала идею сайта, и она мне с ним помогает.

На что я невольно ухмыляюсь, но умудряюсь промолчать.

— Ты чего, Джесмин? — встревает наблюдательный Кевин.

— Ничего. — Но всем понятно, что все же «чего». — В общем, не совсем верно сказать, что я «помогаю». Я его разрабатываю вместе с тобой, что, собственно, и есть моя работа — разрабатывать и внедрять идеи. А «помогать» звучит как-то, знаешь...

Она так резко поворачивает ко мне голову, что, по-моему, я слышу хруст шейного позвонка. Ясно, обиделась. Смотрит не мигая, на гладком лбу ни одной морщинки — хотя это во многом заслуга ботокса. Одно ее слово, и я готова заткнуться, ведь она мой друг, хотя в деловых вопросах я привыкла отстаивать свою точку зрения. Вот почему наш проект был обречен с самого начала.

— И третье предложение исходит от папы, — быстренько перевожу разговор на другую тему.

— Погоди минутку, — просит Кевин. — Мне кажется, нам имеет смысл продолжить с этим.

— Кевин, здесь не сеанс психотерапии, — натянуто улыбаюсь я. — Просто дружеская беседа. И я думаю, пора закругляться.

— Но я считаю, что для твоей же пользы...

— Нет, сейчас не подходящее время...

— Почему, я с удовольствием, — заявляет Каролина. — Надо прокачать проблему.

Она делает вид, что мои слова ее ничуть не задели, но и поза, и тон говорят об обратном. Меньше всего на свете я хочу с ней что-нибудь «прокачать».

Все заинтересованно на нас смотрят. Ты сидишь, выпрямив спину, и поощрительно наблюдаешь за происходящим. Не хватает только стакана с попкорном. Радостно взмахиваешь кулаком и скандируешь: «Деритесь, деритесь, деритесь!»

— Да не собираемся мы драться, — отмахиваюсь от тебя я. — Ну ладно, — откашливаюсь и улыбаюсь Хизер, чтобы собраться с мыслями. — Мне кажется, я могла бы принести тебе куда больше пользы, если б ты мне это позволила.

Неплохо, я считаю. Но Каролина корчит такую рожу, что я пугаюсь, как бы она на меня не прыгнула, точно черт из табакерки.

— Это как? — визгливо спрашивает она.

— Ты попросила меня, чтобы я разработала твою идею, но, по сути, не воспользовалась ни одним моим предложением.

— Это у тебя есть опыт в раскрутке компаний. А я не могу сразу во все въехать.

— Как бы то ни было, а наше сотрудничество не может сводиться к тому, что я просто передаю тебе все свои контакты. Каролина, когда я помогаю основать новую фирму, это означает, что я участвую и в разработке стратегии, и во внедрении идей. Если это не так, то у меня нет личной заинтересованности в проекте. Пойми, мои усилия тоже должны находить отражение, — мягко, но убежденно говорю я.

Все молчат, Каролина взирает на меня в ступоре.

— А третья работа? — нарушает тишину Кевин.

В кои-то веки я ему признательна.

— Об этом лучше спросить у ее отца, — сообщаешь ты, и все смотрят сперва на тебя, а потом на папу.

Ему уже порядком надоело наше сборище, так что он переходит сразу к сути.

— Финансовый директор, издательская компания. Восемь человек. Сорок штук. Если все еще в силе.

— В силе, — кивает мне Лейла, и папа недовольно морщится.

— Она бы могла делать эту работу одной левой, — говорит он, ни на кого не глядя, притворяясь, что его ничего, кроме мобильника, не интересует. — Все, что от нее требуется, — это прийти на собеседование.

Папа ищет сочувствия у Санди, но не находит, и его саркастическая усмешка «вы-то-меня-понимаете» быстро тает.

— Вообще-то мне не нужна работа, которую можно делать одной левой, — улыбаюсь я.

— Конечно нет. Ты же у нас особенная.

Это меня удивляет. А ты очень доволен — страсти накаляются! Переводишь взгляд на Кевина. А он, разумеется, очень за меня обижен.

— Знаете, Питер, по-моему, вам следует извиниться перед Джесмин.

— Господи, что ты несешь.

Хизер выглядит сильно встревоженной.

— Вы всегда были таким, еще когда мы были совсем маленькие, — с возмущением заявляет Кевин. — Всякий раз как Джесмин не хотела делать то, чего вы от нее требовали, вы ее отталкивали.

Это правда. Смотрю на папу.

— Джесмин *никогда* не делала того, чего я от нее хотел. Она никогда не делает того, что хочет кто-то *другой*, только то, чего хочет она *сама*. Может, это и есть главная причина ее нынешних проблем?

— Разве это плохо, что она хочет поступать по-своему? Разве вы против самостоятельности? Ее мама умерла, когда Джесмин была совсем еще девочкой. А до этого несколько лет была больна. Я не помню, чтобы вы тогда часто у них появлялись, разве что иногда — сообщить Джесмин, что ей надо делать и чего делать нельзя.

В ту же секунду все мои разговоры с Кевином оживают у меня в памяти. На меня опять нахлынули все мои тогдашние тревоги, страхи, растерянность. Я словно наяву слышу беседы, которые мы вели до поздней ночи, и дома, и в саду, на тех злосчастных качелях, и по дороге в школу. Он всегда меня выслушивал. Все, что меня тревожило, я неизменно рассказывала ему. Но постепенно забыла об этом, а вот Кевин не забыл.

— При всем моем уважении, — говорит папа без малейшего намека на уважение, — тебя это никак не касается. Честно говоря, вообще не понимаю, что ты здесь делаешь.

Кевин продолжает абсолютно спокойно, как будто он давным-давно собирался это сказать, и сейчас разговаривает сам с собой:

— Ее мама приучила ее принимать решения самой. И самой заботиться о себе. Искать свой путь. Ее маме пришлось так поступить, ведь она знала, что помочь Джесмин будет некому. И она основала собственный бизнес, причем не один...

— Да, и все их продала к чертям.

— А вы разве не продали свою компанию?

— Я вышел на пенсию. А она вылетела с работы именно потому, что хотела этот бизнес продать.

На щеках у папы расцветают багровые пятна. Лейла успокаивающе кладет ему руку на плечо и что-то тихо говорит, но он ее игнорирует, а может, не слышит, потому что яростно ругается с Кевином. Я перестаю их слушать.

Ларри обращался со своим бизнесом как с ребенком. Он не хотел его отпустить. Мама воспитывала меня, зная, что ей придется меня отпустить.

Я доводила идеи до ума и продавала дело.

Я не хочу иметь детей. Мама не хотела покидать Хизер, теперь я не хочу ее отпустить.

«Никогда ничего не заканчивать, как ты всегда и делаешь», — говорил мне Ларри.

У меня кружится голова. Она не вмещает всей информации. В памяти всплывают обрывки разговоров, мои собственные мысли. Они смеются, корчат рожи и нараспев спрашивают: «Мы это давно уже поняли, а ты нет?»

Растить детей, чтобы отпустить их.

Кевин сказал, что я умру.

Создавать компании и продавать их.

Держаться рядом с Хизер, потому что мамы нет.

— Ну а тебе-то какое дело? — Папа уже кричит, и Хизер прижимает ладони к ушам. — У тебя проблемы со всеми в семье, кого ни возьми.

Кроме нее, конечно. Вы вечные заговорщики, сообщники, черт подери...

— Потому что мы оба были чужими в этом несправедливом, жесто...

— Ой, заткнись и отправляйся обратно в Австралию. Там расскажешь своему психотерапевту...

— Простите, но я не заткнусь. Именно поэтому мы с Джесмин...

— Ты в порядке?

Это ты. Смотришь участливо, в первый раз за весь вечер без улыбки. Тебе больше не смешно. Твои слова доносятся откуда-то издалека.

Я что-то бормочу.

— Ты бледная.

Собираешься встать, чтобы подойти ко мне, но я сама поднимаюсь с кресла. Но делаю это слишком резко, и организм, измученный похмельем, а еще больше дружеской встречей поддержки, не справляется. Санди вскакивает и успевает меня подхватить. Я опираюсь на его руку и не свожу глаз с двери. Мне уже не до вежливых извинений, я должна выйти на свежий воздух.

Иду как сомнамбула, а пол колеблется под ногами и стены съезжаются вокруг меня. Надо выбираться, пока они не схлопнулись окончательно. Боже, солнце, свежий воздух, пахнет травой и цветами, журчит мой фонтан. Сажусь на скамейку и поджимаю ноги под самый подбородок. Дышу. Глубокий вдох — выдох. Уф-ф, вроде полегчало.

Не знаю, сколько времени я так сижу, но наконец до них доходит. Открывается дверь, выходит Каролина, топает мимо меня прямиком к своей машине и, не сказав ни слова, уезжает. За ней появляются папа, Лейла и Зара. Я прячу лицо в коленки. Чувствую запах одеколона Санди, он замедляет шаг возле скамейки, но потом идет дальше. Затем выходишь ты. Я знаю, что это ты, не могу сказать как, но я отличаю тебя от всех остальных. К тебе присоединяются малыши, и я понимаю, что не ошиблась.

— Н-да, тебе досталось, — говоришь ты.

Я не реагирую, только еще ниже опускаю голову. Ты кладешь мне руку на плечо. Легонько, но твердо его пожимаешь, и я принимаю этот жест дружелюбия. Ты идешь к дому, останавливаешься посреди дороги и говоришь:

— Да, и спасибо, что прошлой ночью бросила мне в ящик письмо от Эми. Ты права, думаю, пора мне его прочитать. Она полгода со мной не разговаривает. Хуже уже не будет. Я надеюсь.

Твои шаги затихают, и я слышу, как в доме Джейми успокаивает Хизер. Поскорей иду туда. Кевин бестолково мечется, не зная, что ему делать.

— Ты иди, Кевин. Я позвоню.

Он не уходит.

— Кевин, — вздыхаю я. — Спасибо за все. За то, что постарался мне сегодня помочь. Я забыла… многое, а ты, я вижу, нет. Ты всегда был рядом.

Он кивает и грустно улыбается.

Я нежно прижимаю руку к его щеке и целую в другую щеку.

— Перестань со всеми сражаться, — шепчу я.

Он проглатывает комок в горле и задумывается. Потом кивает и молча уходит.

Я устраиваю Хизер на диване, обнимаю ее и приклеиваю на лицо улыбку.

— Это что за слезки? Малыш-глупыш, не о чем плакать, — вытираю ей щеки.

— Я хотела помочь, Джесмин.

— И помогла. — Кладу ее голову себе на грудь и тихонько укачиваю.

Чтобы взлететь, надо сначала счистить с крыльев налипшее дерьмо. Шаг первый — обнаружить дерьмо. Сделано.

Когда я была маленькой, лет в восемь примерно, я очень любила сбивать с толку официантов. Узнав о том, что в ресторанах существует свой молчаливый язык жестов, я быстро его освоила. Мне нравилось, что я могу при помощи некоего шифра общаться с кем-то посторонним, со взрослым, причем на равных. В том месте, где мы часто обедали всей семьей, у меня была излюбленная мишень. Официант, которого я потихоньку изводила. Я клала вилку с ножом поверх тарелки, а когда он шел, чтобы ее убрать, рассеянным жестом перекладывала на стол. Мне нравилось, как он резко сворачивал в сторону, точно ракета, потерявшая цель. Я проделывала так несколько раз за вечер, но ненарочито, поэтому он ни о чем не догадывался. Точно так же я поступала с меню.

Закрытое меню означает, что ты готов сделать заказ. Открытое — ты еще выбираешь. Я закрывала меню, а когда он устремлялся к нашему столу, открывала снова и, нахмурив лоб, сосредоточенно читала названия блюд, изображая, что никак не могу принять решение.

Не знаю, что означает тот факт, что я сейчас об этом вспомнила. Не знаю, что это говорит о моем подсознании, кроме того, что я с детства любила посылать совмещенные сигналы.

Глава двадцать третья

Когда я шла домой от автобусной остановки, куда проводила Хизер — она сказала, что мне не надо садиться за руль, потому что я «очень расстроена», — у меня вдруг возникло смутное беспокойство. И сейчас я наконец понимаю, в чем дело. Ты сказал: «Спасибо, что прошлой ночью бросила мне в ящик письмо от Эми». В этом есть что-то ужасное, когда тебе говорят, что ты сделала что-то, чего ты не делала. Сначала я думаю, что ты ошибся, ведь я столько раз пыталась отдать тебе письмо Эми, а ты мне его возвращал и просил прочитать вслух. Ну конечно, ты ошибся. Письмо в вазе с лимонами, мы же решили, что ты типичный лимон. Но. *Но*. Ты сказал: *прошлой ночью*. Спасибо, что отдала его *прошлой ночью*.

Значит, это никак не могла быть я, ибо прошлой ночью я искала истину на дне бутылки с водкой. Наверное, твоя жена передала тебе другое письмо, а ты подумал, что я бросила его тебе в ящик. Но ты ни словом не упомянул об этом, пока мы сидели за столом у тебя в саду, из чего я заключаю, что письмо попало к тебе уже *после* этого. И я бы знала, что она приезжала, ведь я не спала до шести утра. Какая бы я ни была пьяная, а ее бы заметила — дьявол, да я бы побежала через дорогу и пригласила ее потрепаться.

— Добрый день, Джесмин, — весело приветствует меня доктор Джеймсон. — Знаете, я тут решил двадцать четвертого июня устроить небольшое суаре. В этом году такое чудесное лето, и мне захотелось позвать всех соседей на барбекю, отметить день летнего солнцестояния. Что скажете? У меня пока нет ответа от молодого человека из шестого дома. Попытаюсь зайти к нему еще раз, может быть, застану его.

Он смотрит на меня, и наступает долгая пауза.

Я судорожно пытаюсь вычислить, кто, когда, где…

— Джесмин, все в порядке?

Резко вздрагиваю и стремглав мчусь по улице, мимо дома Мэлони, к себе. Ворвавшись в дом, останавливаюсь перевести дух, в груди что-то мерзко ноет, в голове шум. Оглядываюсь в поисках подсказки. Гостиная, где проходила наша кошмарная встреча поддержки, являет собой типичное место преступления — все брошено в беспорядке, стулья сдвинуты, грязные чашки, недопитые стаканы и прочая. На кухне следы «детского преступления»: стол и пол рядом с ним заляпаны пластилином, валяются огрызки яблок, куски печенья и поблескивают разноцветные лужицы сока. Ваза с лимонами. Пуста. В смысле лимоны там и твои ключи там, а письма нет. Подсказка номер один.

Бегу наверх и внимательно осматриваю спальню. Кровать кое-как, но убрана. На тумбочке рядом с ней пустая бутылка водки… и открытый конверт. А там письмо Эми. Падаю на кровать и хватаю конверт. Я прочитала письмо между двумя часами ночи и шестью утра. Наверное, ближе к шести. Это те часы, которых я не помню. Я искала какой-нибудь знак или совет для себя. Мне нужны были вдохновляющие, утешительные слова любви и участия. Пусть даже обращенные не ко мне. Вот что там было написано:

Мэтт!
Возьми себя в руки.

Эми

Это меня взбесило. Да, я сейчас вспомнила. Я расплакалась от разочарования. Меня разочаровала Эми и вообще белый свет. И? Что было дальше? Я легла спать? Но тогда что за письмо у тебя дома, если письмо Эми здесь?

Прищуриваюсь и оглядываю комнату. Должны быть подсказки, ищите, Ватсон. Под столиком у зеркала валяется скомканная бумажка. А в корзине для бумаг их целый ворох. Мне вдруг становится страшно, я боюсь протянуть руку и взять бумажный комок. Но придется.

С тихим стоном расправляю листок.

Мэтт, дорогой!

Я не могу поговорить с тобой. Боюсь, ты не станешь меня слушать...

— О нет! Джесмин, ты идиотка!

Расправляю комочки один за другим, читаю разные варианты первой строчки, они сильно отличаются по содержанию, но все без исключения написаны скачущим пьяным почерком. Это мои версии того, что должна была бы написать тебе Эми, те слова, которые, на мой пьяный взгляд, сподвигли бы тебя на что-то хорошее. Впрочем, есть и такие, где видно, как ты меня бесишь. Невозможно сказать, что в итоге я отнесла тебе в ночи, радует одно — то, что я сейчас прочитала, осталось здесь. Мне хочется рухнуть на кровать и долго, горестно рыдать. А нужно совсем другое: бежать к тебе, честно во всем признаться и посыпать голову пеплом. Желательно того письма, которое у тебя. Ты поймешь. Но я не могу. И не делаю этого. Я думала, что на сегодня все пакости уже исчерпаны и я пала ниже некуда. Оказывается, есть куда. Надо забрать у тебя письмо, исправить эту глупость, надо найти работу и перестать вести себя как сумасшедшая.

В дверь звонят, и меня охватывает дичайший ужас. Я как олень, выхваченный из ночного мрака автомобильными фарами, — не могу пошевелиться, только слышу, как бухает мое сердце. Ты прочитал письмо. Я попалась.

Выглядываю из окна и вижу твою макушку. Обреченно топаю вниз. Я все призна́ю и со всем соглашусь. Так будет правильно. Открываю дверь и робко тебе улыбаюсь. Ты упираешь руки в боки и хмуро на меня взираешь.

— Ты опять напилась?

— Нет.

Молчание.

— Напилась?

— Нет.

— Ну ладно. Слушай, — ты явно чем-то встревожен, — ты видела подозрительных людей у дома доктора Джея?

Растерянно молчу. Как это связано с письмом? Ничего не понимаю.

— Если ты пьяна, так и скажи.

— Я трезвая.

— Мне просто надо знать. Чтобы нормально общаться с тобой, буду говорить коротко, просто и внятно. Ну?

— Да, блин, не пила я вообще!

— Отлично. Так что? Видела ты их? Кто-то периодически заходит и выходит от него.

— Может, у него гости, а тебя не позвали? — Меня немного отпустило. Слава богу, ты еще ничего не знаешь… пока.

— Что-то там точно происходит. Каждые полчаса. Начиная с полудня.

— Господи, тебе точно надо чем-то заняться. Поскорей выйти на работу, а то ты совсем спятил.

— В три часа заявилась какая-то баба. Пробыла полчаса. Потом ушла, и в полчетвертого приехал мужик, а в четыре ушел. После него была какая-то парочка, а в половине пятого…

— Да, я поняла. Они сменяются раз в полчаса.

Мы стоим скрестив руки и наблюдаем за домом доктора Джеймсона. По соседству мистер Мэлони читает жене пьесу Джона Кина «Поле». Получается у него очень артистично. Каждый день он читает ей минут пятнадцать, потом идет возиться в саду, возвращается и читает дальше. У него приятный, хорошо поставленный голос. Миссис Мэлони сидит в кресле, колени прикрыты пледом, взгляд устремлен куда-то в пространство. Но его это не смущает, он говорит с ней о погоде, о саде так, словно она поддерживает с ним оживленный разговор. Вчера он читал ей роман Джекки Коллинз, ему нравится разнообразить выбор книг. Безусловно, он просто молодчина, но все равно грустно на это смотреть.

К нам в тупик заворачивает машина, и в душе у меня разливается радость, а сердце восторженно колотится еще до того, как он выходит. Я знаю, что это он. Или чувствую. Или надеюсь. Да, это Санди.

— Ну, если его не испугало то, что было сегодня утром, то уже ничего не испугает, — ехидно говоришь ты, и я улыбаюсь.

Санди идет к нам, поигрывая брелоком с ключами от машины.

Я надеюсь, ты поймешь намек, и взглядом сообщаю тебе, что пора сваливать. Но нет, либо ты нечувствителен к намекам, либо просто не желаешь уходить.

— Привет, — здоровается с нами обоими Санди.

— Что-то забыли? — с наигранной озабоченностью спрашиваешь ты, впрочем, очень дружелюбно.

Санди улыбается и смотрит мне прямо в глаза, ласково, с такой нежностью, что у меня перехватывает дыхание.

— В общем, да.

— А мы наблюдаем за домом доктора Джея, — поясняешь ты и рассказываешь про посетителей, сменяющихся раз в полчаса. Санди встает рядом со мной и тоже смотрит на его дом, рукава у него закатаны, и я чувствую легкое прикосновение загорелой руки, которое заставляет меня немедленно забыть обо всем на свете, кроме сладчайшего электричества, пробегающего между нами. Впрочем, я старательно пялюсь на дом доктора, лишь время от времени позволяя себе украдкой смотреть на Санди. Он вдруг отворачивается от объекта наблюдения и ловит мой взгляд. Чуть насмешливо улыбается, словно говоря «а вот и попалась», а затем корчит смешную гримасу, изображая, как ты стережешь неведомых преступников.

— О, вот еще одна! Видите, вон идет! — вдруг подаешься вперед ты, разрушив наше единение с Санди.

— Хмм, — бормочет Санди и идет к дороге, чтобы получше рассмотреть и впрямь подозрительного вида девицу. — Что-то здесь не так.

— Ну а я о чем, — радуешься ты, что у тебя нашелся сторонник. — Какие-то странные, совершенно непонятные люди целый день шастают к доктору.

— Может, он подыскивает экономку? И они приходят на собеседование? — говорю я.

— Ты бы хотела, что она у тебя прибиралась? — в ответ осведомляешься ты.

— Такая, пожалуй, приберет к рукам все, что плохо лежит, — задумчиво кивает Санди, и мне становится смешно: вы, как мальчишки, играете в детективов.

— Почему вы вообще решили, что она к доктору Джею? — спрашиваю я. Девица одета в замызганные спортивные штаны и непонятного цвета толстовку. То ли пьяная, то ли обдолбанная. Скорее, второе. Смахивает на героинщицу. — Наверное, одна из твоих фанаток.

Она смотрит на номера домов и сворачивает к докторову дому. Санди выходит на дорогу, ты следом за ним. Я плетусь в хвосте, что мне остается. Мы решаем перенести наблюдательный пункт к тебе за стол — отсюда лучше виден дом доктора Джеймсона. Коротко посовещавшись, вы решаете, что, заслышав малейший подозрительный шум, пойдете туда. Быстренько выдумываете предлог, на всякий случай.

— А ты уже прочитал письмо? — небрежно интересуюсь я.

— Какое письмо?

— Которое я тебе отдала.

— Нет. Еще не успел.

— Я тут подумала... Все же лучше я тебе его сама прочту. Знаешь, мало ли что.

Ты задумчиво смотришь на меня, с некоторым даже подозрением. И Санди тоже.

— Наверное, лучше, чтобы ты был в этот момент не один. Кто знает, как ты это воспримешь. Ты последнее время так хорошо держишься, я не хочу, чтобы прямиком ринулся в паб. Надо, чтобы рядом кто-то был, может, конечно, и не я, ну, в общем… кто-нибудь.

Понятно, что никого, кроме меня, ты не попросишь. Ты перестаешь подозрительно хмуриться и с благодарностью киваешь:

— Спасибо, Джесмин.

— Хочешь, давай прямо сейчас?

— Сейчас?

— Угу, — небрежно пожимаю плечами. — Пора с этим покончить. — Оборачиваюсь к Санди: — От него ушла жена. И оставила письмо. Он его не читал. И это правильно. — Снова смотрю на тебя: — *Я* его прочитаю. Давай его мне.

Санди закрывает рот ладонью, чтобы спрятать насмешливую улыбку. Какие у него длинные сильные пальцы. Как у пианиста.

— Нет, слушай, давай не сейчас. — Тебя пугает перспектива сделать это немедленно.

— Почему же?

— Джесмин, ну что ты, ей-богу. Сейчас у нас другая проблема, надо следить за домом доктора Джея.

— Ты следи, а я прочту.

Как бы не так. Я моментально подменю его на настоящее, а то письмо потом уничтожу. Ничего не поделаешь, придется тебе ознакомиться с оригиналом, сколь бы он ни был огорчителен.

— Здесь дети. Не хочу, чтобы они случайно услышали.

И только я намереваюсь возразить, что нигде в поле зрения никаких детей нет, как вижу двойняшек — они идут к нам от шестого дома, оба очень сердитые.

— Что случилось? — Ты встаешь и идешь к ним.

— Что еще ты натворила? — спрашивает меня Санди с комическим ужасом.

— Ничего, — делаю невинное лицо.

Он смеется и качает головой, как будто я непослушная девчонка. Мне это нравится, и я тоже смеюсь. Он меня насквозь видит, и это замечательно. Уже давно у меня не было такого ощущения — что кто-то меня прекрасно понимает. Разве что с тобой, но это совсем другое.

— Он ничего не купил, — обиженно тянет Крис.

— Только он один из всех соседей, — добавляет Кайли.

— Чего он не купил? — спрашиваю я.

— Наши духи. Мы их сами сделали, из лепестков и воды.

— И травы.

— И дохлого паука.

— Чудесно, — киваю я.

— Ты купила две склянки, — сообщаешь мне ты. — С тебя пятерка.

Только сейчас наконец замечаю, что возле дороги выставлена табуретка, покрытая красной бумажной скатертью, на ней стоят в ряд баночки с подозрительной бурой жидкостью, в которой плавают какие-то малосимпатичные козявки. Ценник гласит, что каждая баночка стоит 50 центов. Почему тогда я должна тебе пятерку, для меня загадка, но, учитывая, что я подделала письмо твоей жены, не будем торговаться.

— Что он сказал? — сердито спрашиваешь ты у малышей.

— Кто — он? — тихонько осведомляется у меня Санди.

— Топ-менеджер. Сосед, который снимает дом номер шесть, — поясняю я и оборачиваюсь к детям.

— Ничего не сказал. Он по телефону разговаривал. А потом говорит: нет, спасибо. И дверь закрыл.

— Чертов поганец, — фыркаешь ты, и они хихикают.

— Этот чувак меня уже порядком достал, — раздраженно бормочешь ты и непроизвольно сжимаешь кулаки.

— И меня тоже. Я ему машу «здрасте» каждое утро с тех пор, как он переехал к нам, а он ни разу даже не поглядел на меня.

Санди смеется.

— Вам обоим срочно пора на работу. Вы слишком близко к сердцу принимаете всякую ерунду.

— Ну так найдите ей работу, Санди, — говоришь ты с озорным блеском в глазах.

— Это идея, Мэтт, — весело отвечает он.

— Может быть, стоит пригласить ее куда-нибудь поужинать. Обсудить детали. — Мы все отлично понимаем, о чем он, но Санди невозмутимо кивает:

— Может быть. Если это поможет.

Ну все, давайте сменим тему. У меня сейчас есть более насущная проблема.

— А ведь всего-то и требовалось, что слегка раскошелиться. Дети старались, такие чудесные духи сделали. Он хоть попросил дать ему их понюхать?

— Нет, — фыркает Крис.

— Ну и жадюга.

Это бесит тебя еще больше, чего, собственно, я и добиваюсь.

— Так, все, я иду с ним пообщаться.

— И очень правильно, — поддерживаю тебя я.

— А что вы ему скажете? — Санди широко улыбается и кладет ногу на ногу. Я вижу загорелое бедро в прорехе его модных джинсов.

— Скажу, что надо вести себя по-человечески, если хочешь иметь добрые отношения с соседями. А не хочешь, так катись отсюда. Что за гадство, им всего семь лет.

– По-моему, вы переживаете больше, чем они, — говорит Санди.

— А еще он отказался от приглашения доктора Джея на барбекю. А доктор его от чистого сердца позвал, — подливаю я масла в огонь.

Санди одновременно хмурит брови и улыбается, пытаясь понять, что у меня на уме.

Все, ты твердо вознамерился идти выяснять отношения с менеджером. Супер! А я тем временем быстро проберусь в дом — дверь, я вижу, у тебя не заперта, — найду свое письмо и заменю его на настоящее.

— И ты со мной, — вдруг говоришь ты.

— Я?

— Ну да. Ты.

— Да, Джесмин, — кивает Санди, лениво вытянув длинные ноги и задумчиво, с легкой ехидцей смотрит на мое растерянное лицо. Он отлично понимает, что мешает привести мне в исполнение какой-то хитрый план. Черт, я не против того, чтобы он со мной играл, но не в такие игры.

— Ну а я при чем? Ты сам отлично справишься. Это же твои дети.

— Иди-иди, Джесмин, — насмешливо подбадривает меня Санди.

Ну все, прекрасный шанс выкрасть чертово письмо упущен. Смотрю на Санди с искренним отвращением, отчего он заразительно смеется, и, хотя я до крайности им недовольна, не могу удержаться и тихонько хмыкаю.

— А я останусь вести наблюдение, — подмигивает он.

— Что ты ему скажешь? — Я нервно переминаюсь на крыльце шестого дома.

— Ровно то, что уже говорил. Насчет недобрососедского поведения.

— Правильно.

И то верно, кому как не нам с Мэттом учить соседей хорошим манерам.

Слышно, как менеджер разговаривает с кем-то по телефону. Ты звонишь в дверь — долго, настойчиво. Он болтает не по работе. Смеется, упоминает друзей, называя их прозвища. Что-то про регби. Какие-то Слиго и Спайди и «парни». Тошнит от таких разговоров. Ты начинаешь тихо беленеть, и я, впрочем, тоже. Я вижу, что менеджер смотрит на нас в окно и продолжает разговаривать.

— Да опять соседи чего-то хотят, — доносится до нас из открытого окна.

Ты материшься и устремляешься к этому окну, и я боюсь, что сейчас состоится незаконное проникновение, но в последнюю секунду менеджера спасает крик Санди.

— Эй!

Оборачиваемся и видим, что Санди догоняет девицу, которая только что вышла от доктора Джея.

Мы с тобой бежим к ним.

— Руки! Руки убери!!! — визжит она и нападает на Санди, который пытается уклониться от острых ногтей.

— О черт! — взвывает он, когда ей удается пару раз его достать. — Успокойтесь! — грозно командует он, и она наконец утихомиривается. Отступает назад и настороженно на него смотрит, при этом безостановочно что-то пережевывает, как корова на лугу.

— Мне кажется, у вас под джемпером что-то есть, и я подозреваю, это что-то принадлежит моему другу, — четко произносит Санди.

— Нету там ничего.

— А я думаю, есть. — Он усмехается, в зеленых глазах пляшут опасные огоньки.

— Я беременная.

— И кто отец? Apple? Dell?

Тут и я замечаю странную форму ее живота и закусываю губу, чтобы не рассмеяться. Там спрятан какой-то прямоугольный предмет.

— Погодите минутку, — вмешиваешься ты, еще до конца не успев отдышаться. — Может быть, нам не стоит на это смотреть.

— Почему? — удивляюсь я.

— Потому что, может быть... — Ты поворачиваешься к ней спиной и говоришь сквозь зубы: — Может быть, она получила это от доктора Джея. Вы меня понимаете?

— А, он дал ей контейнер с наркотой, который по форме похож на лэптоп?! — восклицаю я, и Санди закашливается, чтобы не заржать.

Тут появляется и сам доктор, он аккуратно несет чашку чая на изящном блюдечке.

— Ага. А вот и наркобарон собственной персоной, — заговорщицки шепчет Санди, и я от души хохочу.

Девица пытается спешно ретироваться. Санди хватает ее за рукав и крепко держит за руку, она злобно орет всякие пакости, в том числе грозится подать в суд за сексуальные домогательства.

К ним подходит доктор, бережно неся чашку.

— Мэг! Я вышел только на минутку, приготовить чайку. Вы что, уже уходите?

Она старается вырваться, резко дергается, и что-то вдруг падает к ее ногам.

— Похоже, у нее отошли воды, — говорю я, и мы все смотрим на лэптоп доктора Джеймсона.

Ты, я и доктор Джеймсон сидим за столом у тебя в саду и смотрим, как Санди чинит лэптоп. К счастью, он пострадал минимально. Доктор объясняет нам, что дал в газету объявление о том, что ищет себе компаньона для встречи Рождества. У меня сердце разрывается от жалости, с трудом удерживаюсь, чтобы не расплакаться.

— Кэрол умерла в шестьдесят один год. Очень рано, очень. Детей у нас не было, как вы знаете, я не сумел взять себя в руки, пока не стало уже слишком поздно. Никогда себе этого не прощу. — Он смаргивает и сжимает зубы, стараясь не дать волю эмоциям. Санди поднимает голову от лэптопа и смотрит на доктора. — Мне восемьдесят один. Уже двадцать лет я живу без нее. И семнадцать раз я встречал Рождество один. До того я ездил к сестре, но и она умерла, упокой Господь ее душу. И я больше не хочу оставаться один в этот день. У меня в гольф-клубе один знакомый рассказал, что дал объявление — дескать, ищу экономку, — и они с ней теперь неразлучны. Не в этом смысле, ну, вы понимаете. Просто с ним рядом кто-то есть. Каждый день. Мне каждый день не надо, но я подумал, что именно на Рождество одиночество ощущаешь особенно остро, так почему бы не найти компаньона, кого-то, кто тоже не хочет быть один. Ведь очень многим не с кем встретить Рождество.

Это невообразимо печально, и ни один из нас не знает, что на это можно сказать. Да и что тут скажешь: человек одинок, он ищет компанию, все верно.

Я вижу, что ты глубоко потрясен. Неудивительно. Твоя жена ушла, забрала детей, и, если ты не сумеешь ее вернуть, тебе тоже предстоит в этом году встречать Рождество одному. Возможно, не в буквальном смысле слова, тебя скорее всего позовет в гости кто-то из друзей, но среди них ты будешь ощущать свое одиночество еще острее. Я вижу, как ты сосредоточенно обдумываешь эту перспективу. Или, может быть, вы встретите Рождество вместе с доктором Джеем, сидя вдвоем за его полированным столом красного дерева и ведя вымученную беседу или, того хуже, молча глядя в телевизор с тарелками в руках.

К дому подъезжает машина Эми. Прямо как нарочно подгадала. Она приехала забрать малышей. Как обычно, она не хочет с тобой разговаривать, прячет глаза за темными очками и напряженно смотрит куда-то вдаль. Рядом с ней сидит Финн, он тоже не желает с тобой общаться. Ты стараешься с ней заговорить, стучишь в стекло, просишь ее опустить его хоть немножечко.

Грустно все это видеть. Не знаю, что ты ей говоришь, но все это без толку. Очередная неудачная попытка найти общий язык с женщиной, которую ты любишь. Подбегают младшие с рюкзачками. Они торопливо обнимают тебя на прощание и забираются в машину, восторженно вереща, что мы поймали наркоманку. Ты болезненно морщишься. Дверь захлопывается, Эми резко жмет на газ.

Пытаюсь завести разговор о письме, но ничего не получается. Тебе и без того совсем паршиво. Я разрабатываю план Б. Операция «Ваза с лимонами» начнется сегодня ночью, как только у тебя погаснет свет.

Глава двадцать четвертая

Весь вечер наблюдаю за твоим домом. Я настороже, как коршун, высматривающий добычу. Вижу, как ты сидишь в гостиной, горит яркий свет, а ты смотришь телевизор. Какая-то воскресная спортивная передача, судя по тому, что ты иногда вскакиваешь, возмущенно воздев руки, а потом обреченно плюхаешься обратно в кресло. Всякий раз, как ты за чем-нибудь встаешь, я нервно сжимаюсь — сейчас возьмешь письмо, но ты соблюдаешь наш уговор, и я уважаю тебя за это, хотя после всего, что я натворила и еще собираюсь натворить, мое уважение недорогого стоит. Но ты об этом не знаешь.

Несмотря на мое взвинченное состояние, прошлая бессонная ночь и похмелье дают о себе знать, у меня слипаются глаза, а от таблеток, которые я выпила от головной боли, спать хочется еще больше. Выпиваю пять чашек кофе и впадаю уже в полное обалдение. Наконец, ближе к полуночи, свет в гостиной гаснет, и я вижу, что ты идешь наверх. Ну что, пора? Черт, в спальне загорается свет, вспыхивает экран телевизора, и я понимаю, что впереди еще одна длинная ночь. Клюю носом. В три часа просыпаюсь, одетая, и проверяю, как у тебя дела. Ни одно окно не светится.

Время действовать.

Улица погружена в спокойный тихий сон. Все дрыхнут, включая и топ-менеджера. Он дрыхнет особенно сосредоточенно, ведь завтра понедельник, день тяжелый. Крадучись, перебегаю через дорогу и вот уже стою у входной двери. С собой у меня подлинное письмо твоей жены, правда, уже слегка заляпанное водкой и колой, и ключи из вазы с лимонами. Я прикинула, стоит ли опасаться сигнализации, но, во-первых, она никак себя не проявляла во время твоих пьяных нападок на дверь, а во-вторых, ключи у меня тоже подлинные. Тихонько вставляю ключ в замочную скважину, и он легко поворачивается. Я вошла. Снимаю ботинки и стою в прихожей, давая глазам привыкнуть к темноте. Сердце стучит как барабан. Я не просто так забралась сюда. У меня есть план, который я разрабатывала полночи. И еще у меня есть фонарик.

Начинаю со столика в прихожей. Так, конверты, счета, раскрытые и нет, открытка от тети Нелли, которая отлично проводит время на Мальте. Проверяю выдвижной ящик — без толку.

Перехожу на кухню, где, как ни странно, чистота и порядок. В мойке пара тарелок и кружка, ты, видимо, оставил их там до утра, но в целом ничего ужасного. В вазе с фруктами три почерневших банана и недозрелый авокадо. Письма нет. Шарю по ящикам в буфете. У всех есть ящик для разной полезной ерунды, и я его нахожу: туристические карты, батарейки, счета, новые и пожелтевшие, договор с ТВ-провайдером, старые поздравительные открытки, детские рисунки. Письма нет. Белая доска, на которой удобно писать фломастером всякие напоминалки, девственно чиста, видимо, с тех пор, как ушла Эми. Ни «Обязательно купи туал бум», ни «Мама, уймись, я помню про подстричься», ни «Эми, я не успеваю, купи сама!». Мне становится тебя жалко, этот дом, прежде наполненный жизнью, опустел, и тебе надо что-то с этим делать. Я думаю о том человеке, от которого ушла Эми, и он мне не нравится, он это заслужил. Но я думаю о тебе, и тебе я сочувствую. Тем важнее найти письмо.

Перемещаюсь в гостиную. Там пахнет кофе. Направляю фонарик на книжные полки: книги, подборка дисков — ты любишь детективы и триллеры. Фотографии в рамках. Вы всей семьей, дети, вы на отдыхе, на рыбалке, на пляже, даже ваши школьные фотки есть. Странно, почему она все это здесь оставила? Значит, собиралась вернуться? Но вот фонарик высвечивает пустую стену с грустно торчащими крючками, и я понимаю, что *это* она как раз оставила за бортом вместе с тобой. Интересная находка: твой диплом об окончании психфака и фото в рамке — ты в мантии выпускника. Вспоминаю, как ты иногда на меня смотришь, как пытаешься меня просчитать и заглянуть мне в душу, как тебе нравится анализировать меня, да и всех остальных тоже, и кое-что проясняется. Ты ухмыляешься, глядя из-под академической шапочки, как будто только что сказал какую-то пакость. У тебя уже тогда была очень нахальная рожа.

Примерещилось или наверху кто-то ходит? Застываю как вкопанная, выключаю фонарик, стараюсь не дышать и вслушиваюсь в ночные шорохи. Нет, все тихо. Снова включаю фонарик и продолжаю свои изыскательные работы. Теперь надо обследовать твой рабочий кабинет. Старые фотки, страховка на машину, квитанции, ключи, неизвестно что открывающие... письма нет. Я пока избегаю, по понятным причинам, подниматься на второй этаж. Это моя последняя надежда и худший сценарий развития событий. Вообще, у тебя маловато папок и документов на первом этаже. Возможно, мне действительно пора двигать наверх. Пытаюсь представить, где бы ты мог хранить такую вещь, как письмо от Эми. Конечно, не в шкафу с документами, это было бы дико. Ты же хочешь, чтобы оно было в пределах досягаемости, а значит, ты должен все время его видеть, вертеть в руках, возвращаться к нему глазами. И, если оно не в кармане пальто, которое висит под лестницей, то придется мне идти на второй этаж.

В кармане пальто его нет.

Испускаю глубокий вздох, и — кто-то все же там есть, в задних комнатах! Или на кухне? Не дышу, чтобы он меня не услышал. Все, я в панике. Надо отсюда выбираться, какой ужас, я ничего не слышу, все заглушает бешеный стук моего сердца. Спокойно, спокойно, дыши глубже. Идиотка, дома бы сидела, а лучше лежала, зачем ты прокралась сюда? Это все твои ночные подглядывания, ты спятила и возомнила, что ты сталкер. Для сталкеров в порядке вещей — забраться ночью в чужой дом.

Ну да, так пускай бы ты нашел мое письмо? И потом объясняться с тобой на эту тему? Нет, кошмар. Тогда вперед, топай на второй этаж. Первая же ступенька громко, предательски скрипит. Застываю. Отступаю. Надо все же получше поискать внизу, а не вторгаться к тебе в спальню, пока ты спишь, что уж совсем запредельная наглость. И тут я вдруг вспоминаю, как ты мне спьяну рассказывал о своих переживаниях.

— *У меня на холодильнике висит фотография отца. Мне это помогает всякий раз, как я его открываю, чтобы достать себе выпить.*

— *Как замечательно.*

— *Да не особо. Он был законченный алкоголик. Фотография там висит, чтобы я себя спрашивал: хочешь стать таким, как он?*

Быстро направляю фонарик вниз и возвращаюсь на кухню. Я думаю, что холодильник даст мне ответ. Там сверху валялись какие-то рисунки и распечатки гимнастических упражнений, но я не перебрала все бумаги в поисках письма. Свечу на холодильник и... вижу письмо, то самое, поддельное. Победительно усмехаюсь, как вдруг... БАМ!

Что-то тяжелое бьет меня по голове, точнее, в основном по уху, я падаю, как мешок с картошкой, ноги безвольно протягиваются по полу, и я слышу чьи-то шаги на лестнице. Так, на меня напал грабитель. Я его вспугнула, а теперь он нападет на тебя — кому же еще спускаться со второго этажа. Надо как-то предупредить тебя об опасности, но сначала надо взять письмо с холодильника и на его место положить оригинал, только вот голова раскалывается, и я не могу пошевелиться.

— Я говорил, надо подождать! — шипишь ты, и я окончательно теряюсь. Ты что, тоже в этом замешан? В ограблении собственного дома? Неужто дело в страховке? Боже, я попала в опасный переплет, а раз ты в этом участвуешь — что несомненно, коль скоро ты заодно с грабителем, который меня огрел, — то я в большой опасности. Надо бежать. Но сначала надо подменить письмо на холодильнике. Приподнимаю голову и чувствую, что все плывет. Вокруг по-прежнему темно и луна светит на холодильник, словно бы говоря мне: вот твоя цель. Увы, я не могу пошевелиться.

Исторгаю слабый стон.

— Кто он? — спрашиваешь ты.

— Не знаю, но я его только что ошарашил по голове.

— Ладно, надо свет зажечь.

— Лучше сначала полицию вызвать.

— Нет. Сами как-нибудь справимся. И мозги ему вправим.

— Я не одобряю...

— Да ладно, док. Зачем тогда вообще все эти идеи местного самоуправления? Надзора? Зачем, если мы не можем…

— *Надзора*. А не бить по башке и связывать, а потом допрашивать *с пристрастием*.

— Чем это вы его огрели? Боже, неужели сковородкой? Я же вам говорил, клюшкой для гольфа.

— Но он очень быстро подошел, я не успел подготовиться.

— Так, держите его. Он хочет бежать.

Ко мне неожиданно возвращается свет. Я на полу возле холодильника. В двух шагах от письма. Надо только протянуть руку, руку… протянуть, да, да… и я его достану.

— Джесмин! — изумляешься ты.

— Ох ты боже мой, боже правый, — причитает доктор Джеймсон.

Что же это такой свет яркий, ничего вообще не вижу. Боже, голова моя сейчас расколется.

— Вы ударили Джесмин?

— Господи, я же не знал, что это она, понимаете? Боже правый!

— Ну, все хорошо, хорошо, — говоришь ты, вы оба решительно меня поднимаете и несете подальше от холодильника, и я издаю горестный стон вовсе не потому, что намереваюсь умереть. Письмо — я вижу его, оно все дальше и дальше от меня. Далеко. Я на диване в гостиной. А мы были так близки.

— Что она говорит? — спрашивает доктор Джеймсон, склонив ко мне большое старческое ухо.

— Что-то насчет холодильника, — отвечаешь ты, укладывая мою голову на подушку с самым озабоченным видом.

— Какая здравая мысль, Джесмин. Сейчас принесу лед, — кивает доктор и торопливо исчезает.

— Придется, наверное, накладывать швы.

Швы?

Ты наклоняешься, чтобы получше изучить мое состояние, и я вижу светлые волоски у тебя в носу. Один седой. Не мешало бы выдернуть.

— Док, а вы какой сковородкой били?

— Антипригарной, «Тефаль», — отвечает он. — У меня дома такой же набор. — Он подходит поближе, наклоняется надо мной, и я слышу запах фруктовых леденцов.

— Джесмин, какого черта ты здесь делала? — вдруг решительно спрашиваешь ты.

Я вяло откашливаюсь.

— Ну, я взяла ключи, подумала, что к тебе кто-то влез. Наверное, ошиблась, и это был доктор Джей, — бессвязно бормочу я. — Ой, как башка болит.

— Простите, милая. Это был не я, напротив, я сразу связался с Мэттом, как только увидел свет фонаря.

— Джесмин, — требовательно говоришь ты, — колись давай.

Вздыхаю.

— Я дала тебе не то письмо. От Эми. То, что я дала, я сама написала. Другому человеку. Я их перепутала.

Открываю глаза, чтобы посмотреть, как ты это воспримешь.

Ты мрачно на меня смотришь и почесываешь плечо. На майке надпись «92 Olimpics». Похоже, ты мне не слишком-то веришь. Но все же это может сработать. Ты вдруг встаешь и идешь на кухню.

— Не читай его! — кричу я так громко, что у самой голова болит.

— Ну-ну, не волнуйтесь, — успокаивает доктор Джеймсон. — Я уже пришел.

Ты приносишь письмо. Мне не нравится твое выражение лица. Оно гнусное и издевательское. Ты размеренно ходишь взад-вперед у дивана, где я лежу, и вертишь конверт в руках, медленно и раздумчиво. Что за идиотские игры?

— Итак, Джесмин. Ты проникла ко мне в дом...

— У меня был ключ.

— ...чтобы забрать письмо, которое, как ты говоришь, адресовано кому-то другому. Почему ты просто мне об этом не сказала?

— Потому что боялась, что ты можешь его открыть. Оно очень личное, а я тебе не доверяю.

Ты поднимаешь палец.

— Убедительно! Правдоподобно! Я *могу* его открыть.

Доктор Джеймсон говорит, что надо держать на лбу пакет с замороженным горошком. Он приглядывает за мной, чтобы я не глупила. И ты тоже.

— Я что, в суде?

— Да. — Ты щуришься и уходишь в дальний угол.

Как мелодраматично.

— Доктор, вы уверены, что у меня голова не отвалилась?

— А что, шея болит?

Я поворачиваю голову.

— Болит.

Он подходит и прощупывает мне шею.

— Вот здесь больно?

— Да.

— А здесь?

— Тоже.

Ты перестаешь шагать из угла в угол и смотришь на меня.

— Кому ты написала то письмо?

Замираю в панике. Все, я пропала. Ты проверишь, я знаю.

— Мэтту.

Ты смеешься.

— Мэтту!

— Да.

— Какое совпадение.

— Из-за этого и путаница вышла.

Ты протягиваешь мне письмо, и я тяну руку, чтобы скорей его схватить, но, когда остается всего пара миллиметров, ты отдергиваешь руку и вскрываешь конверт.

— Нет! — Я хватаю подушку и прячу в нее лицо.

— Читайте вслух, — говорит доктор, и я швыряю в него подушку, а себе беру другую.

— «Дорогой Мэтт», — насмешливо, специальным читательским голосом начинаешь ты, но, пробежав глазами дальше, убираешь сарказм. Смотришь на меня, затем продолжаешь читать уже нормальным тоном:

У каждого бывают в жизни моменты, которые оказывают на нас сильное влияние, и что-то в нас меняется. У меня это был тот год, когда я родилась, год, когда я узнала, что умру, год, когда умерла мама, и вот теперь еще один — год, когда я встретила тебя.

Закрываю лицо. Да, я вспомнила, что написала тебе в этом письме.

Я слышала твой голос каждый день, слышала, как ты в неподобающих выражениях высказывал свои безвкусные идеи, и я составила о тебе представление. Ты мне не нравился. Но ты доказал — можно думать, что знаешь кого-то, а на самом деле это вовсе не так.

И я поняла, что ты гораздо, гораздо лучше того, кем притворяешься, и даже лучше, чем сам о себе думаешь. И все-таки ты бываешь ужасен. Иногда мне кажется, что тебе нравится бесить людей, и в каком-то смысле я тебя понимаю.

Ты откашливаешься, и я смотрю на тебя в щелочку между пальцами, удивляясь, уж не плачешь ли ты.

Но, когда ты думаешь, что тебя никто не видит или просто не обращает внимания, ты становишься гораздо лучше. Жалко, что ты сам в это не веришь и не показываешь, какой ты на самом деле, тем, кто тебя любит.

Голос у тебя слегка дрожит, ты искренне тронут, и я рада, но все же ужасно смущена.

В год, когда я встретила тебя, я встретила себя. И тебе бы не помешало сделать то же самое, поверь — ты познакомишься с хорошим человеком.

Ты умолкаешь, и в комнате повисает долгая тишина.

— Так-так, — говорит доктор Джеймсон, глаза у него блестят.

Ты прочищаешь горло.

— Ну кто бы ни был этот Мэтт, он должен быть очень признателен за такие слова.

— Спасибо, — шепотом отвечаю я. — Надеюсь, что так.

Встаю и подхожу к тебе, чтобы взять письмо, но ты отказываешься его отдать. Я думаю, что это шутка, но, заглянув тебе в глаза, понимаю, что ты очень серьезен. Ты берешь мою руку и крепко ее сжимаешь. И киваешь мне с искренней, трогательной благодарностью.

И я улыбаюсь в ответ.

Глава двадцать пятая

К нам пришла вторая волна жары. Местные власти в этой связи ввели ограничения на воду, и каждый, кто посреди дня будет замечен в том, что моет машину, поливает сад, или собаку, или себя самого, будет незамедлительно повешен на месте преступления или, может, утоплен, не знаю.

Многие резко решили заболеть и, как я понимаю, лечатся они на природе — каждый клочок зеленой травы усеян полуголыми телами, в воздухе пахнет кремом для загара и дымком барбекю, а переполненные автобусы неустанно вывозят страждущих из города на морское побережье.

Мы с Каролиной молча сидим за садовым столом и взираем друг на друга с немым вопросом. Нам обеим есть что сказать, но ни одна не решается заговорить. Сегодня суббота, на небе ни облачка, но мы укрылись в тени большого зонтика у нее на заднем дворе. Это наша первая встреча с того дня, когда Хизер так решительно взбаламутила мою унылую жизнь. Поводом послужило очередное мое предложение по проекту Каролины: я подумала, что неплохо бы переименовать его в «Обмен нарядами», чтобы привлечь больше клиентов. Ирландское название все же сужает их круг. Я знаю, что в принципе Каролина с этим согласна, но ей трудно мне уступить и неприятно, что идея исходит не от нее. Я могу ее понять, однако происходит именно то, чего я изначально опасалась. Она признает, что я в своем деле профи, потому, собственно, ко мне и обратилась, но она путает работу и личные амбиции. А еще не понимает, что я добиваюсь успеха, потому что вкладываю в работу всю душу, знания и страсть, а не слепо подчиняюсь требованиям заказчика. Мне ясно, что с ней у нас так не получится.

Подобного рода разногласия происходят довольно часто, но перед посторонним человеком я бы отстаивала свои соображения, невзирая на побочные эффекты, а с Каролиной это невозможно. Я буду щадить ее самолюбие, ведь мы дружим уже десять лет, я сижу у нее в саду, я поддерживала ей голову, когда она блевала в туалете, утирала слезы, когда она расставалась с мужем, а сейчас я ем ее домашние пирожки. Мы нарочно выждали изрядный срок, прежде чем увидеться снова, потому что обе не хотим ссориться. С другой стороны, ни одна не готова уступить.

— Каролина, — мягко говорю я и беру ее за руку. Она нервно поеживается. — Боюсь, что мы должны на этом остановиться и перестать работать вместе.

И тут она откидывается на стуле, задирает голову и от души хохочет. Значит, все в порядке.

Я направляюсь в Феникс-парк на Блум, самый крупный в Ирландии фестиваль садового искусства, который привлекает тысячи людей. Здесь можно поесть национальную еду, которую готовят прямо при вас, посмотреть на народное творчество, получить бесплатные советы по садоводству от самых лучших экспертов. Но главная радость — меня пригласил сюда Санди. Он оставил билет в почтовом ящике, а в него положил засушенный голубой колокольчик. Потом он позвонил и очень загадочно сообщил, что я пойму, где его искать. Я догадывалась, что колокольчик — это намек. И оказалась права, потому что Санди, видимо, не очень доверяя моим умственным способностям и опасаясь, что ему придется заночевать в парке, пока я его там найду, прислал эсэмэску: «Колокольчик — это подсказка», что очень меня тронуло.

В парке найдутся развлечения на любой вкус: есть зоны, отведенные для детей, есть кулинарные зоны, где повара готовят еду на глазах у толпящейся вокруг публики, которая тут же пробует их блюда, есть площадки для ирландских танцев, ремесленные ряды — тут можно самому смастерить какую-нибудь поделку, а неподалеку в это время проходит фэшн-шоу. Парк гудит, одно событие сменяет другое. Глаза разбегаются, я любуюсь на выставки победителей садового искусства, они изумительно хороши. Вот скандинавский сад, геометричный и ровный, японский, китайский, сад Волшебника страны Оз — дух захватывает от такой красоты.

Хоть у меня все внутри дрожит от нетерпения, я внимательно оглядываюсь, чтобы не пропустить подсказку, а при этом наслаждаюсь атмосферой праздника. В прошлом году я бы ни за что здесь не оказалась, я всегда считала, что такие мероприятия не для меня, разве что мне бы понадобилось найти тут что-нибудь по работе. А это значит, что я не обратила бы внимания на то, как здесь красиво. «Надо снизить темп жизни». Да, это клише, но это чистая правда. Я снизила темп и теперь способна видеть гораздо больше, чем раньше.

И когда я вижу специально воссозданный пейзаж — как в Коннемаре, с оградой из камней и фургоном, — призванный передать идею традиционного летнего отдыха в Ирландии, я понимаю, что близка к цели. Все поле усыпано колокольчиками, они расстилаются голубым ковром, и взгляд скользит по нему дальше, вдоль каменной стены, к зеленому топкому берегу и озеру... Вот он. Санди стоит в дверях фургона, который врос в землю, точно приехал сюда в шестидесятые годы да так и остался. Дверь открыта, ветерок играет цветастой занавеской.

Останавливаюсь перед калиткой.

— Fáilte[1], Джесмин, — говорит он с застенчивой улыбкой, и я тоже порядком волнуюсь.

---

[1] Добро пожаловать *(ирл.)*.

Потом смеюсь.

— Заходи, — приглашает Санди, я толкаю калитку, и она открывается с громким скрипом, как будто пропускает меня в сказочный мир. Иду по тропинке среди высоких пурпурных цветов. Одуряюще пахнут вербейник и кремовые соцветия таволги. И платье у меня тоже в цветочек — на нем полыхают ярко-красные маки. Сквозь аромат таволги пробивается острый пикантный запах, и я догадываюсь, что это дикий чеснок.

Подхожу ближе, и он видит здоровенную шишку, которую оставила сковородка доктора Джеймсона, берет мое лицо в ладони, и вид у него одновременно встревоженный и сердитый.

— Что это?

— Несчастный случай.

— Кто это сделал? — Лицо у него темнеет от гнева.

— Доктор Джей. Это длинная история…

— Что?

— Ну, так вышло. Из-за письма… — Я прикусываю губу.

Он улыбается и качает головой.

— В жизни не видал таких психов, как вы трое… — Он ласково целует мою ссадину. — И в жизни не видал никого, похожего на тебя. — Он берет мою руку, нежно проводит по ладони большим пальцем, и по всему телу у меня пробегает дрожь. Мы заходим в фургон, и я вижу накрытый к обеду стол.

— Ты всех своих подопечных так обхаживаешь?

— Зависит от комиссионных, которые я за них получаю.

— Могу себе представить, что ты делаешь для тех, за кого и правда прилично платят, — усмехаюсь я. — Хотелось бы мне получить эту работу!

Он так на меня смотрит, что у меня сердце готово выскочить из груди, но я пытаюсь как-то успокоиться. Мы садимся за откидной стол, и наши колени соприкасаются.

— Итак, я решил, что на сей раз мы встретимся не у тебя дома, а на моей территории, и я покажу тебе, как живут там, откуда я родом.

— Санди, это чудесно. И очень приятно.

Он краснеет, но продолжает, как радушный хозяин:

— Чтобы ты прониклась духом моего дома, я хочу угостить тебя тем, что ел в детстве. — Открывает контейнеры. — Черная смородина, лесная клубника. Мы их собирали, и бабушка варила варенье. Яблочный пирог. — Достает пластиковые коробки, одну за другой. — Чесночный соус и горячий ржаной хлеб.

У меня текут слюнки.

— Ты что, сам все это приготовил?

Он смущается.

— Да, но по бабушкиным рецептам. Надежным и проверенным. Мама готовить не умеет абсолютно. Так, что тут у меня? Сэндвичи с соленым огурцом.

— Ого!

— Я рад, что ты одобряешь. Да, мама безнадежна в плане готовки. Меня растила бабушка, она суровая дама. Переехала к нам с Аранских островов, когда мама была мною беременна. Но сердце ее осталось там, на островах, и она страшно по ним скучала. Мы с ней ездили туда при каждой возможности.

— Она еще жива?

— Нет.

— Мне жаль.

Он молча продолжает распаковывать еду.

— У тебя здесь так уютно и спокойно — не то что у меня было в последнюю нашу встречу. Ты прости, что так все вышло...

— Не за что извиняться. Это мне жаль, что все на тебя напали. Та девушка, Джейми, которая пришла вместе с Хизер, она сказала, что для тебя это будет сюрприз. Я подумал, может, ты обрадуешься.

— Чему, интересно, я могла обрадоваться?

— Я не слишком хорошо тебя знаю, Джесмин. Но хотел бы узнать получше. — На сей раз он не краснеет, только озорно блеснули зеленые глаза. — Как твой бывший?

— О боже, Санди. Мне так неловко, прости меня... правда.

— Да что ты извиняешься. Мы же не... у нас ничего не было...

Но я понимаю, что он обижен.

— И за собеседование тоже прости. — Прячу лицо в ладонях. — Как-то неудачно складывается с самого начала, если я только и говорю «прости меня».

— Я понимаю. Понимаю, что ты хотела поехать за Хизер. Просто надо было мне об этом сказать. А то я звонил тебе, звонил. Я бы постарался перенести собеседование на другой день.

— Да, я знаю. Но тогда я не могла придумать, как бы тебе об этом сказать.

– Сказала бы правду, — небрежно пожимает он плечами.

— Ладно. Ты прав. Извини.

— Хватить извиняться.

Киваю.

— Может быть, ты попробуешь подыскать мне еще какую-то работу? — робко интересуюсь я. — Я вообще-то не такая уж безответственная.

— У меня для тебя есть отличное предложение.

— Правда? — радостно удивляюсь я.

Он перестает раскладывать еду по тарелкам и пристально смотрит мне прямо в глаза.

— Как насчет зеленоглазого брюнета ростом метр восемьдесят шесть, на носу веснушки, родом из Коннемары? Один на миллион. На самом деле один на четыре миллиона семьсот тысяч.

У меня перехватывает дыхание.

— Беру.

Он наклоняется ко мне и целует меня — долгим восхитительным поцелуем, о котором я так давно мечтала.

— У тебя локоть в банке с вареньем.

— Я знаю, — шепчет он.

— И ты не метр восемьдесят шесть.

— Ш-ш, — шепчет он и опять целует меня. — Никому не говори.

Мы смеемся и слегка отодвигаемся друг от друга.

— Ну что, теперь моя очередь просить прощения, — говорит он, ласково перебирая мои пальцы. У меня не такая уж крошечная ручка, но в его ладони она кажется детской. — Прости, что так долго не решался…

— Сделать шаг?

— Да. — Он заглядывает мне в глаза. — Я вообще довольно скромный парень, — признается он, и я ему верю. Для человека, настолько уверенного в себе в том, что касается работы, он удивительно застенчив с девушками. — Я использовал работу как предлог, чтобы видеться с тобой. Мне все не хватало смелости, и каждый раз как я уже готов был признаться, что-нибудь обязательно происходило. А вообще я редко напрашиваюсь к тем, кому ищу работу, домой на ужин.

— Или помогаешь им установить фонтан.

Он смеется.

— Точно. Или шпионить за соседями.

— Это тебе блестяще удалось.

— Я всегда готов сразиться за справедливость, — кивает он, и мы оба смеемся. — Твой бывший бойфренд подтолкнул меня к действию.

Я поеживаюсь.

— А он… хочет, чтобы ты к нему вернулась?

— Да, — на полном серьезе киваю я.

— Вот как.

— Заявился недавно ко мне в час ночи, пел под окном «Звоню только ради секса» группы «Ол Сейнтс». Проникновенно, как мальчик из церковного хора.

— О! — говорит он, явно повеселев.

— М-да. Так что придется тебе побороться за меня.

— Для начала, видимо, научиться петь. Знаешь, как только я тебя увидел тогда в саду — рыжую, чумазую, с засохшими листочками в волосах, — так сразу понял, что ты мне нужна. Но не мог сообразить, как к тебе подкатиться. Хорошо хоть был такой удачный повод, как работа. Я совмещал приятное с полезным.

Мы снова сливаемся в поцелуе, и я думаю, что могла бы с радостью провести всю оставшуюся жизнь в этом фургоне, вместе с Санди, несмотря на то что здесь не особо есть где развернуться. И в этот момент за окном раздаются голоса очередных посетителей, которые пришли осмотреть сад.

— Слушай, я купил тебе кое-что в подарок. — Он морщит нос и чешет в затылке, неожиданно чем-то очень смущенный. Он такой милый, такой замечательный, что я просто смотрю на него, улыбаюсь во весь рот и никак его не подбадриваю. — Но, если тебе покажется, что это глупо или пошло, ты скажи, я ее верну обратно. Это не проблема, и потом, она вовсе недорогая. Я ее увидел и сразу подумал про тебя, ты же вечно у себя в саду ковыряешься, только что не живешь там, как моя мама, ну она-то в буквальном смысле живет в саду… короче говоря, не понравится, я ее обратно отдам.

— Санди, какая волшебная сопроводительная речь, — саркастически говорю я, прижав руку к сердцу.

— Ничего, привыкай, — нежно говорит он, потом наклоняется и достает из-под стола свой подарок. Прикрывает глаза ладонью, чтобы не видеть, как я отреагирую. — Понравилось? — наконец приглушенно спрашивает он.

Я целую его пальцы. Он роняет руку на колени, и счастливая улыбка озаряет его лицо.

— Она прекрасна.

— Ну, я бы не назвал ее прекрасной.

— Она идеальна. Спасибо тебе.

Мы целуемся в фургоне из Коннемары, посреди Феникс-парка, над потрепанной садовой дощечкой с надписью: «Чудеса растут там, где посажены их ростки».

Глава двадцать шестая

Мы с Санди лежим в моей постели. Сейчас август. Десять вечера, занавески открыты. Небо еще светлое. Дети еще не разошлись по домам и играют на улице. Мой сад еще вовсю цветет. Вокруг еще кипит вечерняя жизнь, неподалеку кто-то делает барбекю. Я нежусь в объятиях Санди, мы лежим обнаженные, и меня переполняет сладкое блаженство. Смотрю на закатное пламенеющее небо и восторгаюсь им.

— «Красное небо в ночи...» — напеваю я Дэвида Гилмора, как вдруг в окне появляется твоя физиономия. — Ойййййй! Аччерттт!

Санди чуть удар не хватил, когда я подскочила, чтобы схватить простыню, и немедленно умудрилась в ней запутаться.

— О, черт подери! — кричит Санди, заметив тебя в окне.

Ты принимаешься хохотать совершенно безумным образом, и я вижу, что ты пьян.

— Оч удобная шпалера, — сообщаешь ты, и я начинаю жалеть, что установила ее у стены под окном спальни. Но она так красиво увита плетистыми красными розами.

Санди издает громкий стон.

— Кажется, он пьяный, — говорю я.

— Кажется?

Я просительно смотрю на него.

— Иди, — обреченно говорит он. — Иди, и сделайте то, что вам необходимо сделать в четверг в десять вечера.

Выхожу на крыльцо и вижу тебя: сидишь за столом в саду. В смокинге.

Свищу тебе.

Ты материшься.

Входная дверь у тебя открыта, так что кладу твои ключи в карман халата.

Сажусь рядом.

— Я вижу, он-таки нашел, чем тебе заняться, — фыркаешь ты и смеешься — хрипло, цинично. Давно я этого смеха от тебя не слышала. И ты снова куришь.

— Ты забыл сегодня подстричь газон.

— Не твое дело. Отвяжись.

Итак, мы вернулись к тому, с чего начали. Ты допиваешь бутылку пива и швыряешь ее через дорогу. Она разбивается на тротуаре возле моей тропинки. Санди выглядывает из окна, видит, что со мной все в порядке, и снова исчезает.

— Что случилось? Ты чего такой сегодня?

— Ходил на вручение премий. Меня не номинировали. Они мне отвратительны. И я им об этом сказал. И еще кое-что сказал некоторым трусливым мудакам, которые по идее должны были быть за меня. Вышел на сцену, взял микрофон и громко так, внятно им все высказал. Но организаторам это не понравилось. И они выперли меня вон.

Два шага вперед, один назад. В этом мы похожи. И наверное, это вообще в порядке вещей. Никто и ничто не совершенно. Я тебя не осуждаю, во всяком случае, вслух.

Ты злишься из-за работы, злишься, что у тебя ее нет, злишься на тех, у кого она есть. Да, трудно держаться, ты берешься за что-то и бросаешь еще до того, как идеи начинают воплощаться в реальность. Многое из того, что ты говоришь, мне очень знакомо, я сама часто так думала, да и сейчас еще иногда думаю. Общество вращается вокруг производства, говоришь ты, только дети и пенсионеры умеют расслабляться. А сколько людей умирает от сердечного приступа вскоре после выхода на пенсию, с горечью добавляешь ты. Потом сообщаешь, что помрешь от скуки и что надо бы обсудить это с доктором Джеем.

Ты очень стараешься найти работу, но это почти невозможно. Твой принудительный отпуск закончился, теперь ты официально безработный. Если раньше ты был нарасхват, то теперь никто не хочет с тобой связываться. Ты в черном списке. Никому не нужен непредсказуемый дебошир, пусть бы и очень талантливый, а тем, кто все же тебя зовет, нужны твои худшие проявления, не ты, а гротескная карикатура на тебя. Ты бесконечно встречаешься со своим агентом, но последнее время он все реже тебе перезванивает, потому что переключился на нового перспективного подопечного, восходящую телезвезду: у него зубы белее, волосы гуще, кожа свежее, и шутит он очень политкорректно. Его любят домохозяйки и терпят водители грузовиков. Сегодня вечером ты швырнул в него стаканом, и потом, когда никто не видел, он позвал тебя выйти, чтобы поговорить, как взрослые люди, с размаху вдарил тебе кулаком в челюсть, одернул смокинг и вернулся на сцену, сияя пластмассовой улыбкой, чтобы дальше вести церемонию. Твои слова. Ты надеешься, что он сдохнет от венерической болезни. Порываешься перечислить всех, кому хорошо бы от этого сдохнуть.

Затем переключаешься на диджея, который выиграл твою награду, награду, которую ты получал шесть лет подряд. Я знаю, о ком ты говоришь, он ведет в прямом эфире передачу, как ты выразился, «о птичках и садочках». Знаю и то, что ты пытаешься меня задеть, имея в виду мой интерес к саду. Но я не попадусь на эту удочку, теперь я тебя хорошо изучила. Когда тебе самому обидно, ты пытаешься обидеть других. Со мной не выйдет.

Следующий на очереди наш топ-менеджер из шестого дома, он недавно попросил вас с Эми потише выяснять отношения — у вас был тяжелый разговор в ночи посреди улицы, — и теперь он главная мишень для твоей ненависти. Ты уверен, что он обожает проводить обсуждения о том, как надо проводить обсуждения, обожает звук собственного голоса и произносит нудные, бессмысленные речи о всякой херне. Жопа и то издает более содержательные звуки, злобно сообщаешь ты.

Я иду к тебе в дом и возвращаюсь с рулоном туалетной бумаги.

— У меня есть идея, — перебиваю я твои язвительные излияния.

— Я не плачу, — злобно говоришь ты, увидев, что я принесла. — И я уже посрал. На твои розы.

— Пошли, Мэтт.

Ты идешь за мной через дорогу. И наконец начинаешь улыбаться, глядя на то, что я делаю, а потом радостно присоединяешься. Минут десять мы драпируем сад топ-менеджера туалетной бумагой и так ржем, что, кажется, сейчас описаемся, поэтому приходится иногда останавливаться и зажимать друг другу рот, чтобы не слишком шуметь и не разбудить шестой номер. Обвиваем бумагой ветки каштана, оставляя длинные хвосты, и каштан теперь смахивает на плакучую иву. Украшаем цветочные клумбы и пытаемся завязать огромный бант вокруг БМВ. Обматываем, как гирляндами, столбы на крыльце и разбрасываем мелкие клочки бумаги — это типа конфетти. Покончив с этим, радостно поздравляем друг друга, хлопнув ладонью о ладонь, и только теперь замечаем Санди с доктором Джеем, молча наблюдающих за нами.

Санди босиком, в джинсах и футболке, в его взгляде читается легкое насмешливое одобрение, которое он, впрочем, пытается скрыть. Доктор, как всегда, при полном параде — в изящном летнем костюме и сверкающих туфлях. Он, похоже, искренне встревожен, все ли у нас благополучно с психикой.

— Ну ладно, он пьяный, а тебе вообще никаких оправданий нет, — говорит Санди и складывает руки на груди. — Серьезно, вам обоим пора найти себе работу.

— Я надеюсь начать с воскресенья, Санди, — мерзко хмыкаешь ты. Потом смотришь на его босые ноги. — А, и ты туда же.

— Куда же?

— Поближе к земле. Как Джесмин. Я ее как-то раз застукал. Посреди ночи. Зимой. Ходила босая и рыдала. Ненормальным это помогает. А тебе зачем?

Санди смеется.

— Я знала! — кричу я. — Знала, что ты за мной подсматриваешь. Но только в ту ночь я не плакала.

— Нет, в ту ночь ты устроила такое, что казалось, твой дом вырвало травой на участок.

Мы с тобой переглядываемся и ржем, так что Санди с доктором спешат увести нас от шестого номера, пока он не проснулся и не увидел, что мы натворили.

Ты идешь впереди и, несмотря на протесты доктора Джеймсона, скидываешь модные кожаные туфли, а потом швыряешь в меня свои чертовы носки. Ты решил заземлиться и подпитаться энергией, а при этом исполняешь такой замысловатый хипповский танец, что мы не можем удержаться от смеха. Все очень весело, пока ты не наступаешь на осколок своей пивной бутылки.

Доктор Джеймсон бежит к тебе, чтобы оказать помощь.

ОСЕНЬ

Сезон между летом и зимой. В Северном полушарии длится три месяца: сентябрь, октябрь и ноябрь.

Период зрелости.

Глава двадцать седьмая

Мы втроем сидим на диване — ты, я и Санди. В комнате у доктора Джеймсона пахнет лимоном и базиликом. Это потому, что на подоконнике растет базилик, а в углу притулился горшок с лимоном. Там самое солнечное место. Пес лежит на полу в солнечном пятне и смотрит на нас утомленно. Мы не впервые здесь собрались, на самом деле это уже третья подряд суббота, когда мы приходим к доктору, чтобы присутствовать на собеседовании претендентов, готовых провести с ним рождественский вечер.

Мы люди лояльные, поэтому он тоже допущен к отбору претендентов. Все это затеял ты, зарабатывая себе очки в списке добрых дел у Эми, которая по-прежнему тебя избегает, дожидаясь какого-то ощутимого сдвига, какого-то доказательства того, что ты действительно изменился и «взял себя в руки». Ее письмо к тебе вопреки моим опасениям подало тебе надежду. Оказывается, она уже не впервые пишет тебе эти слова, и в первый раз ты получил от нее такое письмо после трех неудачных попыток сделать ей предложение. Ты расцениваешь ее письмо как продолжение ваших отношений, как поддержку. Читаешь между строк, находишь видимые лишь вам одним скрытые смыслы, понимаешь, что она готова вернуться к тебе, но вот уже август, а вы все еще не в состоянии нормально общаться. Ты думал, что она расценит твое участие в делах доктора Джеймсона как проявление того, что ты и впрямь изменился. Ты был добр, а ей показалось — бездумен. Показалось, что ты ставишь свои интересы выше интересов семьи, как обычно, печешься о себе и не очень-то жаждешь провести Рождество с ней и детьми. Меж тем ты просто хотел избавить друга от страха одиночества. У нее накопился изрядный список претензий, я слышала, как она выкрикивала тебе их в лицо как-то ночью, и тут уже топ-менеджер почел за лучшее воздержаться от комментариев. Я уверена, что доктор Джеймсон тоже вас слышал. На другой день он, как мне показалось, вдруг резко постарел и осунулся. Но он всячески демонстрирует, что рад нашему участию в его делах.

— Она, во всяком случае, теперь с ним разговаривает, — задумчиво изрек Санди, когда мы с ним слушали твою ночную перепалку с Эми, лежа обнявшись в кровати. Сейчас, в самом начале наших отношений, нам кажется немыслимым, что и мы когда-нибудь могли бы так общаться друг с другом.

Ты сильно навредил себе, не сдержавшись на церемонии вручения радионаград. Снова попал в новостные хиты и окончательно потерял шанс найти достойную работу в своей сфере. Они лишний раз уверились, что ты неуправляем. И вместо крутой должности, на которую ты рассчитывал, тебе предложили вести ток-шоу на радиостанции, вещающей в пределах Дублина. Но это, по крайней мере, твое собственное шоу, «Шоу Мэтта Маршалла», которое выходит в эфир в три часа дня — там обсуждаются насущные проблемы. И тебе придется вести себя наилучшим образом. Программа стартовала две недели назад. Стоит ли говорить, как я тебе признательна — ты не забыл наше давнишнее обсуждение и взял к себе Хизер, она работает у тебя в офисе раз в неделю. Твоя новая работа оплачивается несравнимо хуже прежней, и это означает, что ты лишился своей проверенной команды, а еще вам придется сильно урезать траты, более того, Эми надо искать себе работу. Но я думаю, что вы, несмотря на все проблемы, от этого только выиграете. Это к лучшему, я знаю.

Я выпала из реальности и никак не могу сообразить, о чем толкует девушка, сидящая перед нами. Было бы грубо и неверно сказать, что она — хиппи нового поколения, но в последнее время она живет на дереве, чтобы злые девелоперы не могли срубить его. На дереве обитают очень редкие улитки. Их надо защитить. Я восхищаюсь ее железной верой: улитки нуждаются в том, чтобы такие, как она, защищали их от таких, как я. Но проблема в том, что, отстаивая права улиток, она не дает девелоперам построить новую детскую больницу. Вот бы и права детей защищали так же рьяно, как права улиток. Кстати сказать, не думаю, что доктор Джеймсон особо тронут бедственным положением улиток — они беспардонно жрут его салат-латук.

Но сосредоточиться мне мешает не это: Санди сидит на диване, тесно прижавшись ко мне, я ощущаю его всем телом, и его тонкая, полупрозрачная футболка очень меня возбуждает. Скашиваю глаза и вижу его твердый сосок. Он ловит мой взгляд и в ответ смотрит на меня так, что я изнываю от вожделения. Как это глупо — так глупо тратить время. Он ловит мою ладонь и нежно проводит по ней большим пальцем. Всего один раз, но этого довольно — я хочу его. Он смотрит на меня: «Хочу тебя, здесь и сейчас». И я бы, кажется, немедленно ему отдалась, если б не ты — боюсь, советами замучаешь.

Сентябрь душный и жаркий, в воздухе предвестие бури, погода тяжелая, от нее болит голова, от нее животные — и ты — сходят с ума. Надеюсь, что пойдет дождь и освежит мой сад, который так в этом нуждается. Через дорогу мистер Мэлони сидит в саду один, в руках чашка чая. Последние полчаса он неподвижен. Если бы я не видела, что он иногда моргает, то решила бы, что он мертв, но он ведет себя так с тех пор, как три недели назад умерла от второго инсульта миссис Мэлони. Я вспоминаю, как она возилась в саду в своей неизменной твидовой юбке, как сидела на террасе потом, уже после первого инсульта, а мистер Мэлони читал ей вслух. Теперь ее нет, он один. Мне грустно и хочется плакать.

Санди снова на меня смотрит и снова ласкает мою ладонь. Боже, как же я его хочу. Он переехал жить ко мне, что пока никак официально не оформлено, но это может произойти в любой момент. Он проводит со мной почти все ночи, у него даже есть свои полки в гардеробе, а его зубная щетка стоит рядом с моей. Когда он ночует не у меня — надо притормозить, говорим мы друг другу, нельзя забывать друзей, — это мучительно. Я смотрю на его вещи и хочу, чтобы он был рядом. У него есть пес, золотистый ретривер по имени Мадра, и у меня он как дома. Оккупировал мое любимое кресло, с которого его никто не гонит, потому что мне так уютно сидеть с Санди на диване, он остается со мной, когда Санди ночует где-то еще, — лохматый заложник его возвращения.

Бывают ночи, когда тебе опять нужна моя помощь, но это не то, что прежде. Бывают ночи, когда я выглядываю из окна в надежде услышать громогласное «Ганз н' Роузес», но это совсем не то, что прежде.

Мы потихоньку готовимся к Рождеству. Похоже, мне предстоит провести его с эксцентричной матерью Санди в Коннемаре, а следующий день, святого Стефана, в Дублине, с семьей. На этой неделе у нас была встреча поддержки Хизер, и мы обсуждали с ней, как приготовить рождественский ужин — на нем будет присутствовать

Джонатан, впервые. Мы с ней вместе собираемся походить на кулинарные курсы, чтобы научиться готовить восхитительные рождественские блюда. Что я, что Санди спокойно относимся к Рождеству и не особенно ждем этих праздников. Если бы мы с Хизер могли провести его вдвоем, это было бы чудесно, но так не получится. Доктор Джеймсон убежден, что семейные распри лучше, чем одиночество. Его попытки найти себе хоть какую-то компанию на Рождество, которое многие, судя по всему, предпочитают встретить одни, вынуждают меня с ним согласиться.

— Ну ладно. — Ты громко хлопаешь ладошами прямо посреди ее фразы, не в силах больше слушать этот бред. Мы с Санди так глубоко погрузились в свои мысли, что едва не подпрыгиваем от неожиданности. — Я думаю, достаточно. — Ты смотришь на Санди, и он смеется.

Девушка оскорблена в лучших чувствах, и я пытаюсь как-то сгладить ситуацию. Встаю и провожаю ее до дверей.

— Ну, что вы думаете? — спрашиваю их, возвратившись в комнату.

Доктор Джеймсон трет переносицу.

— Я думаю… она замшелая.

Санди смеется. Уже не в первый раз. По-моему, он не осознает, что мы его видим — как будто мы психи из телевизора, а он на нас смотрит, не понимая, что есть обратная связь.

— Ну, у нас есть еще претендентка. — Я пытаюсь подбодрить доктора Джея, он сегодня что-то совсем сник.

— Нет. Пожалуй, достаточно, — тихо, будто сам себе, отвечает он. — Достаточно. — Он встает и идет к телефону на кухне. У него в отличие от твоего или моего дома планировка не свободная, а такая, какая была в семидесятые годы. И обои, кажется, остались с тех времен.

— Не надо, док. Не отменяйте встречу, — говорю я.

Он смотрит в блокнот и рассеянно спрашивает, глядя на номера телефонов:

— Кто должен прийти? Рита? Нет, Рена. Или Элейн? Я запутался. — Он перелистывает странички. — Их тут столько.

— Сейчас почти три часа, доктор Джей. Уже поздно отменять встречу, она придет с минуты на минуту.

— Машина подъехала, — говорит Санди из комнаты.

Доктор Джей устало вздыхает и закрывает блокнот. Я вижу, что он потерял надежду, и у меня сердце разрывается от жалости. Он снимает очки, и они повисают на цепочке у него на шее. Мы все подходим к окну в гостиной, как всегда, чтобы рассмотреть очередного посетителя. Перед домом паркуется желтая машинка. «Мини-купер». Из нее выходит пожилая дама в бледно-лиловой шляпке из мягкой шерсти и изящном кардигане. Высокая, привлекательная, чем-то похожая на плюшевого мишку.

— Олив, — вдруг говорит доктор, и голос у него живой и бодрый. — Я вспомнил, ее зовут Олив.

Смотрю на него, пряча улыбку.

Олив оглядывает дом, садится обратно в машину и заводит двигатель.

— Она уезжает, — говорит Санди.

— Не-а, — отвечаешь ты, убедившись, что машина не трогается с места.

— Просто сидит, и все, — сообщаю я.

— Похоже, застыла от смущения. Испугалась. Если мы ее так бросим одну, через три секунды она уедет. И нет проблем, — ухмыляешься ты.

Доктор Джеймсон замирает у окна, а потом, ни говоря ни слова, выходит из комнаты.

Мы смотрим, как он идет через сад и подходит к машине.

— Говорит ей, чтобы у... матывала, — хмыкаешь ты. — Глядите.

Я тихо вздыхаю. Твой юмор неуместен, и, хоть я к нему привыкла, как и вообще к тебе, все равно это раздражает.

Доктор Джеймсон огибает машину и вежливо стучит в водительское стекло. Мягко приветствует Олив и с улыбкой приглашает ее выйти из машины. Я никогда раньше не видела, чтобы он кому-нибудь так улыбался. Она смотрит на него и сжимает руль так крепко, что побелели костяшки пальцев. А потом ее пальцы расслабляются, и двигатель глохнет.

— Думаю, нам надо оставить их вдвоем, — говорю я, и вы с Санди растерянно на меня смотрите. — Пошли.

Когда я прохожу со своей парочкой мимо доктора, он нисколько не возражает против того, что мы уходим. Напротив, весело машет нам на прощание и ведет свою гостью в дом. Вижу, что тебя это слегка задело, и не могу не усмехнуться.

В тот же день, спустя полтора часа, я тихо проскальзываю в районный спортзал и сажусь рядом с папой. Сегодня, может, и небольшое, но все же важное событие: ученики школы тхеквондо получают свои пояса. Оранжевый пояс Хизер символизирует восход солнца. Оно только-только появилось на небосклоне, бесконечно прекрасное, но мощь его еще не явлена. Аналогия проста: ученики уже ощутили красоту тхеквондо, но еще не овладели его силой. По-моему, я тоже заслужила какой-нибудь пояс.

Зара сидит на коленях у Лейлы с другой стороны от папы, так что сейчас мы не можем использовать ее как посредницу.

Хизер видит меня, вспыхивает от радости и машет мне рукой. Она никогда не волнуется по поводу жизненных испытаний, расценивает их как некое приключение и по большей части сама же их организует, черпая из них максимальное вдохновение.

— Пап, — говорю я. — Насчет работы...

— Все хорошо.

— Ну, спасибо тебе, правда.

— Не за что. Все, место занято. Они его отдали.

— Да, я слышала. Но все равно спасибо. За то, что подумал: я на это место гожусь.

Он смотрит на меня как на ненормальную.

— Естественно, годишься. И, уверен, куда больше, чем тот парень, которого они в итоге взяли. Но ты же не потрудилась прийти на собеседование. Знакомая история?

Я тихо улыбаюсь про себя. Это самый лучший комплимент, который я от него слышала.

Начинается выступление Хизер.

— Я тут нашел кое-что... — Он достает из кармана фотографию, немного потрепанную по краям. — Искал ранние фотки Зары и наткнулся вот. Подумал, тебе будет небезынтересно.

На снимке я с дедушкой Адальбертом Мэри. Я сажаю семена и полностью поглощена процессом. Ни один из нас не смотрит в камеру. Мы на заднем дворе. Мне, должно быть, года четыре. На обороте маминым почерком надпись: «Папа и Джесмин сажают подсолнухи. 4 июня 1984 г.».

— Спасибо, — шепотом говорю я. В горле комок, слова даются с трудом. Папа смотрит в пол, обескураженный таким проявлением чувств. Лейла протягивает мне салфетку, я вижу, что она рада за меня. Хизер выходит на площадку.

Дома я вставляю эту фотографию в рамку и вешаю ее на кухне рядом с остальными. Пойманное мгновение: когда мама была жива, дедушка Адальберт Мэри еще не лег в землю, а я не знала, что мне суждено умереть.

Глава двадцать восьмая

В ноябре мой сад не выглядит грустным. Конечно, там не наблюдается изобилия, но у меня немало кустов с красной, коричневатой и палевой корой, которые сильно оживляют картину. Зимний жасмин, зимний вереск, осока и кусты, а еще красные ягоды и жимолость на границе с участком мистера Мэлони радуют глаз разнообразием цвета. Уже дуют сильные осенние ветры, часто льют проливные дожди, поэтому я большую часть времени провожу, сгребая упавшие листья. Я привела в порядок садовый инвентарь и убрала его на зиму, что довольно печально, а еще старательно подвязала все вьющиеся растения, чтобы они не пострадали от ветра. В ноябре я намереваюсь посадить розы с обнаженными корнями и для этого проштудировала массу литературы, чем немало позабавила Санди.

— Это же всего лишь розы, — сказал он, но они не «всего лишь», а именно розы. И я ему старательно это объяснила, а он меня внимательно выслушал, потому что он вообще всегда меня слушает, и, когда я закончила, он поцеловал меня и сказал, что как раз за это меня любит. Теперь розы напоминают мне о его любви.

Но у роз, как и у тебя и у меня, есть свои проблемы. Если сажать их в ту почву, где до этого уже несколько лет росли розы, они заболеют. Это называется «слабость роз». Чтобы ее избежать, необходимо снять старую почву и заменить на свежую, с другого участка сада. Это наводит меня на мысли о мистере Мэлони, который пытается «расти» на том самом месте, где умерла его жена. И вообще обо всех людях, которые слишком глубоко укоренились там, где с ними случилось нечто трагическое. Лучше покидать свои печали и двигаться вперед, жить дальше.

Как-то ноябрьским утром я просыпаюсь от характерного мерзкого звука — его ни с чем не спутаешь — и вскакиваю с постели. Меня волшебным образом перебросило назад во времени. Отодвигаю с груди руку Санди, ночью она ласкала и оберегала меня, но сейчас из-за нее трудно дышать. Подхожу к окну и вижу тебя, ты тащишь по дорожке свой садовый стол.

У меня сжимается сердце, мне грустно, я ощущаю, что сейчас что-то безвозвратно уходит из моей жизни. Не могу смотреть, как ты этим занимаешься. Натягиваю тренировочный костюм и спешу на улицу. Я должна помочь тебе. Берусь за свободный край стола и смотрю на тебя. Ты улыбаешься.

Мимо нас быстро проезжает топ-менеджер. Мы оба вскидываем руку в приветственном жесте. Он нас не замечает. Мы смеемся и продолжаем свое дело. Не разговариваем, мы и так отлично друг друга понимаем, молча огибаем углы и волочем тяжелый стол на задний двор. Это похоже на вынос тела, как будто мы несем гроб с телом дорогого друга. У меня образуется комок в горле.

Ставим стол в маленьком патио рядом с кухней, расставляем вокруг него стулья, которые ты уже успел сюда перенести.

— Эми возвращается, — говоришь ты.

— Потрясающая новость. — Мне с трудом удается справиться с волнением.

— Да, — киваешь ты, но я бы не сказала, что очень радостно. Скорее озабоченно. — Мне нельзя снова облажаться.

— Ты и не облажаешься.

— Надеюсь, ты мне не позволишь.

— Ни в коем случае. — Я тронута, что ты так мне доверяешь.

Мы возвращаемся в сад перед домом. Финн сидит в машине и настраивает стерео, пытаясь найти подходящую музыку.

— О, ты починил проигрыватель.

— Да он и не был сломан, — смущенно признаешься ты.

— Но ты же говорил… ладно, не важно.

Ты понимаешь, что прокололся. Насчет «Ганз н' Роузес» у тебя в машине. Вздыхаешь.

— Отец нас бил, меня и маму. В тот день, когда мы наконец от него избавились, мама включила «Город-рай» на полную громкость, и мы с ней вместе танцевали на кухне. Никогда не видел ее такой счастливой.

Песня твоего освобождения. Я знала, что она что-то символизирует, что ты не просто так всегда именно под нее возвращался по ночам домой, мчась по дороге, словно после долгой разлуки наконец снова увидишь жену и детей. Но в последний момент ты обнаруживал, что дверь заперта, хотя это далеко не всегда было так на самом деле.

— Спасибо, что рассказал мне.

— Ну и еще она заглушала «Любовь — это поле боя»[1], — усмехаешься ты. — Что? Каково мне каждый день слушать, как ты ее завываешь. А если окна открыты, так я иногда даже вижу, что ты поешь в щетку для волос. И кошмарно извиваешься в стиле восьмидесятых.

— Я не пою в щетку для волос, — возражаю я.

Ты улыбаешься с тревогой, и я понимаю — ты пытаешься свести к шутке свое признание. По-другому ты не умеешь.

— Я пою в дезодорант, чтоб ты знал. Он больше похож на микрофон.

Бросаю взгляд на свой дом и вижу, что Санди наблюдает за нами из окна спальни. Поняв, что я его заметила, тут же исчезает.

— Сегодня знаменательный день, — говорю я, и ты вопросительно на меня смотришь. — Все, мой отпуск закончился.

---

[1] «Любовь — это поле боя» — песня Холли Найт и Майка Чепмена, золотой сингл Пэт Бенатар.

Похоже, ты слегка удивлен.

— Вот оно что. Здорово.

— Я подумала, может, ты из-за этого стол перетаскиваешь.

— Нет. Просто показалось, что так будет правильно.

Мы оба смотрим на вмятины, оставшиеся от ножек стола. Надо тебе будет заново посеять здесь траву.

— Ты уже что-то себе подыскала?

— Нет.

— Найдешь.

— Угу.

— Обязательно. Ты утратила уверенность в себе, но она вернется, не сомневайся.

Я понимаю, это не пустые слова, ты говоришь со знанием дела.

— Спасибо.

— Ну что же. Это был интересный год. — Протягиваешь мне руку. Я молча смотрю на нее, потом пожимаю, а потом делаю шаг и обнимаю тебя.

Мы стоим, обнявшись, у тебя в саду, на том месте, где раньше был стол.

— Ты так мне и не сказала, чем я тебя обидел, — тихо говоришь ты мне куда-то за ухо. — Что я сделал такого плохого. Но я, кажется, понимаю.

Я замираю, не зная, что ответить. Уже давно я не думаю о тебе как о том, кого когда-то так долго ненавидела. Мы оба не размыкаем объятий, наверное, потому, что так проще — не смотреть друг другу в глаза. Я чувствую твое горячее дыхание у себя на шее.

— Это связано с Хизер, правда?

У меня подпрыгивает сердце, и я уверена, что ты это чувствуешь. Я себя выдала.

— Прости меня.

Сначала я поражаюсь, что ты извинился, а потом вдруг понимаю, что мне уже это и не нужно. Ты целый год показывал мне, что просишь прощения, что вовсе и не хотел меня обижать. И сейчас это больше не имеет значения. Ты прощен. Я высвобождаюсь из твоих рук, целую тебя в лоб, а потом иду через дорогу к своему дому.

Мадра что-то с остервенением выкапывает в саду, у нас с ним уже были серьезные разговоры на эту тему. Санди оделся и стоит в дверях. Он машет тебе рукой, и ты машешь ему в ответ.

— Мадра! — кричу я. — Нет! Милый, ну что же ты ему позволяешь... о, мои цветы!

Пес роет яму рядом с табличкой, которую Санди мне подарил, с надписью «Чудеса растут там, где посажены их ростки», и я встаю на коленки, чтобы забросать яму, как вдруг замечаю в земле металлическую коробочку, небольшой сундучок с сокровищем.

— Что это?.. Санди, смотри!

Но он улыбается, и я понимаю, что он отлично знает, что там. Встает на одно колено и ласково говорит:

— Открой ее.

И я ее открываю. Да-да-да, я ее открываю.

Этот год сильно меня изменил. Нет, внешне ничего не заметно, разве что я чуть-чуть постарела. Но внутри я сильно изменилась. Я это чувствую. Это похоже на волшебство. И мой сад — это мое зеркало. Он был бесплоден и гол, а теперь цветет и плодоносит. Он полон жизни и сил. Надеюсь, то же можно сказать и обо мне. Что-то безвозвратно ушло, осталась лишь оболочка, за которую я наконец перестала цепляться, и теперь из этой оболочки растет живая Джесмин.

Мир полон постоянных превращений, мы порой не успеваем их отследить, и тогда это похоже на чудеса, которые творит искусный фокусник. Мои изменения не были мгновенны, они проходили нелегко и даже болезненно, но я, как и все мы, меняюсь — не всегда осознанно. Оглядываясь назад, мы думаем: «Кто был тот человек?», а глядя вперед, размышляем: «Кем я стану?» Где та грань, та точка невозврата, когда наше прошлое «я» превращается во что-то следующее? Память помогает нам осознавать свой путь, отмечать важные вехи, запечатлевает то, где мы были, и говорит нам, где мы есть. Конечная точка нам неведома, мы лишь отмечаем момент перехода.

Это не только мое путешествие и не только история обо мне и превратностях моего пути, на котором нашелся человек, сумевший мне помочь. Это история о тебе и обо мне, о наших падениях и взлетах. Не знаю, была бы я сейчас тем, кто я есть, если бы не ты, хотя, возможно, ты и не считаешь, будто что-то для меня сделал. В большинстве случаев и не надо ничего намеренно делать, чтобы рядом с нами кто-то изменился, достаточно просто *быть*. Я отреагировала на тебя. Ты на меня повлиял. Ты мне помог. Ты был потрясающим другом, чутким и добрым. Как-то раз, ты, наверное, этого и не помнишь, потому что был сильно пьян, — в одну из наших долгих, холодных, мрачных ночей, когда мы сидели за твоим садовым столом, — ты сказал, что снова и снова оказываешься перед закрытой дверью, а я снова и снова тебя впускаю. И я ответила тебе очень просто, не поняв тогда настоящего смысла твоих слов, — да, ты же дал мне ключ.

То же самое можно сказать и обо мне.

Ты помог мне помочь тебе, и наоборот — я помогла тебе помочь мне. Мне раньше казалось, что принять помощь означает признать свою слабость, утратить контроль над происходящим, но это не так: человек должен *сам захотеть* что-то изменить, и только тогда ему можно будет помочь.

За этот год я сильно изменилась, но это лишь начало нового, большого изменения, и, когда оно закончится, я оглянусь назад и спрошу: «Кто была *эта* девушка?» Мы постоянно развиваемся, думаю, я всегда это знала, только вот это знание не давало мне остановиться, мне было страшно. В этом заключено немало иронии: лишь остановившись, я осознала, что двигаюсь.

Теперь мне ясно, что мы никогда на самом деле не останавливаемся, наше путешествие бесконечно. Так гусеница, решив, что жизнь завершилась, превращается в бабочку.

Литературно-художественное издание

СЕСИЛИЯ АХЕРН
Год, когда мы встретились

Редактор А. Райская
Технический редактор Л. Синицына
Корректоры Л. Козлова, Т. Филиппова
Компьютерная верстка Т. Коровенковой

В оформлении обложки использована иллюстрация
©smilewithjul/shutterstock.com

ООО «Издательская Группа «Азбука-Аттикус» —
обладатель товарного знака «Издательство Иностранка»
119334, Москва, 5-й Донской проезд, д. 15, стр. 4

Филиал ООО «Издательская Группа «Азбука-Аттикус»
в г. Санкт-Петербурге
191123, Санкт-Петербург, Воскресенская набережная, д. 12, лит. А

ЧП «Издательство «Махаон-Украина»
04073, Киев, Московский проспект, д. 6, 2-й этаж

ЧП «Издательство «Махаон»
61070, Харьков, ул. Ак. Проскуры, д. 1

Знак информационной продукции
(Федеральный закон № 436-ФЗ от 29.12.2010 г.)

Подписано в печать 13.01.2015.
Формат 84×100 1/32. Бумага писчая.
Гарнитура «Original GaramondC». Печать офсетная.
Усл. печ. л. 20,28 . Тираж 25 000 экз.
B-AHR-16908-01-R. Заказ № 6170/15.

Отпечатано в соответствии с предоставленными материалами
в ООО «ИПК Парето-Принт». 170546, Тверская область,
Промышленная зона Боровлево-1, комплекс № 3А

ПО ВОПРОСАМ РАСПРОСТРАНЕНИЯ ОБРАЩАЙТЕСЬ:

В Москве:
ООО «Издательская Группа «Азбука-Аттикус»
Тел. (495) 933-76-00, факс (495) 933-76-19
E-mail: sales@atticus-group.ru; info@azbooka-m.ru

В Санкт-Петербурге:
Филиал ООО «Издательская Группа «Азбука-Аттикус»
в г. Санкт-Петербурге
Тел. (812) 327-04-55
E-mail: trade@azbooka.spb.ru; atticus@azbooka.spb.ru

В Киеве:
ЧП «Издательство «Махаон-Украина»
Тел./факс (044) 490-99-01
e-mail: sale@machaon.kiev.ua

В Харькове:
ЧП «Издательство «Махаон»
Тел. (057) 315-15-64, 315-25-81
e-mail: machaon@machaon.kharkov.ua

www.azbooka.ru; www.atticus-group.ru